걸프 사태

한미 협조 1

걸프 사태

한미 협조 1

한국학술정보

| 머리말

걸프 전쟁은 미국의 주도하에 34개국 연합군 병력이 수행한 전쟁으로, 1990년 8월 이라크의 쿠웨이트 침공 및 합병에 반대하며 발발했다. 미국은 초기부터 파병 외교에 나섰고, 1990년 9월 서울 등에 고위 관리를 파견하며 한국의 동참을 요청했다. 88올림픽 이후 동구권 국교 수립과 유엔 가입 추진 등 적극적인 외교 활동을 펼치는 당시 한국에 있어 이는 미국과 국제 사회의 지지를 얻기 위해서라도 피할 수 없는 일이었다. 결국 정부는 91년 1월부터 약 3개월에 걸쳐 국군의료지원단과 공군수송단을 사우디아라비아 및 아랍 에미리트 연합 등에 파병하였고, 군 · 민간 의료 활동, 병력 수송 임무를 수행했다. 동시에 당시 걸프 지역 8개국에 살던 5천여 명의 교민에게 방독면 등 물자를 제공하고, 특별기 파견 등으로 비상시 대피할 수 있도록 지원했다. 비록 전쟁 부담금과 유가 상승 등 어려움도 있었지만, 걸프전 파병과 군사 외교를 통해 한국은 유엔 가입에 박차를 가할 수 있었고 미국 등 선진 우방국, 아랍권 국가 등과 밀접한 외교 관계를 유지하며 여러 국익을 창출할 수 있었다.

본 총서는 외교부에서 작성하여 30여 년간 유지한 걸프 사태 관련 자료를 담고 있다. 미국을 비롯한 여러 국가와의 군사 외교 과정, 일일 보고 자료와 기타 정부의 대응 및 조치, 재외동포 철수와 보호, 의료지원단과 수송단 파견 및 지원 과정, 유엔을 포함해 세계 각국에서 수집한 관련 동향 자료, 주변국 지원과 전후복구사업 참여 등 총 48권으로 구성되었다. 전체 분량은 약 2만 4천여 쪽에 이른다.

2024년 3월

한국학술정보(주)

| 일러두기

· 본 총서에 실린 자료는 2022년 4월과 2023년 4월에 각각 공개한 외교문서 4,827권, 76만 여 쪽 가운데 일부를 발췌한 것이다.

· 각 권의 제목과 순서는 공개된 원본을 최대한 반영하였으나, 주제에 따라 일부는 적절히 변경하였다.

· 원본 자료는 A4 판형에 맞게 축소하거나 원본 비율을 유지한 채 A4 페이지 안에 삽입하였다. 또한 현재 시점에선 공개되지 않아 '공란'이란 표기만 있는 페이지 역시 그대로 실었다.

· 외교부가 공개한 문서 각 권의 첫 페이지에는 '정리 보존 문서 목록'이란 이름으로 기록물 종류, 일자, 명칭, 간단한 내용 등의 정보가 수록되어 있으며, 이를 기준으로 0001번부터 번호가 매겨져 있다. 이는 삭제하지 않고 총서에 그대로 수록하였다.

· 보고서 내용에 관한 더 자세한 정보가 필요하다면, 외교부가 온라인상에 제공하는 『대한민국 외교사료요약집』 1991년과 1992년 자료를 참조할 수 있다.

| 차례

머리말 4
일러두기 5

걸프사태 : 한.미국 간의 협조, 1990-91. 전9권 (V.1 1990.8월) 7

걸프사태 : 한.미국 간의 협조, 1990-91. 전9권 (V.2 1990.9월) 229

정 리 보 존 문 서 목 록					
기록물종류	일반공문서철	등록번호	32168	등록일자	2009-01-15
분류번호	721.1	국가코드	US	보존기간	영구
명 칭	걸프사태 : 한.미국 간의 협조, 1990-91. 전9권				
생 산 과	북미1과/중동1과	생산년도	1990~1991	담당그룹	
권 차 명	V.1 1990.8월				
내용목차	8.2 주한미국대사, 이라크의 쿠웨이트 침공 관련 미국측 입장 전달 및 한국에 대한 요청 전달 - 이라크 침공 강력 규탄, 국내 쿠웨이트 자산 동결 조치 등 8.8 외무부 대변인 성명 발표 8.9 유엔 안보리 결의 661호 관련, 대이라크 경제제재 조치 결정 8.16 주한미국대사관, 걸프만 해상 봉쇄 및 다국적군 지원 요청 8.17 Kimmitt 국무부 정무차관 박동진 주미국대사 조치, 협조사항 요청 8.20 반기문 외무부 미주국장, 8.17 협조 관련, 물자수송 및 화생방 장비 지원 등 방침 통보 8.22 주한미국대사관, 5개항의 운송수단 지원 요청 8.23 8.22자 요청사항에 대한 지원 통보 8.26 대이라크 외교적 제재 조치 제의 8.30 Bush 대통령, 중동사태 비용 분담 요구 발표 * 중동사태가 미국의 태평양 군사태세에 미치는 영향, 1990.8.18, 현 중동사태가 한반도 안보에 미치는 영향, 1990.8.1, 아국의 다국적군 지원문제, 1990.8.18,20, 한반도 정세에 대한 영향, 1990.8.20 등 포함					

통 화 요 록

일 시 : 90.8.2(목), 15:30-

송화자 : Christenson 1등서기관

수화자 : 조병제 사무관

제 목 : 이라크의 쿠웨이트 침공 관련 미측 요청 전달

Christenson : - 조금전 Gregg 대사가 유종하 차관을 면담, 이라크-쿠웨이트간 대치 상황에 대한 미측 입장을 전달하고 나왔으나, 현지 상황이 급변하여 미측 입장 및 한국 정부에 대한 요청을 새로이 전달코자 함

- 이라크-쿠웨이트간 대치상태에서 이라크측의 자제 요청을 당부하였으나, 외신에 의하면, 현지시간 새벽, 이라크가 국경을 넘어 대규모 탱크 부대를 동원, 전면 침공을 개시, 현재 궁성을 포위하고 있음
- 새로운 미측 요청은 아래와 같음
  1. 이라크의 침공을 공개적으로 비난하고, 즉각적이고 무조건적인 철수를 요구해 줄 것
  2. 이라크의 쿠웨이트 재정자산 통제를 방지토록 예비조치를 취해 줄 것
- 이라크는, 쿠웨이트에 괴뢰정부를 수립, 현 정부 재산의 소유 내지 통제를 기할 가능성이 있으며, 이에 대한 대비조치를 취할 것을 조언(advise)하는 것임

0002

관리 번호	90/1196

	분류번호	보존기간

발 신 전 보

번 호 : WUS-2554 900802 2336 CN 종별 : 지급

수 신 : 주 미 대사. 총영사

발 신 : 장 관 (중근동)

제 목 : 이라크, 쿠웨이트 사태 관련, 외무부 대변인 성명

1. 주한 미대사관측은 이라크의 쿠웨이트 침공을 규탄하고 즉각 철수를 요구하는 성명 발표와 쿠웨이트 자산 동결 조치를 요청해 왔음.

2. 본부는 이라크와의 관계, 특히 다수의 아국 건설 인력이 이라크 및 이라크군 장악하에 있는 쿠웨이트에 근무중인 사실등을 감안 별첨 외무부 대변인 성명을 발표하였으니 참고 바람.

첨 부 : 성명. 끝.

(중동아프리카국 이 두 복)

1990. 12. 31. 에 예고문에 의거 일반문서로 재 분류됨.

보 안 통 제	

앙 고 재	90년 8월 2일	중근동과	기안자 성 명		과 장		국 장		차 관	장 관
			박종순				(서명)			(서명)

외신과통제

0003

WUS-2554

이라크.쿠웨이트 사태에 관한 외무부 대변인 성명

1. 대한민국 정부는 이라크 군대에 의한 쿠웨이트 영토내에서의 군사적 행동과 관련한 걸프 지역내의 사태 진전에 깊은 우려를 표명한다.

2. 대한민국은 이라크 및 쿠웨이트와 다같이 우호적 관계를 유지하고 있는바, 양국간의 분쟁이 무력이 아닌 평화적 방법으로 해결되기를 강력히 희망한다.

3. 또한 대한민국 정부는 이라크군이 가능한 한 조속히 쿠웨이트 영토로부터 철수하기를 바란다.

0004

1990 Aug. 2, 22:00 HRS

Statement by Foreign Ministry Spokesman
R.O.K. Government

The Government of the Republic of Korea is deeply concerned over the developments of situation in the Gulf area involving military action by the Iraqi troops into the Kuwaiti territory.

Both Iraq and Kuwait are friendly countries of the Republic of Korea and the Korean Government strongly wishes that the disputes existing between the two countries will be resolved not by force, but through peaceful means.

The Government of the Republic of Korea wishes that the Iraqi forces be withdrawn from the Kuwaiti territory as soon as possible.

0005

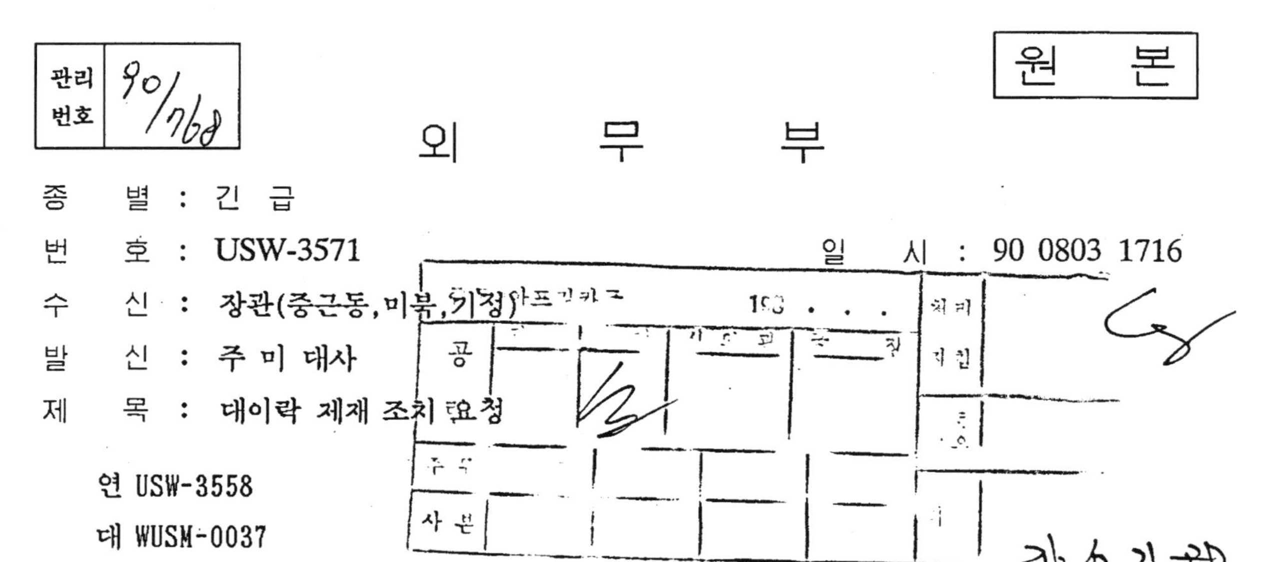

관리 번호	90/768

원 본

외 무 부

종 별 : 긴 급

번 호 : USW-3571 일 시 : 90 0803 1716

수 신 : 장관(중근동,미북,기정)

발 신 : 주 미 대사

제 목 : 대이락 제재 조치 요청

연 USW-3558

대 WUSM-0037

1. 금 8.3(금) 백악관의 DOUGLAS PAAL 아시아 담당 보좌관은 당관 유명환 참사관에게 연호 5 항의 대이락 경제 조치에 아국이 조속히 참여해줄것을 요청해오면서 그 필요성을 하기와같이 설명하였음.

가. 이락의 쿠웨이트침공에 대한 국제적 제재가 실효를 거두지 못할 경우 이락이 사우디에 대한 도발을 감행할 가능성이 농후하며 이 경우 세계 석유 공급에 중대한 차질이 초래될 가능성이 다대함.

나. 현재 서방국등이 대이락 경제 제재에 가담하고 있고 소련도 대이락 무기 공급 중단 조치를 취하자는등 대이락 제재 조치가 국제적으로 확산되고 있는점을 고려, 미국의 주요 우방국인 한국도 이에 동참하는것이 바람직함.

다. 이락의 침략에 대한 국제적 제재가 미온적이나 실효를 거두지 못할 경우 북한의 김일성에게 남침을 도발할 유혹을 갖게할 우려도 있음.

2. 상기 관련 아측이 대호 입장및 외무부 대변인 성명을 설명한데 대해 동 보좌관은 쿠웨이트, 이락에 한국인 근로자가 다수있고, 건설 공사가 진행중인 사정을 이해하나 미국도 이락은 물론 쿠웨이트에 4,000 여명의 미국시민이 있음에도 불구, 대이락 제제조치를 취하고 있는점을 강조하며, 아국 정부도 신속히 제재 조치를 결정하도록 요청하여왔는바, 미측 설명시 참고코자 하니 아국의 대이락 및 쿠웨이트 경제 관계(건설 근로자 현황 포함)현황을 회보하여 주시기 바람.

(대사 박동진-국장)

90.12.31 일반

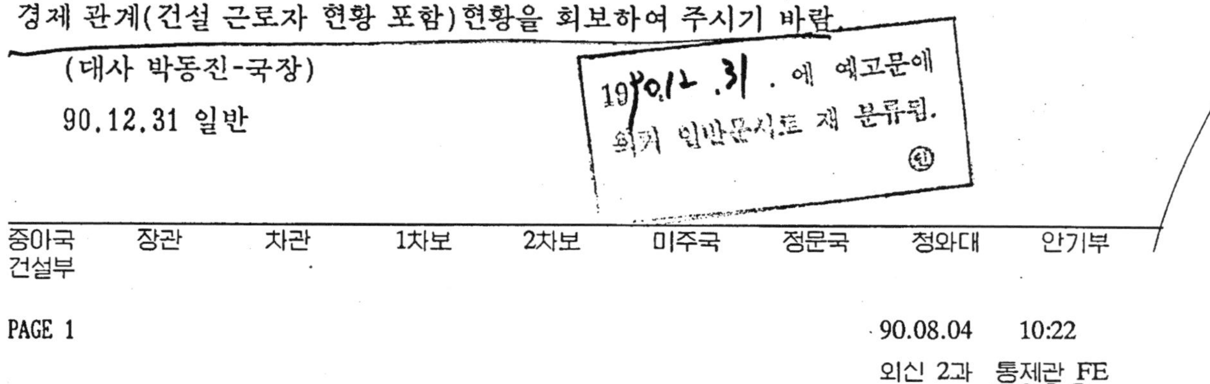

1990.12.31. 에 예고문에 의거 일반문서로 재 분류됨.

중아국 건설부 장관 차관 1차보 2차보 미주국 정문국 청와대 안기부

PAGE 1

90.08.04 10:22

외신 2과 통제관 FE

0006

관리 번호	90-1653

	분류번호	보존기간

발 신 전 보

번 호 : WUS-2580 900804 1545 ER 종별 : 지급

수 신 : 주 미 대사. 총영사

발 신 : 장 관 대리 (미북)

제 목 : 쿠웨이트 사태 관련 조치사항 통보

1. Gregg 대사는 8.2(목) 본직을 방문, 쿠웨이트 사태에 관한 미측 입장을 전달하고 아국 정부가 이라크의 침공을 공개적으로 강력히 규탄하고, 이라크군의 즉각적이고 무조건적인 철수를 요구해 줄 것과 이라크에 의한 쿠웨이트 재산 침해를 사전 방지하기 위해 아국내 쿠웨이트 자산 동결 조치등 예방조치를 취해 줄 것을 요청하였음.

2. 정부는 미측의 요청을 최대한 수용하는 한편, 아국과 쿠웨이트. 이라크간의 우호관계 및 경제적 이해 관계, 교포 안전 등을 고려하여 쿠웨이트 영토에서의 이라크의 군사적 행동으로 인한 사태 진전에 대해 깊은 우려를 표명하고 이라크 군이 가능한한 조속히 쿠웨이트 영토로부터 철수하기를 바란다는 내용의 성명을 8.2. 발표하였음. (성명서 전문은 기타전)

3. 한편, Gregg 대사는 아국내 쿠웨이트 자산 동결 조치 요청을 위해 8.3(금) 총리 면담을 요청 해옴에 따라, 본직이 총리 대신 동 대사를 접촉, 아국내에 쿠웨이트 정부 재산은 없으며, 다만 일부 금융회사에 1,700만불 상당의 개인 회사 명의의 자산이 있으나, 개인 명의 자산은 동결할 필요가 없다고 본다는 아측 입장을 설명함.

/ 계 속 /

보안 통제	

앙 고 재	90년 8월 4일	북미과	기안자 성명		과 장	심의관	국 장		차 관	장 관
			김유헌		(서명)	출장중	전결			(서명)

외신과통제

0007

4. 미측은 상기 설명에 대해서 아국이 추후 기회가 있을시 이라크의 침공 행위에 대해 더 강력히 규탄해 줄 것을 요청하였는 바, 이에 따라 본부는 8.4.(토) 중동아 국장으로 하여금 주한 이라크 대사대리를 초치, 이라크측의 군사 행동에 따른 걸프만 사태에 우려를 표명하였음을 참고바람. 끝.

(미주국장 반 기 문)

예고 : 90.12.31.일반

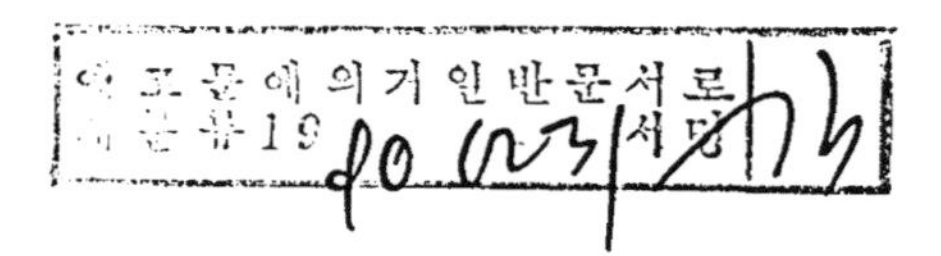

0008

관리번호	90/1276

원 본

외 무 부

종 별 : 지 급

번 호 : USW-3596　　일 시 : 90 0806 1804

수 신 : 장관(중근동,미북,기협,항만청)

발 신 : 주 미 대사

제 목 : 이락,쿠웨이트 사태

대 WUS-2579

1. 금 8.6 당관 신정승 서기관및 김성수 해무관은 국무부 WAJDA 해운.육운 담당과장을 면담, 대호에 따라 미국측의 항만 봉쇄등 작전 수행시 아국 선박의 안전이 확보되도록 사전 협조를 요청하였음.

2.WAJDA 과장은 항만 봉쇄등의 작전 가능성에 대해서는 아는바 없다고 하면서, 미국은 현재 이락 및 쿠웨이트에 대해 경제 제재 조치를 취하고 있으며 일본, EC 등 주요 서방국들도 이에 동참하고 있는 상황이기 때문에 자신으로서는 미국이 우선 동 경제 제재 조치의 효과를 기다려 볼것으로 본다고 하면서 항만 봉쇄등에 대한 한국측의 관심 사항에 대해서는 유의하겠다고 답변하였음.

3. 참고로 미국의 대 이락, 쿠웨이트 경제 조치에 따라 미 선박에 의한 동지역 화물 수송 은 사실상 금지된 상태라함.

(대사 박동진-국장)

예고:90.12.31 까지

1990.12.31. 에 예고문에 의거 일반문서로 재 분류됨.

중아국　차관　1차보　미주국　경제국　정문국　청와대　안기부　해항청

PAGE 1　　90.08.07 08:04

외신 2과 통제관 DH

0009

관리 번호	90/784

	분류번호	보존기간

발 신 전 보

WUS-2606 900807 1827 ER

번 호 : 종별 : 지급 -0968

수 신 : 주 미 대사. ~~총영사~~ (사본: 주유엔대사)

발 신 : 장 관 (중근동)

제 목 : 대 이라크 및 쿠웨이트 경제 현황

대 : USW-3571

1990. 12. 31. 에 예고문에 의거 일반문서로 재 분류됨.

1. 대호건 아래와 같이 통보함.

가. 이 라 크

o 건설현황

진출업체 : 현대, 삼성, 정우, 한양, 대림, 남광, 동아등 7개 업체

총수주액 (81-89) : 64억4천만불

(시공액 : 13건 22억불 8천만불)

o 교역현황

진출상사 : 현대, 삼성, 대우, 국제, 선경, 효성등 6개 상사

수출액(89) : 67백만불(고무제품, 섬유류, 철강제품)

수입액(89) : 63백만불(원유)

교 민 : 621명 (근로자 포함)

나. 쿠웨이트

o 건설현황

진출업체 : 현대, 대림, 효성등 3개 업체

총수주액 (81-89) : 2,110 백만불

(시공액 : 4건 2억 3천 2백만불)

/ 계속 ....

보안 통제	

앙 고 재	90년 8월 7일	중근동과	기안자 성명		과 장		국 장		차 관	장 관
							전결			

외신과통제

0010

o 교역현황

수출액(89) : 210 백만불(선박, 견직물, 전기기기등)

수입액(89) : 381 백만불 (원유)

교 민 : 648명 (근로자 포함)

o 원유 도입액 (90년)

이 라 크 : 3만 9천 B/D

쿠웨이트 : 7만 B/D

2. 참고코자 하니 미국의 대 이라크, 쿠웨이트 경제관계 및 교민현황 파악 보고 바람. 끝.

예고 : 90. 12. 31. 일반

(중동아국장 이 두 복)

0011

관리번호	90/781

원 본

외 무 부

종 별 : 긴 급

번 호 : USW-3623 일 시 : 90 0807 2020

수 신 : 장관(중근동,미북)

발 신 : 주 미 대사

제 목 : 이락.쿠웨이트 사태

연 USW-3571

대 WUS-2606

1. 국무부 RICHARDSON 한국과장은 금 8.7 당관 유명환 참사관에게 작일 유엔 안보리의 대이락 제재 조치에 따라 한국 정부도 조속히 이에 호응하여 줄것을요청함, 동과장은 또한 미국은 동사태를 매우 심각하게 생각하고 있으므로 주요우방국의 협조가 매우 긴요하다고 부언함.

2. 이에 대해 유참사관은 우선 본부에 보고하겠다고만 답변하고, 대호 아국과 이락및 쿠웨이트와의 건설및 무역 관계를 설명함.

3. 상기 (1)항에 대한 아국 입장을 조속 회보바람.

(대사 박동진-국장) 예고: 90.12.31 일반

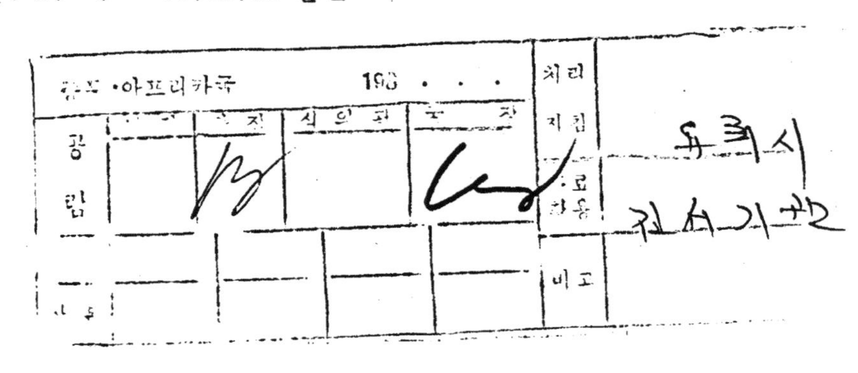

1990.12.31.에 예고문에 의거 일반문서로 재 분류됨.

중아국 장관 차관 1차보 2차보 미주국 청와대 안기부

PAGE 1

90.08.08 11:07

외신 2과 통제관 BN

0012

관리 번호	90-1501

원 본

외 무 부

종 별 : 긴 급

번 호 : USW-3648　　　　일 시 : 90 0808 1841

수 신 : 장관(미북,중근동,기협,기정) 사본:대통령 비서실장

발 신 : 주 미 대사

제 목 : 국무부 정례 브리핑(대 이락 경제 제재 참여 문제)

금 8.8 국무부 정례 브리핑시 대이락 경제 제재 조치에의 아국 참여 문제 관련 질문에 대해 BOUCHER 부대변인은 현재로서는 아는바 없으나, 추후 알아 보겠다는 요지로 답변하였는바, 동 질의 응답 전문은 다음과같음.

Q ARE YOU AWARE OF ANY COUNTRIES THAT HAVE INDICATED THAT THEY WILL NOT COMPLY WITH THE UNITED NATIONS RESOLUTION ON SANCTIONS ?. I'M THINKING OF TWO MAJOR OIL PURCHASERS OF IRAQI AND KUWAITI OIL, NAMELY SOUTH KOREA, WHICH IS NOT A MEMBER OF THE UN, AND INDIA.

MR. BOUCHER I HADN'T -- I DON'T HAVE ANY INFORMATION ON THAT. I'LL CHECK AND SEE IF THERE'S SOMETHING.

Q I UNDERSTAND THAT ASSISTANT SECRETARY SOLOMON WAS IN SOUTH KOREA-- ,,MR.BOUCHER HE IS IN SOUTH KOREA, I BELIEVE TODAY AND TOMORROW.

Q -- AND HAD DISCUSSIONS THERE, AND THE INDICATIONS ARE THAT HE DID NOT RECEIVE ANY COMMITMENT FROM THE SOUTH KOREAN GOVERNMENT TO RESPECT THOSESANCTIONS.

MR.BOUCHER WELL, I THINK WE'LL PROBABLY WANT TO SEE WHAT THE RESULTS OF HIS DISCUSSIONS ARE AND WHAT THEY SAY AND WHAT WE'RE PREPARED TO SAY ABOUT IT, BUT I WILL KEEP IT IN MIND AND LOOK INTO IT.

(대사 박동진-장관)

예고:90.12.31 까지

일반문서로 재분류 90.12.31 서명

미주국	장관	차관	1차보	2차보	중아국	경제국	정문국	청와대
안기부								

PAGE 1　　　　90.08.09 09:33

외신 2과 통제관 CW

0013

관리번호	90-1433

외 무 부

종 별 : 긴 급

번 호 : USW-3649 일 시 : 90 0808 1841

수 신 : 장관(중동,미북,국연,통이,경이,기정) 사본:주사우디대사-중계필

발 신 : 주 미 대사

제 목 : 미국의 대이락-사우디 조치(국무부 동맹국 브리핑)

연 USW-3627,3634,3638

대 WUS-2634

1. 국무부는 8.8 오전 지난 8.1-2 이르쿠츠크에서 있었던 미소 외무장관 회담결과를 NATO, 일본, 아국, 호주등 동맹국측에 브리핑하는 기회에 미 행정부의대이락 조치의 배경과 현황을 설명하고, 동맹국들의 이해와 지지를 요청하였음(중동 문제에 대한 브리핑시에는 사우디, 쿠웨이트 대사관측도 참석하였음)

2. 금일 브리핑시 KIMMIT 정무차관과 JACK COLBY 중근동 서남아 담당 부차관보가 실시하였으며, 당관에서도 이승곤공사(김영목서기관 배석)가 참석하였는바 미측 브리핑 요지 다음임.

가. 금번 사우디 파병 조치의 취지

-금번 사우디 파병 조치는 이락의 침략 확산을 방지하는데 목적이 있으며, 동 조치는 사우디, 쿠웨이트 정부의 요청에 따른 것임.

-현재 베이커 장관등 미 행정부측의 주요 외교 노력은 유엔 안보리의 대이락 금수 결의를 효과적으로 시행하는것과 사우디 파병을 다국군화 하는데에 집중되고 있음.

나. 이락의 원유 수출 봉쇄

-현재 이락의 터키 관통 송유관은 이미 효과적으로 차단되었으며, 사우디를통한 송유도 중단되고 있음.

다. 지상군 대치 동향

-현재- 쿠웨이트내의 이락군은 증강되고 있으며 , 이락으로부터 신규 부대가투입되고 있음(국방부측은 이락군의 지대지 미사일 반입, 화학무기 반입 가능성 우려)

-이락군은 현재 사우디에 대한 공격이 가능한 포진을 하고 있음.

중아국	장관	차관	1차보	2차보	미주국	국기국	경제국	통상국
정문국	청와대	안기부						

PAGE 1

90.08.09 09:56

외신 2과 통제관 CW

0014

-사우디내 도착한 미군은 현재로서는 취약한 방어 태세에 있는바, 참호 구축및 병참 장비 투입등을 통해 방어 태세를 취하고 있음.

라. 다국적군 구성을 위한 미국의 노력

-미행정부는 이락의 사우디 침공을 저지하기 위한 다국적군 구성을 낙관하는바, 이미 사우디-이락 국경 인전지역에 GCC 연합군(5 개 연대)이 배치되어 있고, 이집트와 모로코도 다국적 참여 가능성을 배제하고 있지 않고 있음(미국은 이집트, 모로코가 궁극적으로 다국군에 참여할것으로 기대)

-금일 영국 정부는 사우디 정부의 요청에 따라 영국 해.공군 지원을 발표하였음.

-MUBARAK 이집트 대통령은 범 아랍군이 구성되지 않는 경우, 사우디 방어 다국군에 참여치 않을것이라고 언명하였으나, 동 대통령이 긴급 아랍 정상회의를소집한것은 범 아랍군 구성을 제안하려는것으로 미측은 이해하고 있음.

- 미국이 구상하고 있는 다국적군의 지휘 계통은 사우디 및 각 외국군의 지휘를 유엔의 우산아래 두고, 서방 동맹국군과 범 아랍군이 2 원적으로 작전 통제체제를 갖는것임.

-소련은 상금 다국군 참여에 동의하지는 않았으나, 최소한 서방측과 협의 채널은 OPEN 하고 있는 상태이며, 참여도 불가능하지 않을것으로봄.

마. 외국인 소개 문제

-현재 미국은 연호 보고(USW-3627)와 적십자를 통한 서방국 공동 소개를 추진하고 있음. 이락 및 쿠웨이트내 외국인의 현황과 동신변에 대한 이락측의 보장문제는 각 채널별로 일치하지 않는바, 미측으로서는 외국인 문제 대한 정보 교환을 환영할것임(미국은 주 이락 공관원의 감축을 추진하고 있으나 상금 이락측은 공관원의 출국을 금지)

-미측이 어제(8.6) 발표한 걸프만 지역에 대한 여행 지침은 신규 여행의 금지와 동 지역 체류자의 자발적인 철수를 권고하고 있는바, 동 지침 작성에는 사우디 원유 증산 필요성을 고려, 미국 기업의 급격한 철수를 방지해야한다는데 주안점이 주어졌음.

-한편, 소련측도 이락내 소련인 신변 문제에 지대한 관심을 보이고 있음(약8,000 정도 체재 추산)

바. 이락의 쿠웨이트 합병 가능성

-현재 이락측은 이락-쿠웨이트 연맹(UNION)을 거론하고 있는바, 동 UNION 이 구체적으로 어떠한 형태가 될지는 현재로서는 알수 없음.

PAGE 2

0015

-다만, 이락측은 쿠웨이트가 식민세력에 의해 이락으로부터 불법적으로 분리되었으므로 이락과 쿠웨이트는 통합되어야한다는 주장을 해온점에 유의하고 있음.

3. 관찰

-미 행정부는 현재로서는 미군 파병및 다국군 구성을 통한 이락의 사우디 침공 방지와 국제적 금수 조치를 통한 이락군의 쿠웨이트 철수라는 이원적 전략을 추진하고 있는것으로 보이며, 특히 이락과의 교역 금지를 위한 유엔 안보리 결의가 구속적(MANDATORY)이라는점을 강조, 실질적인 대이락 경제 봉쇄가 가능토록 하는데 주력해 나갈것으로 보임(다만 인도적 차원에서의 식량 교역 문제는 터키등 관련국의 입장과 유엔 결의 내용을 고려, 다소 신축적 입장을 보이고 있으나, 미국으로서는 모든 물자, 용역의 교역 일체를 금지하였음)

-미측의 다국군 구성(이집트, 모르코 동참등)에 대한 기대는 매우 낙관적이나 일부 관측통들은 요르단의 이락 동조등으로 범 아랍군 구성등은 상당히 어려울것으로 보고 있음. 현재 베이커 장관이 명 8.9 터키측과 협의를 마치고 8.10 NATO 외상들과 협의를 갖을 예정인바, 다국군 구성을 위한 동맹국들의 참여 방식은 동 일련의 협의가 종료된후 보다 분명해질것으로 예상됨.

-원유의 전략 비축분 사용 문제와 관련, 미 행정부는 상금 주요 선진국들에대해 구체적 제안을 하고 있지는 않은것으로 관찰되는바, 동 비축분의 구체적 사용 방법과 관련, 일본등 일부 국가들은 국제 에너지 기구 또는 OECD 에서의 토의를 선호할 가능성도 있음.

-현재 미 행정부 인사들은 아국의 대이락 경제제재 조치 참여 여부를 문의해오고 있는바, 이에 대한 아국 정부의 입장 지급 회시 바람.

(대사 박동진-장관)

예고:90.12.31 일반

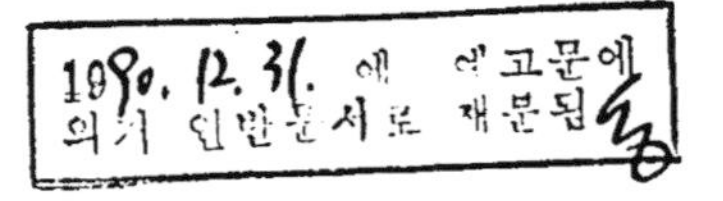

0016

관리번호 Po-1685

원 본

외 무 부

종 별 : 긴 급

번 호 : USW-3652 일 시 : 90 0808 1910

수 신 : 장관(친전) 사본:대통령 비서실장

발 신 : 주 미 대사

제 목 : 대이락 경제 제재 조치 참여

연 USW-3634,3638,3648

1. 연호 전문으로 이미 보고한바도 있고 또 금일 부쉬 대통령의 대국민 특별 연설에서도 강조된바 있거니와 금번 이락의 쿠웨이트에 대한 불법 무력 침공에 대한 미국내의 현재 여론은 강경 대책의 불가피성을 전폭적으로 지지하는 분위기가 조성되어 있음. 또한 유엔 안보리의 결의에 따라 모든 자유 애호 국가가 대이락 경제 제재에 참가할것으로 기대하고 있기 때문에 자유진영 가운데에서 혹어떤 나라가 동 경제 제재 결의 이행에서 이탈하는지에 관해 많은 관심이 집중되고 있음(미 의회 지도층도 BUSH 대통령을 전폭 지지하고 있고 각국의 동향에 관심 표명)

2. 이러한 분위기로 인하여 금 8.8 국무부 정례 브리핑시 질의 응답 가운데한국과 인도가 유엔 안보리의 대이락 경제 제재 결의를 실천하는데 소극적인 반응을 보이고 있다는 구체적 질의가 있어 브리핑 참석자들간에 묘한 반응을 보인바도 있음.

3. 금번 이락의 군사 행동 관련 유엔등의 조치는 과거 한국의 6.25 동란에 대한 미국 및 서방국가 그리고 유엔의 대응 조치를 방불케하고 있음. 따라서 제 1, 제 2 의 붉한 남침이 발생한다고 가상할때 미국과 우리 우방 그리고 유엔이 어떻게 행동 하리라는것을 예측 가능케 하는 사태 진전이라고 볼수 있음.

4. 우리가 비록 이락과 쿠웨이트에 다수의 교포 와 진출업체를 갖고 있다 하여도, 또 유엔 회원국이 아니라 하여도, 무엇인가 금번 유엔 안보리 결의에 여타 우방과 같이 적극 참여하는 인상을 주는 결정을 내릴 필요가 있다고 사료됨. 불연이면 한국의 국제적 지위가 크게 향상된 마당에 미국의 한국에 대한 현재까지의 긍정적인 평가와 인식에 적지않은 부정적 영향을 끼칠뿐 아니라, 국제 사회에서도 부정적인 이미지를 초래할 우려가 있음.

5. 더구나 일본의 경우는 과거 조심스러워하던 입장과는 달리 사태 발생후조속히

장관 청와대

90.08.09 09:27

외신 2과 통제관 CW

0017

경제 제재 조치에 미국과 보조를 같이함으로서 BUSH 대통령이 금일 기자회견시에도 직접 일본을 거명한바도 있거니와 대부분 미국 여론은 한국을 일본과 비등하게 주요 우방국가로 생각하고 있어 특히 대조가 되고 있음.

6. 따라서 이락 사태에 대한 우리 정부입장을 유감 표시선에서만 끝내기 보다는 경제 제재에 대한 협조까지 적절히 연장하는 방향으로 검토할것과 시기를 놓치지 않고 아측 조치를 천명할것을 건의함.

(대사 박동진-장관)

예고:90.12.31 일반

PAGE 2

0018

90. 8. 8.

외무부 대변인 브리핑

(솔로몬 미 국무부 동아.태 담당 차관보의 유종하 외무차관 면담내용)

1. 90.8.1-2 소련 이르쿠츠크에서 개최된 미.소 외무장관 회담시 한반도 문제가 논의된바, 세바르드나제 외무장관은 자신이 직접 IAEA 핵 안전 협정 체결을 북한측에 촉구하겠다고 말하고, 또한 남.북대화의 중요성도 북한측에 다시 강조하겠다고 입장을 밝혔다 함.

2. 미측은 범세계적인 대 이라크 제재 조치에 한국도 동조할 것을 요청 하였음. 이에 대해 유차관은 한반도를 포함, 세계 어느곳에서고 무력사용에 반대하는 우리 정부의 정책을 분명히 하였음. 경제 제재 조치에 관해서는 우리나라의 관계 당사국들과의 전반적인 관계 및 사태 진전 상황을 종합적으로 검토하여 신중히 대처해 나갈 것이라는 우리 정부의 입장을 설명하였음.

3. 솔로몬 차관보는 APEC이 성공하도록 가능한 모든 지원과 협력을 아끼지 않겠다는 것이 미 정부의 방침이며, 특히 내년도 서울 회의가 성공적으로 개최되도록 적극 협조하겠다고 밝힘. 또 미측은 중국, 홍콩, 대만 가입과 관련, 한국이 의장국으로서 주도적으로 합리적인 가입 방안을 모색할 것으로 기대하며, 이러한 것이 한.중관계 발전에도 도움이 될 수 있을 것 이라고 평가함.

4. 유종하 차관은 7.20 선언등 우리의 대북정책과 최근 남.북 대화의 현황등을 설명하였으며, 솔로몬 차관보는 우리의 대북정책을 적극적으로 지지 한다는 미 정부의 입장을 다시 한번 명백히 밝힘.

0019

공 란

공　　　란

공 란

공 란

공 란

공 란

공 란

공 란

공 란

공 란

공 란

공 란

공 란

공 란

공　　　란

공 란

공 란

공 란

공 란

공 란

공 란

관리 번호	PO-1504

	분류번호	보존기간

발 신 전 보

번 호 : WUS-2639 900809 1804 DY 종별 :

수 신 : 주 미 대사.총영사

발 신 : 장 관 (미북)

제 목 : 쿠웨이트 사태 관련 아국입장

대 : USW-3648, 3652

1. 외무차관은 8.9(목) 기자단에 대한 브리핑시 이라크의 쿠웨이트 침공과 관련한 아국 입장을 아래와 같이 밝혔음.

(국 문)

- 한국은 8.6.자 이라크에 대한 유엔안보리의 제재조치 결의 661호를 지지하며, 이의 이행 방안에 관하여 금 8.9. 오후 관계부처 회의를 가질 예정임.
- 유엔안보리의 8.2.자 660호 결의에 대하여는 8.2.자 외무부 대변인 성명을 통하여 이라크군이 쿠웨이트 영토로 부터 즉각 철수해야 한다는 입장을 천명하였으며, 이러한 입장을 재강조하는 바임.
- 한국 정부는 이라크에 의한 쿠웨이트 합병을 인정할 수 없음을 분명히 밝힘. (본항은 기자의 추가질문에 대한 답변임)

(영 문)

- The Republic of Korea supports United States Security Council Resolution 661 adopted on August 6, 1990, regarding collective economic measures against Iraq.
  An inter-ministerial meeting for implementation of this resolution will take place in the afternoon of August 9. /계속/

앙 고 재	90년 8월 9일	북미과	기안자	허철	과 장	심의관	국 장	전결	차 관	장 관
					(서명)	출장				(서명)

보안통제	외신과통제
(서명)	

0041

o We have already called for, in a statement on August 2 by the Foreign Ministry Spokesman, the immediate withdrawal of Iraqi troops from the Kuwaiti territory in accordance with UN Security Council Resolution 660 of August 2, 1990, and we reemphasize this position.

o (To a question) The Government of the Republic of Korea makes it clear that the annexation of Kuwait by Iraq is unacceptable.

2. 외무차관은 금일 Gregg 주한 미 대사에게 상기 내용을 통보하였는바, 귀관에서도 이를 국무부에 통보하고 귀지 주요 언론 접촉시에도 활용하여, 금번 이라크-쿠웨이트 사태와 관련 아국이 취한 조치에 대해 그릇된 인식이 없도록 적극 노력 바람.

3. 한편 미주국장은 아국의 대이라크 제재 조치와 관련한 8.8.자 연합 동신 기사 내용이 사실과 다름을 외무부 출입기자단에 설명한 바 있음.
금 8.9.자 국내 신문들은 상기1항 외무차관의 발표와 관련, 아국이 대이라크 제재 조치에 동참할 것이라고 일제히 보도한 바 있음.

4. 금일 오후 개최되는 관계부처 회의 결과는 추후 통보 예정임. 끝.

(미주국장 반기문)

0042

관리 번호	90-1505

	분류번호	보존기간

발 신 전 보

번 호 : WUS-2645 900809 2232 EY 종별 : 지급

수 신 : 주 미 대사 ~~총영사~~ WUN -0984 (사본 : 주유엔대사)

발 신 : 장 관 (미북)

제 목 : 대이락 경제 제재 조치 참여

대 : USW-3652

연 : WUS-2639

1. 유엔 안보리 결의 661호의 이행에 관한 유엔 사무총장의 요청을 받고, 정부는 8.9.오후 총리주재 관계부처 장관회의(참석자 : 부총리, 외무, 동자, 건설, 교동, 재무, 상공, 국방, 노동, 공보처, 안기부)를 개최한 결과, 아국정부가 동 안보리 결의에 충분히 부응하는 조치가 필요하다고 보고 하기 분야의 조치를 즉시 취하기로 결정하였음.

가. 조치 내용

- 이락 및 쿠웨이트 지역으로 부터의 원유수입금지
- 의약품등 인도적 물품을 제외한 이 지역과의 상품교역 금지
  (유엔 결의에는 특히 무기 수출금지를 요청하고 있는바, 아국은 무기를 수출한 적도 없고 앞으로의 수출도 없을 것임)
- 향후 이 양지역에서의 건설공사 수주 금지
- 이라크와 쿠웨이트 정부 자산의 동결 요청과 관련, 이러한 성격의 자산이 한국내에는 없음을 확인함.

/계속/

유엔과에 사본송부필 8/10

앙고재	90년 8월 9일	북미과	기안자		과 장		국 장		차 관	장 관
			(서명)		(서명)		전결			(서명)

보안통제	외신과통제
(서명)	

0043

나. 정부는 이러한 제재 조치의 이행과 현지교민의 안전대책을 위하여 외무부 권병현 본부대사를 장으로 하고 관계부처 국장들로 구성된 대책반을 설치, 8.9.부터 운영키로 함.

2. 외무차관은 상기내용을 8.9. 언론에 발표하고 주한 이락대사 및 주한 미대사에게도 통보 하였는바, 동 내용을 국무부(유엔의 경우 사무총장)에 통보 하고 반응 보고바람.

3. 금번 이라크-쿠웨이트 사태 관련 일부 미국언론이 아국의 조치 및 입장에 대해 그릇된 인식이 없도록 주요언론을 대상으로 금번 정부의 조치내용을 적극 홍보바라며, 이에 대한 언론의 반응을 수시 보고바람.

(미주국장 반 기 문)

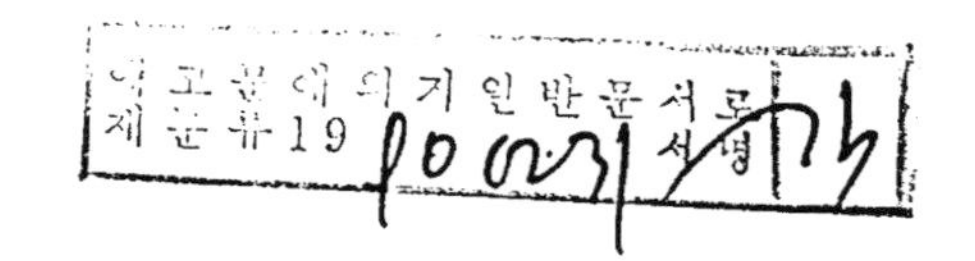

0044

ㄴ.

관리번호	90-1513

원 본

외 무 부

종 별 : 긴 급

번 호 : USW-3670 일 시 : 90 0809 1654

수 신 : 장 관(미북,중근동,기협)

발 신 : 주 미 대사

제 목 : 대이락 경제제재 조치

대:WUS-2639, 2645

1. 대호 관련 당관 유명환 참사관은 8.9(목) 백악관 NSC 아시아 담당 보좌관 (D.PAAL) 및 국무부 한국과장에게 아국 입장을 설명함.

2. 이에 대해 미측은 한국정부가 여러가지 어려운 사정에도 불구하고 유엔 안보리의 제재 조치 결의에 따라 대이락 금수조치를 조속결정한것을 크게 환영 한다고 하면서, 상기를 즉시 BAKER 국무장관 및 백악관 상부에도 보고 할것이라고 말함.

(대사 박동진- 국장)

예고:90.12.31. 까지

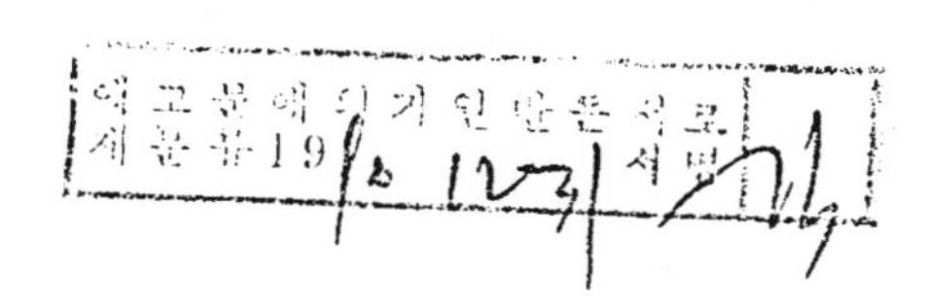

미주국 차관 1차보 2차보 중아국 경제국

PAGE 1

90.08.10 05:38

외신 2과 통제관 DL

0045

1 원 (사본; 법규)

외 무 부

종 별 :

번 호 : USW-3680 일 시 : 90 0809 1859

수 신 : 장 관(중근동,미북,국연)

발 신 : 주 미대사

제 목 : 미국의 대이락 규탄

금 8.9 개최된 유엔 안보리에서 THOMAS PICKERING 주유엔 미대사는 다음 요지 발언을 행한바, 동 발언내용 전문 별첨 FAX 송부함.

1.이락의 쿠에이트 합병은 무효임.

2.미군 병력은 방어적 목적을 위해 사우디에 파견된 것임.

3.이락군은 쿠에이트로부터 즉각,무조건적으로 전면 철수하여야 하며, 쿠웨이트합법 정권이 복구되어야 함.

첨부: USW(F)-1770

(대사 박동진-국장)

중아국 1차보 미주국 국기국 정문국 안기부 2차보 차관 장관 청와대

PAGE 1

90.08.10 08:02 WH

외신 1과 통제관

0046

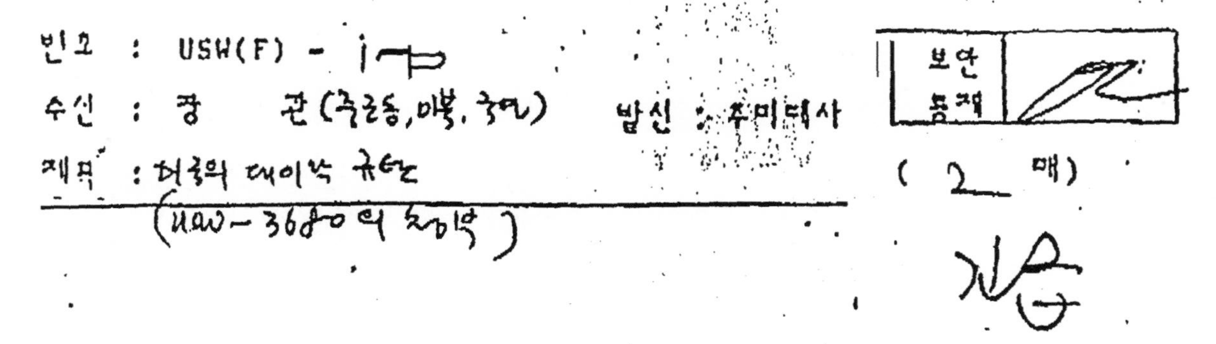
번호 : USW(F) -

수신 : 장 관 발신 : 주미대사

제목 :

보안 통제

(2 매)

REMARKS BY THOMAS PICKERING
US AMBASSADOR TO THE UNITED NATIONS

TO THE UNITED NATIONS SECURITY COUNCIL
REGARDING IRAQI INVASION OF KUWAIT

UNITED NATIONS
NEW YORK, NEW YORK

THURSDAY, AUGUST 9, 1990

.STX

AMB. PICKERING: Mr. President, we are pleased and gratified by the unanimous approval of the Council of Resolution 662.

The United States does not recognize Iraq's outrageous and unlawful declaration that Kuwait is a part of Iraq. My government therefore is eager to support the legitimate government of Kuwait through the consensus resolution which we have adopted, which declares that any such charade is null and void and without legal effect.

Iraq repeatedly over the last several days has shown its scorn for the international community and for the resolutions of this body. Iraq's declaration is further proof of its continuing threat to the world community, and its disdain for international law.

For our part, at the request of governments in the region, the United States has increased its presence in the area. Mr. President, we are in the course of informing this council officialy, by appropriate letter, of our action taken under Article 51 of the Charter. As President Bush said yesterday, this is entirely defensive in purpose, to help protect Saudi Arabia and is taken under article 51 of the UN Charter and indeed, in consistency with Article 41 and Resolution 661. As Resolution 661 affirms, Article 51 applies in this case.

The Iraqi invasion of Kuwait and the large military presence on the Saudi frontier creates grave risks of further aggression in the area. This being the case, my government and others are, at the request of Saudi Arabia, sending forces with which to deter further Iraqi aggression.

Why is this resolution necessary? It is necessary

1990-1

0047

because Iraq is attempting to extinguish the sovereighty of a member state of the United Nations.

There is something repugnant, chilling, and vaguely familiar about the statement issued yesterday by the Iraqi Revolutionary Command Council. We have heard that rhetoric before. It was used about the Rhineland, the Sudetenland, about the Polish Corridor, about Mussolini's invasion of Ethiopia, and about the Marco Polo Bridge incident in China. It was used to divide and to swallow up sovereign states, contrary to international law. The world community did not react. The result was global conflagration.

We believe the international community has learned this lesson well. We here will not and cannot let this happen again. We have finally learned the grim lesson of the 1930s, which was succinctly articulated by a Soviet foreign minister of that era, Maksim Litvinov. He said peace is indivisible. We agree.

My government is heartened by the response from the world community to Resolution 661, and we are confident that the procedures to implement it are well underway by the member states and in the United Nations. Resolution 660 and 661 should be used not only to contain this cancerous act of aggression but also to require Iraq to withdraw its forces immediately, unconditionally and totally.

The Council also again today calls for the restoration of the legitimate authority, sovereignty and territorial integrity of Kuwait. By this resolution, the international community again reaffirms that this crisis is not a regional matter alone, that it threatens us all, and that we have learned the lessons of history. We cannot allow sovereign state members of the United Nations to be swallowed up.

The United States stands ready to return to the Council as circumstances warrant to seek further Council action to implement Resolution 660. We are gratified that the Council continues to work expeditiously and effectively in its efforts to deal with this crisis.

Thank you, Mr. President.

.ETX

END

1990-2

0048

미북 (은지방 보도 회보).

원 본

관리번호	90-1514

외 무 부

종 별 : 긴 급

번 호 : USW-3681 일 시 : 90 0809 1859

수 신 : 장관(미북,중근동)

발 신 : 주 미 대사

제 목 : 중동 정세 브리핑

1. 금 8.9 미 국방정보 본부(DIA)측에서 당관에 알려온바에 의하면, 일본정부의 요청으로 동본부 JOHN MOORE 중동 아프리카 분석 담당 국장(CHIEF DIRECTOR-ATE, RESEARCH, MIDDLE EAST AND AFRICA) 이 일본 외무성및 방위청 관계자들에대한 금번 중동 사태 브리핑을 위해 8.13 부터 방일 예정이라함(동 국장의 직급은 SES-3 으로 소장급이라함)

2. 미 DIA 측에 따르면, 한국측이 원하는 경우 동 국장이 8.16 경 방한, 아측에 대해서도 여사한 브리핑을 실시하는것이 가능하다고 하는바, 이에 대한 본부 입장 지급 회보 바람.

(대사 박동진-차관)

예고:90.12.31 까지

<중아국에서 처리>

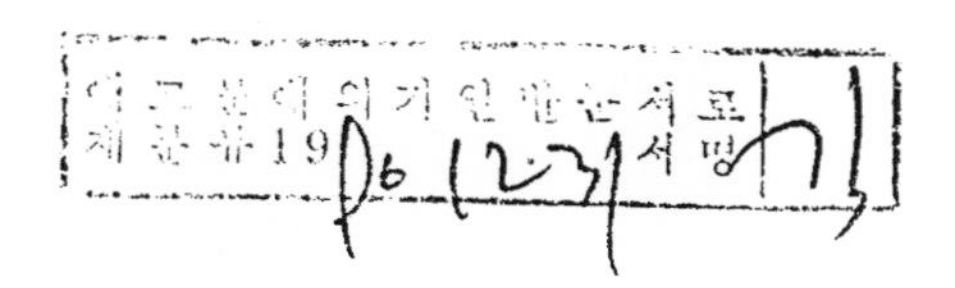

미주국 차관 1차보 2차보 중아국

PAGE 1

90.08.10 07:59

외신 2과 통제관 CW

0049

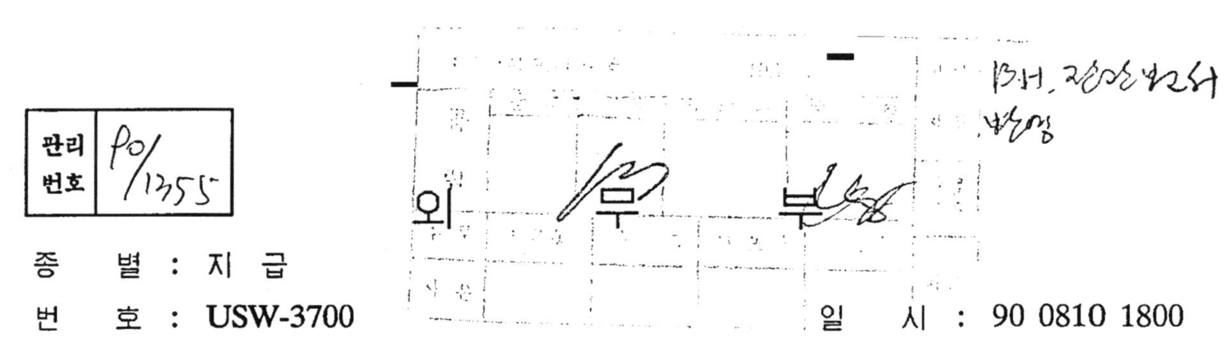

종 별 : 지 급

번 호 : USW-3700 일 시 : 90 0810 1800

수 신 : 장관(미북,중근동,통일)

발 신 : 주 미 대사

제 목 : 아국의 경제 제재 참여 관련 미 국무부 보도 지침

대 WUS-2639

대호 2 항관련, 국무부측은 한국의 대이락 경제 제재 동참을 환영하는 요지의 아래 보도 지침을 준비 하였다함(금일 국무부 정례 브리핑시 질문이 없어 사용치는 안았으나, 추후 특파원 전화 질의시 준비대로 답변하였다함)

KOREA PARTICIPATION IN SANCTIONS AGAINST IRAQ

Q WHAT IS YOUR REACTION TO THE ANNOUNCEMENT BY THE SOUTH KOREAN GOVERNMENT THAT IT WILL JOIN THE SANCTIONS CAMPAIGN AGAINST IRAQ ?

A -- WE STRONGLY WELCOME THE DECISION BY THE REPUBLIC OF KOREA TO SUPPORT UN SECURITY COUNCIL RESOLUTIONS 660 AND 661 REGARDING ACTION AGANIST IRAQ. THEIR SUPPORT FOR MULTI-NATIONAL SANCTIONS IS CRUCIAL IN PRESENTING AUNITED FRONT AGAINST THE ILLEGAL OCCUPATION AND ANNEXATION OF KUWAIT.

Q ARE YOU DISAPPOINTED THAT THE SOUTH KOREANS WAITED SO LONG BEFORE DECIDING TO PARTICIPATE IN SANCTIONS AGAINST IRAQ ?

A -- I REPEAT, WE WELCOME THE DECISION BY THE REPUBLIC OF KOREA TO SUPPORT UN SECURITY RESOLUTIONS 660 AND 661.

(대사 박동진-국장)

90.12.31 까지

미주국	장관	차관	1차보	2차보	중아국	통상국	청와대	안기부

PAGE 1

90.08.11 08:23

외신 2과 통제관 BN

0050

관리번호	90-502

외 무 부

종 별 : 지 급

번 호 : USW-3691 일 시 : 90 0810 1630

수 신 : 장관(미북,미안,중근동,서구일)

발 신 : 주 미 대사

제 목 : 미-NATO 협의(이락 사태)

1. BAKER 국무장관은 8.10 NATO 협의를 마치고 가진 기자 회견을 통해 미-NATO 협의 개요와 미국의 기본 입장을 다음 요지 밝힘.

(기자회견 전문 별첨 FAX 송부)

가.NATO 외상 회의 결과

- 미국의 사우디 파병을 지지하고, 각국 나름대로의 방법으로 이락의 침략 확대를 봉쇄하는데 기여키로함(GULF 만 파병은 집단적이 아닌 개별적 차원에서 결정)

-TURKEY 에 대한 공동 방위 의무를 확인함.

-UR 의 제재 조치와 의도를 시행하는데 필요한 조치를 취하기로함.

-금번 회의를 통해 NATO 가 공동의 도전에 대한 중요한 정치적 협의체임을 확인함.

나. 금번 사태와 NATO 의 기능

-NATO 의 집단 군사 행동은 회원국인 TURKEY 에 대한 침공시 TURKEY 를 방어하기 위한 맥락에서 취해질것임.

-IRAQ 에 대한 제재와 이락군의 쿠웨이트 철수를 촉진하는 방법을 모색하는것은 NATO 의 정치적 협의 기능에 속함.

다. 사우디로부터 미군 철수의 조건

-이락군의 쿠웨이트로부터의 즉각 철수

-쿠웨이트 합법 정부의 복구

-미국및 여타 외국국민의 안전보장

-GULF 만에서의 항행 자유에 대한 위협제거 및 GULF 만의 안정과 안보 확보

(BAKER 장관은 상기 항목 전부를 미군 철수의 조건으로 직접 연계하여 언급치는 않았으나, 이락군의 즉각 철수, 합법정부의 복구 필요성과 함께 미군의 파병은 사우디 정부의 요청에 따른것임을 강조)

미주국	장관	차관	1차보	2차보	미주국	구주국	중아국	청와대

PAGE 1

90.08.11 07:06
외신 2과 통제관 CF

0051

2. 금번 NATO 외상 회담을 통해 베이커 장관은 미국의 기본 전략(경제 제재조치의 실효화, 사우디 파병의 다국군화, 터키의 보호 달성을 위한 NATO 각국의 협조를 요청한바, NATO 각국은 터키 피침의 경우를 제외한 군사 행동은 개별적 차원에서 추진키로 합의한것으로 보임.다만 미국은 영국의 해.공군력 파견외에, 불란서, 카나다, 호주, 독일(독일의 경우는 헌법상 동부 지중해 까지만 해군력 배치)등 국가가 걸프만 파병에 동참하는 성과를 얻은것으로 평가됨.

3. 이와 관련, 당관 김영목 서기관은 국무부 유럽 정치 군사과 KDASKY NATO담당관과 접촉, 동 각국의 파병이 다국군 구성을 의미하는지와 지휘 체계의 구성 문제에 대한 협의 결과등을 문의한바, 여사한 법적 형태 문제가 금번 협의시 가장 어려웠던 문제였다고 하고, 지휘 체계의 구성문제 는 NATO 각국 정부와 계속 협의될 예정이라고 답변하면서, 유엔 안보리로부터의 법적 권한 부여를 모색하고 있음을 시사함.

(대사 박동진-국장)

90.12.31 까지

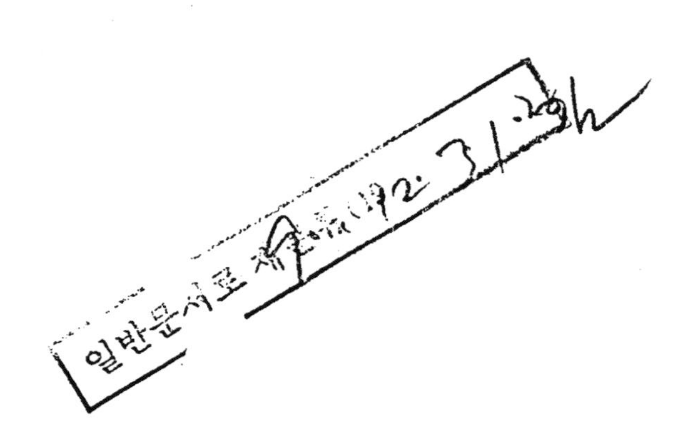

PAGE 2

0052

관리번호	P0-413

외 무 부

원 본

종 별 : 긴 급

번 호 : USW-3729 일 시 : 90 0813 1931

수 신 : 장관(미북,중근동,기정)

발 신 : 주 미 대사

제 목 : 이라크-쿠웨이트 사태(한미 협조)

대:WUS-2677

연:USW-3713

1. 금 8.13. 당관 유명환 참사관은 DOUGLAS PAAL 백악관(NSC) 아시아 담당 보좌관을 접촉, 이락-쿠웨이트 침공에 대한 현재 NSC 의 분위기를 탐문한바, 동 보좌관의 주요 반응 다음 보고함.

가. 대이락 정책 방향

-현재 백악관으로서는 이락의 사우디 침공기회를 봉쇄하고, 제재조치의 실효적 시행을 위한 기반을 구축하였다는 점에서 제 1 단계 상황이 끝나고, 이제 2 단계 조치가 강구되어야 한다고 생각함.

-이와관련, BUSH 대통령은 명 8.14(화) 잠시 백악관에 복귀, 2 단계 조치에대한 내부 전략회의를 가질 예정임.

미국은 금번 사태가 장기화될수록 많은 문제점이 발생할것임을 잘알고 있으며, 대이락 경제제재 조치가 실효를 거둘수 있도록 강력한 방안을 강구할것임.

-현재 많은 동맹국들의 자발적 참여와 신속한 판단에 의해 제재조치가 효과적으로 개시되었으나, BUSH 대통령은 일부 무임승차국들에 대한 경각심을 주입하는 방안을 고려하고 있음.

(최근 미국내 인사들은 일본, 서독 및 여타 서방국들이 미국보다 중동원유 의존도가 높다는 사실을 지적, 미국의 과도한 부담에 불만을 표시하고 있다함)

나. 관계국간의 협조 내용

(1) 미국 정부는 일본 정부에 대해 해상 검색 조치에 구체적으로 어떤 기여를 하도록 요청하지는 않았음.

(2) 호주의 외국함대 동참결정은 BUSH 대통령과 HAWK 수상간 직접 통화후 호주측이

미주국 장관 차관 1차보 2차보 중아국 통상국 정문국 청와대
안기부 국방부

PAGE 1

90.08.14 09:17
외신 2과 통제관 CW

0053

자발적으로 취한 조치임.

(3) 미측은 8.2. 침공 사태직후, 중국측에 대해 분명한 입장을 취할것을 요청하고, 특히 중국이 동 사태와 관련, 이락과 교역(무기판매) 을 계속할 경우, 향후 서방과의 경제 협력 기회를 상실할 뿐 아니라(미국의 경우 당장 MFN 지위 상실 가능), 국제사회에 책임있는 일원으로서의 위치가 훼손될 것임을 지적한바 있음.

현재 미측은 중국의 대이락 금수조치가 분명히 취해지고 있다고 판단하고 있음.

다. 한. 미간 협조 방향

-미행정부로서는 다국적 군사조치와 관련 아국에 대해 어떠한 구체적 내용을 요청할 것은 현재로서는 고려하고 있지 않음.

다만, 개인적 견해로는 미국으로부터 한국에 대한 어떠한 요청이 나오기전에 한국정부가 가능한 방안을 검토하고 있다는 점을 미측이 인지 토록 한다면 좋을것으로 봄(예로서, 주한 미군 사령관과의 긴밀한 협의등)

라. 북한이 금번 사태관련 미국 및 이락을 공히 비난한것이 특기할만하며, 북한이 대이락 무기수출을 할 가능성이 있으나 해상 검색을 통하여 이를 효과적으로 봉쇄할수 있을것으로 봄.

2. 이에 대해 유참사관은 금번 아국정부의 제재조치의 내용과 중동지역에서의 아국의 정치적 특수성(북한의 공작관련)을 설명하고, 한미 양측이 가급적 긴밀히 협의를 지속해 나갈것을 언급 하였음.

(대사 박동진-국장)

예고:90.12.31. 일반

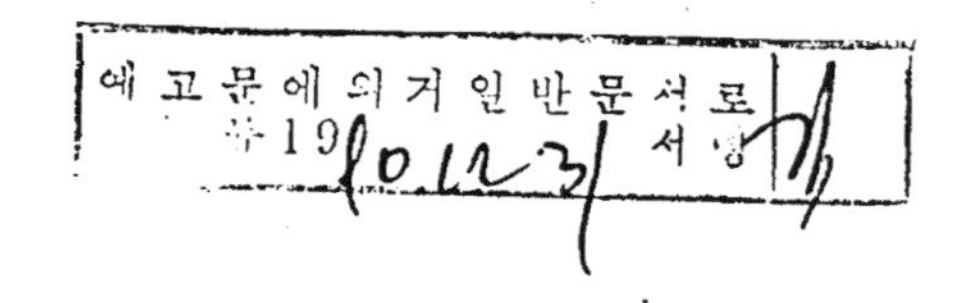

PAGE 2

0054

중동사태 관련 미DIA 정보보고 회의 개최

90. 8. 17.

미주국 안보과

1. 일　　시 : 90.8.16(목) 11:00-12:15

2. 장　　소 : 국방부 제1회의실

3. 브 리 핑 : 미 국방정보본부차장 해군소장 Edward Sheafer, Jr.

   * Sheafer소장 약력(62 : 미 해사 졸업후 해군장학생으로 Georgetown 대 수학 (수석 졸업), 88.6. : 정보본부 부임 90.9초 정보본부 차장으로 승진 예정)

4. 참석인사 : 국방부 합참의장 등 군간부 및 관계부처 인사 등 150여명(비공개)

5. 브리핑 형식

   ㅇ 중동사태 관련 미측 정보분석 설명후, 질의.응답

      - 위성사진을 중심으로 주로 군사정보(이라크 군사력 이동 등) 분석, 설명

6. 브리핑 요지

   (전황 전개)

   ㅇ 7.20 : - 이라크의 대쿠웨이트 최후 통첩

   ㅇ 7.22 : - 이라크의 쿠웨이트 접경지대 병력 현황 ; 탱크305대, 장갑차 167, 대포198문

      - 큰 규모의 병참이동은 없었음

0055

o 7.25 : - 이라크 2개 전차여단, 6개 보병대대 국경 이동(2개 Frog 미사일 연대 포함)

- 공격용 헬기 10-20대도 전방 배치
- 6개의 화학무기 저장소도 확인됨(현재 전방 배치 여부는 미확인 상태)

- 사우디 및 쿠웨이트 방어 준비 개시(쿠웨이트는 레이다 정찰 위주)

* 군사력	이라크	쿠웨이트
병 력	10만명	9,000명
탱 크	417	200
장갑차	373	150
대 포	634	54

o 7.31 -8.1 : - 이라크 군사력 증가

* 군사력	이라크	쿠웨이트
병 력	12만명	9,000명
탱 크	719	200
장갑차	633	150
대 포	719	54

o 8.1 : - 이라크 7개사단, 2개 기갑사단, 4개 보병사단 국경 집결

o 8.2 : - 이라크군, 새벽1시 쿠웨이트 침공개시(2개 침공로 사용), 5시간후 쿠웨이트 점령 완료

o 8.3 : - 이라크군, 쿠웨이트 해안에서 해군 초계도 개시

o 8.6 : - Al Jahra 지역에 Frog-7 미사일 기지가 포착되었으나 8.13이후 종적 묘연

0056

(이라크의 사우디 침공 여부에 대한 우려)

o 미측은 이라크가 쿠웨이트 점령에 필요한 군사력을 초과 전개할 때부터 사우디 침공을 우려해옴

o 미측으로서는 이라크가 쿠웨이트에서 사우디를 침공할 경우, 장갑차를 선두로 해안도로를 따라 침공할 것으로 예상하고 있음.
  - 동 해안도로 300Km는 주로 유전지대

o 쿠웨이트 진주 이라크군은 현재 9개사단으로 사우디 침공에 충분한 병력 유지중
- 현재 쿠웨이트내에 2개보급 기지도 설치

(부쉬 대통령의 군사력 배치 기본 전략)

o 후세인이 더이상 침공치 못하도록 함은 물론, 이라크군을 쿠웨이트에서 몰아낼수 있도록 충분한 미군사력을 유지 전개함.

7. 질의.응답 요지

o 질문 1 : 미측은 이라크의 침공의도가 제한적인 작전의도(쿠웨이트만 점령)로 보는지 아니면 계속해서 사우디까지 침공할 것으로 보는지?

(답) : - 후세인이 유엔의 제제조치나 아랍권 국가들의 조치가 있을 것임을 미리 알았다면, 쿠웨이트 침공을 감행할 생각을 하지는 않았을 것으로 봄.
만일 사우디도 침공한다면 엄청난 파괴와 피해를 각오해야 할 것인바, 현재 다국적군 파견등 조치에 비추어 대 사우디 침공 의도는 점차 약해지는(diminishing)것으로 보고있음.

0057

o 질문 2 : 미 정보기관은 이라크가 언제 쿠웨이트를 침공할 것으로 보았는지? 또한 당시 미측의 억제수단 보유 유무와, 동 침공 억지가 실패한 이유는 무엇이라고 보는지?

(답) : - 7.25경에 후세인이 침공에 충분한 군사력을 전개하고 있음에 비추어 침공 조짐이 있음을 예측한 바는 있으나, 실제 공격을 감행하리라는 것은 침공 12시간전에 부쉬 대통령께 보고된 바 있음(미 CIA 및 DIA의 보고).
그러나 현지에 군사력도 없었고, 외교적 조처등을 취하기에도 충분한 시간적 여유가 없었음.
- 사실 실제적인 침공 의도를 파악하고 대처하는 것은 대단히 어려움. 현재 쿠웨이트에 주둔중인 이라크군도 4-8시간이면 완전한 공격 태세로 전환하여 사우디를 침공할 수 있을것임.

o 질문 3 : 미국이 구상중인 현사태의 궁극적인 해결 방향은 무엇이며, 미국이 아시아 동맹국인 한국, 일본 및 아세안 국가등으로부터 기대하는 도움은 무엇인지?

(답) : - 미국이 생각하고 있는 사태 해결 목표는, 이미 부쉬 대통령이 표명한바 있듯이 이라크 군대가 쿠웨이트로부터 완전 철수함은 물론, 쿠웨이트 왕정 복고등 원상회복임. 미국은 이를 위해 필요한 모든 조치를 강구하고 있음.
- 미국이 아세아 동맹국으로부터 기대하고 있는 것은 비용 분담임.

o 질문 4 : 브리핑 내용중, 이라크내에 6개의 화학탄 저장소가 있다고 하였는데 파악 보유량이 얼마이며, 어떠한 종류인지? 또한 이라크의 화학탄 사용시 응징 계획은?

(답) : - 이라크 보유 화학탄은 Sarin 등 2종으로 재래식으로 알고 있으며, 보유량에 대해서는 소관이 아니어서 잘 모름(응징 계획에 대해서도 응답치 않음)

0058

o 질문 5 : [redacted] 중동사태가 장기전이 될것으로 보[redacted]지 아니면 단기간내에 해결[redacted]으로 보는지?

(답) : - 미국으로서는 인명피해 없이 후세인을 쿠웨이트에서 철수시키기 위한 모든 조처를 취할 방침이며, 현 정세 추이로 보아 개인적 견해이지만 단기전보다는 장기전으로 갈 가능성이 농후하다고 봄. 끝.

0059

통 화 요 록

(대중동 화생방 장비 판매)

송화자 : Christenson 주한 미국대사관 1등서기관

수화자 : 송민순 안보과장

일 시 : 90.8.16(목) 13시 45분-55분

미대사관측 언급내용

o 사우디등 Gulf 지역 국가들은 이락의 화학무기 사용 가능성에 대비하여 미국을 통해 화생방 장비(방독면, 필터, 보호의, 제독기등)구입 가능성을 NATO 제국, 한국, 일본, 호주, 뉴질랜드 정부에 타진하고 있음.

- 미국은 미군용 화생방 장비는 보유하고 있으나 Gulf 지역국가등에 공급할 여분은 갖고 있지 않음.

o 위와 관련 아래사항을 문의함.

- 한국이 이미 사우디등 Gulf 지역 국가들에게 위 對화생방전 장비를 공급하고 있는지?

공람	안보과	90년 8월 16일	담당	과장	심의관	국장	차관보	차관	장관
			김수현						

0060

- 한국은 지금 즉시 판매할 수 있는 화생방 장비의 재고가 있는지?
- 한국측의 동 장비 판매가 가능할 시 한국정부가 주선코자 하는지 또는 사우디등이 직접 생산업자와 상담하는 것이 좋은지?
  (직접 상담시, 업체명, 전화번호, Telex 번호등)

o 상기 문의는 급박하고 구체적인 화학전 위협(imminent and specific threat) 때문인 것은 아니며, 그 가능성에 대비하기 위한 것임.

끝.

0061

報告畢
(서명)

報 告 事 項

1990. 8. 16
美 洲 局
北 美 課(23)

題 目 : 걸프만 海上 封鎖 및 多國籍軍에 관한 美國의 立場 通報

주한 미대사관 Hendrickson 참사관은 미주국 심의관에게 8.16(목) 걸프만 해상 봉쇄 및 다국적군에 관한 미측 입장을 다음과 같이 통보하여 왔음을 보고 드립니다.

1. 미측 통보 주요내용(원문 별첨)

ㅇ 미국은 쿠웨이트 주권 회복을 위한 대이라크 경제 제재 조치가 실효를 거둘 수 있도록 군사적 또는 필요한 여타 조치를 취해 달라는 쿠웨이트의 요청에 호응하고 있는바, 이는 유엔헌장 51조 및 유엔안보리 결의안 661호 취지에 부합됨.

ㅇ 한국도 쿠웨이트 정부로부터 이러한 다국적 노력에 동참해 달라는 요청을 이미 받은 것으로 미국은 이해함.

ㅇ 미국은 또한 다국적군의 창설 지원을 위해 조정 및 연락 (coordination and liaison) 역할을 수행해 달라는 쿠웨이트 요청에도 호응하고 있음.

ㅇ 미국은 다국적군에 의한 실제 대이라크 및 쿠웨이트 출입차단(Interdiction) 필요성이 최소화 하거나 또는 전무하기를 바라는 바, 과거 대이라크 교역국들이 대이라크 교역을 금지할 경우 공해상에서 대이라크 interdiction은 불필요할 것임.

0062

o 이와 같은 노력을 강화하기 위해서는 쿠웨이트와 더불어 각국이 공동 조치를 취해야 할 것인 바, 한국이 쿠웨이트 요청에 호응, 다국적 노력에 참여키로 결정할 경우, 미국에 알려주기 바람.

2. Hendrickson 참사관 부언 내용

o 상기 문서는 한국정부에만 전달하는 것이 아니며 30-40여 미국 우방국에게 전달되었음.

o 미국은 한국정부에게 다국적군에 참여해 달라는 요청을 하는 것은 아님. 다만, 한국정부가 쿠웨이트의 요청에 호응키로 결정시, 미국과 사전 긴밀 협의 요망함.

0063

-- THE UNITED STATES HAS BEEN ASKED BY THE GOVERNMENT OF KUWAIT TO ACT WITH KUWAIT IN EXERCISING THE INHERENT RIGHT OF INDIVIDUAL AND COLLECTIVE SELF-DEFENSE RECOGNIZED IN ARTICLE 51 OF THE UN CHARTER, AND AFFIRMED IN UNSC RESOLUTION 661, TO TAKE SUCH MILITARY OR OTHER STEPS AS ARE NECESSARY TO ENSURE THAT ECONOMIC MEASURES DESIGNED TO RESTORE KUWAIT'S SOVEREIGN RIGHTS ARE EFFECTIVELY IMPLEMENTED.

--WE UNDERSTAND FROM THE GOVERNMENT OF KUWAIT THAT IT HAS ALSO SENT A LETTER TO YOUR GOVERNMENT INVITING YOU TO PARTICIPATE IN A MULTINATIONAL EFFORT FOR THIS PURPOSE.

--WE HAVE RESPONDED FAVORABLY TO THE KUWAITI GOVERNMENT'S REQUEST, WHICH WE BELIEVE IS IN ACCORDANCE WITH ARTICLE 51 OF THE UN CHARTER AND FULLY CONSISTENT WITH UNSC RESOLUTION 661.

--WE HAVE ALSO RESPONDED FAVORABLY TO A REQUEST FROM THE GOVERNMENT OF KUWAIT THAT THE UNITED STATES PROVIDE COORDINATION AND LIAISON TO HELP ESTABLISH A MULTINATIONAL FORCE TO ENSURE THAT THE IMPLEMENTATION OF THE TRADE SANCTIONS SPECIFIED IN UNSC 661 IS FULLY EFFECTIVE.

--AS WE ENVISION SUCH A FORCE IT WOULD BE COMPOSED OF NAVAL FORCES PARTICIPATING UNDER THEIR OWN NATIONAL COMMANDS, ACTING TOGETHER WITH APPROPRIATE COORDINATION, TO GIVE EFFECT TO THE TRADE SANCTIONS SPECIFIED IN UNSC RESOLUTION 661 BY INTERDICTING, AS NECESSARY, MARITIME TRAFFIC SEEKING TO VIOLATE THE SANCTIONS BY CARRYING PROHIBITED TRADE.

--OUR OWN HOPE IS THAT THE NEED FOR ACTUAL INTERDICTIONS WILL BE MINIMAL, OR PERHAPS THAT NONE WILL NEED TO TAKE PLACE AT ALL. IF IRAQ'S FORMER TRADING PARTNERS KEEP THEIR GOODS FROM LEAVING FOR IRAQ AND MAKE CLEAR THEY WILL NOT PERMIT IRAQI EXPORTS TO ENTER THEIR MARKETS THERE WILL BE NO IRAQI TRADE ON THE HIGH SEAS TO INTERDICT. THE KEY TO THIS WILL BE VIGOROUS INDIVIDUAL AND COLLECTIVE EFFORTS BY ALL UN MEMBERS TO IMPLEMENT THE SANCTIONS.

--SUCH EFFORTS WILL BE GREATLY REINFORCED AND STRENGTHENED, HOWEVER, BY THE CONCERTED ACTION OF NATIONS ACTING WITH KUWAIT UNDER ARTICLE 51 OF THE UN CHARTER IN THE MULTINATIONAL FORCE.

-- IF YOU DECIDE TO RESPOND FAVORABLY TO THE GOVERNMENT OF KUWAIT'S REQUEST AND JOIN IN THIS MULTINATIONAL EFFORT, WE ASK YOU TO INFORM US. WE WILL THEN PUT OUR NAVAL AUTHORITIES IN TOUCH WITH YOURS SO THEY MAY UNDERTAKE THE NECESSARY COORDINATION ARRANGEMENTS.

관리번호	90-415

원 본

외 무 부

종 별 : 긴 급

번 호 : USW-3807 일 시 : 90 0817 1911

수 신 : 장관(미북,중근동,미안,국연)

발 신 : 주 미대사

제 목 : 이락-쿠웨이트 사태(한.미 협조)

연 USW-3785

1. 금 8.17 본직은 미측 요청으로 KIMMITT 정무차관을 면담하였는바, 동 차관은 미국으로서는 한국이 이락에 대한 국제적 제재 조치에 전면적으로 동참(FULL PARTICIPATION)하기를 희망하여, 이러한 견지에서 다국간 해군 활동 노력에 한국도 기여해줄것을 요청하였음(미측에서는 ANDERSON 동아태 부차관보, RICHARDSON 한국과장, DAVID SHEER 보좌관이 배석, 아측은 김영목 서기관 배석)

동면담 요지 다음 보고함.

가. 한국의 다국간 해군 활동 참여 문제

1) KIMMITT 차관 언급

-현재 전세계는 정치, 경제, 군사적면에서 이락에 대한 제재 조치를 존중하고 있음.

-미국 정부는 정치적, 경제적면에서 볼때 한국정부는 확고히 이락에 대한 제재를 지지하고 있다고 평가하며, 특히 유엔의 제재 조치에 완전히 부합되는 조치를 취한점을 높이 평가함(동 차관은 유엔 안보리 제재 조치 결의안 통과 이전 초기 단계에 아국 정부가 다소 미온적 태도를 보인바 있다고 언급하고, 금번 조치가 유엔의 의무적 조치인 만큼 완전히 준수될것으로 믿는다고 강조)

-군사적면에서 현재 사우디에는 12 개국이 파병을 하고 있으며,15 개국이 다국간 해군 활동에 참여하고 있음.

-미국은 한국이 이러한 국제적 노력의 일익을 담당해줄것을 희망함. 한국측의 기여는 반드시 군사력에 의한 기여가 아니라 여타 물질적, 재정적 지원이라도무방한바, 미국으로서는 한국이 상업적 운송 수단(민항기)를 이용한 군사 인원수송, TANKER, 대형 화물선에의한 물자 수송등)을 활용, 다국간 해군 활동에

미주국 장관 차관 1차보 2차보 미주국 중아국 국기국 청와대
안기부 대책반

90.08.18 09:56
외신 2과 통제관 FE

기여할수 있는 능력이 있다고 믿음(상세한 가능협조 방안에 대해서는 미국방부측이 당관 무관에게 별도 통보)

-주요 태평양 국가로서 한국의 참여는 장차 이지역에서 한국의 지위 신장뿐아니라 전세계적 존중받는 위치 확보에도 필요할것이며(호주, 캐나다의 다국함대 참여, 일본의 기여 약속등 언급), 장기적 관점에서 한국의 안보에도 도움이 될것으로 믿음)

2)본직 언급

-이에 대해 본직은, 한국이 이락에 대한 제재를 확고히 지지하고 준수한다는점에는 추호의 이의가 없다고 전제하고, 이는 한국이 유엔의 권능을 존중하고,이락의 불법적 쿠웨이트 침공 행위를 규탄할뿐 아니라 또한 한. 미 양국간 긴밀한 협력 관계도 존중하기 때문이라고 설명함.(초반기 아국 정부 입장이 미온적이었다는 언급에 대해, 오해가 발생 와전되었음을 설명)

-다국 해군 활동 참여 요청에 대해 본직은 미측 희망을 상세히 본부에 보고하겠다고 하고, 다만 연호 노태우 대통령의 KOREA HERALD 회견 내용에 언급하면서, 아국의 특수 안보 상황을 감안할때 다국 간 군사 활동에 참여하는것은 어려운 실정임을 이해하도록 촉구하였음.

3) KIMMITT 차관 보충 언급

-KIMMITT 차관은 미측도 노대통령의 입장 표명과같이 한국이 특수한 안보 상황(북한의 직접적 위협)하에 있다는것을 이해하고 있으나, 우선 GULF 만의 불안정이 한국의 안보에도 직.간접으로 영향을 미치는 것이 사실이며, 또한 미국이한국 방위를 위해 한반도에서 한국과 공동 노력하고 있듯이, 한국도 여사한 공통의 안보 문제에 동참하는것이 매우 바람직하도고 미측 견해를 부언 설명함.

-또한 동 차관은 한가지 중요한 정치적 요인을 한국측이 간과하지 말아 주기 바란다고 하면서, 만일 한국이 미국의 동맹국으로서, 발전하는 신흥 경제국으로서 여사한 국제적 활동에 기여하지 않는다면, 미국 의회와 여론에 부정적 영향을 주어 한미 양국관계의 장래에 바람직하지 않은 결과가 있을수 있다고 부언함(의회의 안보 무임 승차국 비판 증대, 한미 통상 마찰 재연 가능성등 암시)

나. 여타 관련 정세

전기 KIMMITT 차관의 요청과 관련, 본직은 미.일간 협의 내용, 사우디.쿠웨이트측과의 재정적 협조 여부, 이란-이락 관계, HUSSEIN JORDAN 국왕의 방미 성과 및 향후 사태의 전개 전망등에 대한 동 차관의 견해를 문의하였는바,

동차관의 답변은 다음과같음.

1)각국 동향

-미측은 이미 일본측에 대해 유사한 요청을 하였는바, 상금 구체적 내용은 알수 없으나 일본측은 실질적 기여(TANGIBLE CONTRIBUTION)를 약속하였음(부쉬 대통령은8.13 가이후 수상에게 전화 일본측의 기여를 요청한것으로 파악)

-현재 미국 정부는 사우디.쿠웨이트 정부간 논의가 있는바, 유가 상승으로인한 사우디 정부의 잉여 재정 수입을 -방위 비용 부담- 차원에서 사우디 파병미군 경비로 지원하는 방안이 마련중임(CHENEY 국방장관의 사우디등 중동 방문도 여사한 조정과 관련이 있으며, 현재 GULF 만에서 작전에 매월 수십억불이 소요될것으로 추산)

-최근 이락-이란간 접근은 장기적인 결합이 아니라 임시적 편의에 의한 결합일 것으로 간주됨.

이란 정부는 현재 포로송환 실현등 어느시점까지 이락측과의 대화가 불가피하나, 결코 대 이락 제재 및 규탄을 포기 하지 않을것이라는 멧시지를 미국측에보내오고 있음(유엔 결의안 660 호 준수 의사 표시)

-HUSSEIN JORDAN 왕의 금번 방미시 사태에 진전을 가져올만한 성과는 없었으나 JORDAN 의 대이락 제재 동참 원칙이 확인되었으며 JORDAN 은 점차 국제적 고립감을 느껴왔던것으로 관찰됨.

2)향후 정세 전망

-현재 이락은 계속 부정적 태도(비현실적 철수안 제의, 이락. 쿠웨이트내 외국인에 대한 비신사적 취급)를 보이고 있어, 어느시점에서 정세가 호전될지 예측하기 어려우나, 유일한 변화가 있다면 이락이 쿠웨이트 합병을 강조하다가, 현재는 상황 여하에 따라 철수가 가능할수 있다고 발표하고 있다는점임.

-미국으로서는 무력으로 타국을 침공, 점령한후에 이를 기정 사실화 하기 위해 외교적 수단을 이용하는것을 반대하나, 외교적 해결 방안을 배제하고 있지는 않음. 미국은 쿠웨이트로부터의 이락군 철수, 쿠웨이트 합법 정부의 복구등 조건 충족을 목표로 정하고 있음.

-다만, 이락으로서는 점점 여타 대안을 잃어가고 있는바, 경제 제재 조치는즉각 효력을 나타내고 있는것으로 평가됨.

2. 관찰

-현재 미국정부는 이락-쿠웨이트 사태에 대처하기 위해 미국정부의 외교, 군사,

재정적 능력을 거의 총동원 하다시피하고 있는바, 미국정부로서는 가급적 많은 우방국들의 참여와 지원이 절실한 형편에 있음. 특히 미측은 GULF 만에 군사력 배치 이후 엄청난 경비의 소모가 예상됨에 따라 우방국들의 실질적 지원뿐 아니라, 상징적이면서도 가시적인 지원도 중요하다고 강조하였음.

-미측은 해외 원유 의존도가 비교적 높은 우방국을 중심으로 광범위하게여사한 요청을 하고 있는것으로 관찰되는바(아시아에서는 일본, 한국, 인니, 말레이시아 4 국에 대해 요청) 아국에 대해서는 기존 한미 안보 협력관계, 신장된경제력에 관한 미국내 일반적 인식에 비추어 최소한 상징적인 기여라도 실현될것을 기대하고 있는 인상을 강하게 받았음.

-한편, 미 국방부는 금일 당관 무관을 초치, 다국 함대의 지원을 위한 아국기여를 요청하였음을 참고 바람.

(대사 박동진-장관)

90.12.31 일반

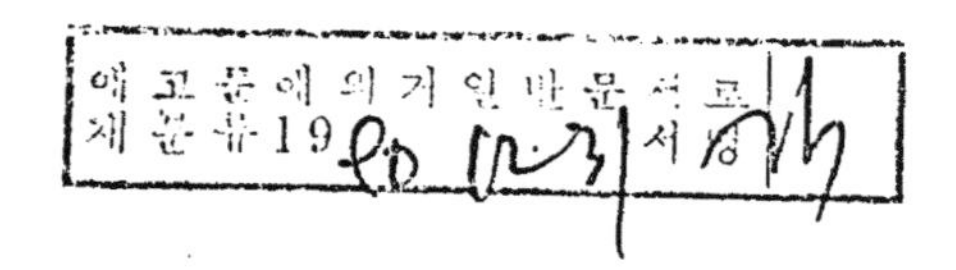

PAGE 4

0068

관리번호	90-137

원 본

외 무 부

종 별 : 긴 급

번 호 : USW-3809 일 시 : 90 0818 2123

수 신 : 장관(미북,중근동,미안,국연)

발 신 : 주 미 대사

제 목 : 이락-쿠웨이트 사태 (한.미 협조)

연:USW-3807

1. 연호 1 가 항 관련, 금 8.18. 당관 임 성남 2 등서기관이 국무부 KIMMITT 정무차관실 DAVID SHEER 보좌관을 통해 파악한 사우디 파병국 및 걸프 지역 해군 파견국 내역을 아래 보고함.

가. 사우디 파병국(12 개국)

-기 파병국 (9 개국) : 미.영, 이집트, 모로코, 오만, UAE, 카탈, 바레인, 쿠웨이트

-파병 예상국(3 개국): 방글라데쉬, 파키스탄, 시리아

나. 걸프 지역 해군 파견국(15 개국)

-기 파견국(10 개국): 미.영, 불, 소, 사우디, 오만, UAE, 카탈, 바레인, 쿠웨이트

-파견 예상국(5 개국): 호주, 케나다, 그리스, 벨지움, 이태리

2. 기타 추가 질문에 대한 미측 답변 요지는 다음과 같음.

가. 전기 각국 파병 병력의 구체적 규모 나 내역등에 관해서는 각 해당국 정부에 문의 바람.

나. 사우디 파병 아랍권 7 개국은 이락의 쿠웨이트 침공이후에 사우디 파병을 실시한 반면, 걸프지역에 해군을 파견하고 있는 아랍권 국가들은 동 침공이전부터 걸프지역에 해군력을 배치해온것으로 알고 있음.

다. 한편, 걸프 지역 해군 파견국들이 대 이락 해상 단속 조치에 전부 참여할것으로는 예상치 않고 있는바, 예컨데 호주의 경우는 실제 작전에는 참여치 않고 단순히 자국 함정의 PRESENCE 만을 과시할 것으로 보임.

(대사 박동진-국장)

미주국 장관 차관 1차보 미주국 중아국 국기국 통상국 청와대
안기부 대책반

PAGE 1

90.08.19 10:58
외신 2과 통제관 FE

0069

90.12.31 일반

90.12.31 기

PAGE 2

0070

현 중동사태가 한반도 안보에 미치는 영향

o 유엔에 의한 실효적 집단제제조치 성공시, 북한등 불법적 무력사용 잠재 세력에 대한 경고 효과

- 서방 동맹국등 주요세력의 대이라크 제재 동참으로 평화파괴저지에 대한 국제적 공감대 형성, 중요한 선례 구성
- 특히, 소극적이지만 쏘련과 중국의 유엔제재조치 동참내지 동의는 북한으로 하여금 경각심을 일깨워주는 효과

o 남.북한 관계진전에 긍정적 효과보다는 부정적 영향 예상

- 북한체제의 취약성 때문에 급변 사태의 예상되는 귀추로 인해 북한이 개방과 타협적 자세 기대난
- 따라서 북한사회의 내부적 폐쇄와 대외적 위축을 가져올 가능성

o 미국의 아.태지역 전략 조정 가능성 대두

- 동.서화해 고조추세에도 불구, 재래식 무기에 의한 지역 분쟁의 발발 가능성 상존 입증(한반도, 인지지역등 분쟁 잠재지역에 대한 교훈적 시사)
- 지역분쟁에 효과적으로 대응키 위한 전술 및 재래식 군비 유지 또는 증강 필요성 인식

90 0071

- 미국의 해외주둔 기지등 전진배치 전략 재검토 과정의 조정 가능성

o 주한미군의 3단계 감축 및 역할 변경속도와 범위 영향 파급 가능성

- 한반도를 포함한 동북아 지역 전략조정의 구체적 조치를 포함할 「넌-워너」 제2차 보고서(90.11월말 시한)에 영향 예상

o 미국의 주요동맹국 및 국제안보 수혜국에 대한 비용 분담 요구 계속 증대

- 일.독등 경제강국의 비용분담 대폭증대를 요구하는 미국내 여론 비등

- 한국에 대하여도 직.간접적인 역내외 방위.비용 분담 요청 강화 예상

0072

U.S. POLICY TOWARD IRAQI DEMANDS TO CLOSE
DIPLOMATIC MISSIONS IN KUWAIT

THE USG HAS DECIDED TO MAINTAIN ITS EMBASSY IN KUWAIT HEADED BY OUR AMBASSADOR, BEYOND THE ILLEGAL DEADLINE ORDERED BY IRAQI AUTHORITIES. WE PLAN TO REMAIN UNTIL ALL OF OUR CITIZENS WHO WISH TO HAVE SAFELY DEPARTED. WE WANT TO DEMONSTRATE INTERNATIONAL SOLIDARITY IN IGNORING THE IRAQI ORDER WHICH CLEARLY CONTRADICTS UN RESOLUTION 662.

THE U.S. GOVERNMENT IS ASKING OTHER GOVERNMENTS WITH MISSIONS IN KUWAIT TO ISSUE UNILATERAL STATEMENTS, PERHAPS ALONG THE FOLLOWING LINES, AS SOON AS POSSIBLE. THESE STATEMENTS WILL HELP DEMONSTRATE INTERNATIONAL SOLIDARITY AND CREATE INTERNATIONAL PRESSURE ON THE IRAQI GOVERNMENT.

BEGIN TEXT: CONSISTENT WITH THE UNSC RESOLUTION 662 THE GOVERNMENT OF ( ) IS RETAINING ITS DIPLOMATIC PRESENCE IN KUWAIT AND WILL NOT ACCEDE TO THE IRAQI DEMAND FOR THE CLOSURE OF DIPLOMATIC MISSIONS. THE GOVERNMENT OF ( ) JOINS ALL GOVERNMENTS IN DEMANDING FULL IMPLEMENTATION OF UNSC RESOLUTION 664, INCLUDING THE IMMEDIATE FREE AND SAFE PASSAGE OF FOREIGNERS OUT OF KUWAIT AND IRAQ END TEXT.

THE USG WILL ISSUE SIMILAR STATEMENTS IN THE VERY NEAR FUTURE.

CONFIDENTIAL

0073

GENERAL GUIDANCE ON INTERCEPTION PLAN AND NOTICE TO MARINERS

- A. BASIS OF OPERATIONS. THE GOVERNMENT OF KUWAIT HAS, IN THE EXERCISE OF ITS INHERENT RIGHT OF INDIVIDUAL AND COLLECTIVE SELF-DEFENSE, REQUESTED A NUMBER OF GOVERNMENTS TO TAKE SUCH MILITARY OR OTHER STEPS AS ARE NECESSARY TO ENSURE THAT ECONOMIC MEASURES DESIGNED TO RESTORE KUWAITI RIGHTS ARE EFFECTIVELY IMPLEMENTED. (RESOLUTION 661 OF THE UN SECURITY COUNCIL SPECIFICALLY AFFIRMS THE INHERENT RIGHT OF INDIVIDUAL OR COLLECTIVE SELF-DEFENSE, IN RESPONSE TO THE ARMED ATTACK BY IRAQ AGAINST KUWAIT, IN ACCORDANCE WITH ARTICLE 51 OF THE UN CHARTER.) IN PARTICULAR, THE GOVERNMENT OF KUWAIT HAS REQUESTED THE UNITED STATES TO COORDINATE AND COMMENCE MULTINATIONAL NAVAL OPERATIONS TO INTERCEPT MARITIME TRADE WITH IRAQ AND KUWAIT THAT IS PROHIBITED BY RESOLUTION 661. THE UNITED STATES HAS AGREED TO THESE REQUESTS.

- THE ENFORCEMENT OF THE SANCTIONS PROVIDED IN RESOLUTION 661 DEPENDS PRIMARILY ON THE ACTIONS OF NATIONAL AUTHORITIES TO PREVENT PROHIBITED SHIPMENTS FROM ENTERING OR LEAVING THEIR TERRITORIES. INTERCEPTION OPERATIONS WILL REINFORCE THESE NATIONAL ACTIONS AND VIGOROUS DIPLOMATIC EFFORTS TO MAKE THESE SANCTIONS EFFECTIVE. ALL SUCH INTERCEPTION OPERATIONS WILL BE CARRIED OUT IN ACCORDANCE WITH ACCEPTED PRINCIPLES OF INTERNATIONAL LAW.

- B. TRADE TO BE INTERCEPTED. AMONG OTHER THINGS, UNSC RESOLUTION 661 ESTABLISHES MANDATORY SANCTIONS AGAINST: (1) THE EXPORT OF ALL COMMODITIES AND PRODUCTS ORIGINATING IN IRAQ OR KUWAIT AFTER THE DATE OF THE RESOLUTION (AUGUST 6); AND (2) THE EXPORT TO IRAQ OR KUWAIT OF ANY COMMODITIES OR PRODUCTS, WHATEVER THEIR STATE OF ORIGIN, EXCEPT FOR "SUPPLIES INTENDED STRICTLY FOR MEDICAL PURPOSES, AND, IN HUMANITARIAN CIRCUMSTANCES, FOODSTUFFS . . . ." THESE SANCTIONS APPLY NOTWITHSTANDING ANY CONTRACT ENTERED INTO OR LICENSE GRANTED BEFORE THE DATE OF THE RESOLUTION. ACCORDINGLY, THE FOLLOWING TRADE WILL BE INTERCEPTED:

I. SHIPMENTS FROM IRAQ OR KUWAIT. THE INTERCEPTION OPERATIONS WILL PREVENT THE MARITIME SHIPMENT OF ALL COMMODITIES OR PRODUCTS ORIGINATING IN IRAQ OR KUWAIT, REGARDLESS OF PORT OF EMBARKATION OR TRANSSHIPMENT POINT. THIS WILL INCLUDE ALL PRODUCTS PRODUCED IN IRAQ OR KUWAIT FROM MATERIALS PRODUCED ELSEWHERE.

0074

- II. SHIPMENTS FROM IRAQ OR KUWAIT. THE INTERCEPTION OPERATIONS WILL PREVENT THE MARITIME SHIPMENT OF ALL COMMODITIES OR PRODUCTS TO IRAQ OR KUWAIT (WHATEVER THEIR DECLARED FINAL DESTINATION), OR TO OTHER PORTS IN THE REGION FOR TRANSSHIPMENT TO IRAQ OR KUWAIT, EXCEPT FOR SUPPLIES INTENDED STRICTLY FOR MEDICAL PURPOSES. THE BURDEN WILL BE ON THE SHIPPER TO ESTABLISH THE BONA FIDE CHARACTER OF SUCH SHIPMENTS. MEDICAL SUPPLIES WILL ONLY BE PERMITTED TO PASS IF AN APPROPRIATE REQUEST HAS BEEN RECEIVED FROM THE AUTHORITIES OF THE COUNTRY OF EXPORT OR AN APPROPRIATE INTERNATIONAL HUMANITARIAN ORGANIZATION, CERTIFYING THE PRECISE QUANTITY AND TYPE OF SUPPLIES INVOLVED AND THE MEDICAL PURPOSES FOR WHICH THEY ARE INTENDED. THE SHIPMENT OF FOODSTUFFS WILL NOT BE PERMITTED AT THIS TIME.

- C. METHOD OF INTERCEPTION. INTERCEPTION WILL BE ACCOMPLISHED BY NAVAL FORCES STATIONED IN THE VICINITY OF THE STRAIT OF HORMUZ, AND OTHER CHOKE POINTS, PORTS AND PIPELINE TERMINALS AS NEEDED. THE NAVAL UNITS OF EACH PARTICIPATING COUNTRY WILL ACT UNDER NATIONAL COMMAND, UNDER OVERALL COORDINATION BY THE UNITED STATES IN ACCORDANCE WITH THE REQUEST OF THE GOVERNMENT OF KUWAIT.

- NOTICE OF INTERCEPTION OPERATIONS WILL BE PUBLISHED AS SOON AS POSSIBLE IN INTERNATIONAL NOTICE TO MARINERS AND PROMULGATED IN OTHER APPROPRIATE CHANNELS, INCLUDING LOCAL MARINE BROADCASTS. SPECIAL LIAISON WILL BE ESTABLISHED WITH STATES IN THE AREA, STATES WHOSE FLAG VESSELS CONDUCT SUBSTANTIAL OPERATIONS IN THE AREA, AND OTHER APPROPRIATE AUTHORITIES, WITH THE OBJECTIVE OF OBTAINING INFORMATION AND COOPERATION FROM THESE GOVERNMENTS AND MINIMIZING DISRUPTION TO LEGITIMATE MARITIME COMMERCE.

- COMMERCIAL SOURCES, INTELLIGENCE SOURCES, MILITARY AND NAVAL ASSETS, AND OTHER MEANS WILL BE USED TO IDENTIFY SHIPS THOUGHT TO BE CARRYING CARGO TO OR FOR IRAQ OR KUWAIT. SHIPS ENTERING OR LEAVING THE INTERCEPTION AREAS WILL, AS APPROPRIATE, BE ASKED TO PROVIDE APPROPRIATE IDENTIFICATION AND INFORMATION AS TO THEIR ORIGIN OR DESTINATION AND THEIR CARGO. THIS INFORMATION WILL BE NORMALLY OBTAINED BY RADIO COMMUNICATION BETWEEN THE INTERCEPTION VESSEL AND THE SHIP SEEKING TO ENTER OR LEAVE THE AREA.

- IF THE INTERCEPTION VESSEL IS UNABLE TO OBTAIN ADEQUATE INFORMATION IN THIS MANNER, IT WILL BOARD THE SHIP AND CONDUCT SUCH INSPECTION OF RECORDS OR CARGO AS MAY BE NECESSARY OR (IF NECESSARY FOR OPERATIONAL REASONS) ESCORT THE SHIP TO A NEARBY PORT FOR SUCH

INSPECTION. WHERE NECESSARY, THE INTERCEPTION VESSEL WILL CONTACT THE LIAISON AUTHORITIES OF THE INTERCEPTION FORCE OR APPROPRIATE NATIONAL AUTHORITIES TO CONFIRM INFORMATION PROVIDED BY THE SHIP. WARSHIPS, AUXILIARIES, AND OTHER SHIPS THAT ARE STATE-OWNED OR OPERATED AND USED ONLY ON GOVERNMENT NONCOMMERCIAL SERVICE ENJOY SOVEREIGN IMMUNITY AND ARE NOT SUBJECT TO BOARDING AND INSPECTION. THEY MAY, HOWEVER, BE INTERCEPTED AND DIVERTED.

- ONCE THESE INQUIRIES OR SEARCH IS COMPLETED, THE SHIP IN QUESTION WILL NOT BE PERMITTED TO PROCEED UNLESS THE COMMANDER OF THE INTERCEPTION VESSEL IS SATISFIED THAT THE INTERCEPTED VESSEL IS NOT IN VIOLATION OF THE SANCTIONS REGIME.

- RATHER THAN BE SUBJECT TO A SEARCH, INTERCEPTED SHIPS WILL BE PERMITTED TO TURN AWAY FROM THE INTERCEPTION AREA, IN WHICH CASE THE INTERCEPTION FORCE WILL NOT INSIST ON THE ABOVE PROCEDURES OR TAKE FURTHER ACTION AGAINST THE SHIP.

- D. ENFORCEMENT OF INTERCEPTION. TO THE MAXIMUM POSSIBLE EXTENT, INTERCEPTION WILL BE ENFORCED WITHOUT THE USE OF FORCE. OTHER METHODS WILL BE USED TO INDUCE A SHIP TO PROVIDE NECESSARY INFORMATION, TO SUBMIT TO NECESSARY INSPECTION OR TO REFRAIN FROM PROCEEDING ON ITS INTENDED COURSE, INCLUDING RADIO AND VISUAL COMMUNICATIONS, MANEUVERS BY THE INTERCEPTION VESSEL, AND WARNING SHOTS. WHERE NECESSARY THE MINIMUM PROPORTIONATE FORCE NEEDED TO COMPEL COMPLIANCE WILL BE USED, INCLUDING BOARDING OPERATIONS OR DISABLING THE SHIP. ANY HOSTILE ACTION BY THE SHIP WILL BE COUNTERED BY NECESSARY AND PROPORTIONATE FORCE.

- E. COORDINATION. THE UNITED STATES, IN RESPONSE TO THE REQUEST IT HAS RECEIVED FROM THE GOVERNMENT OF KUWAIT, IS COMMUNICATING WITH ALL OTHER STATES WHO HAVE BEEN ASKED BY THE GOVERNMENT OF KUWAIT TO PARTICIPATE IN THIS MULTINATIONAL EFFORT, FOR PURPOSE OF COORDINATING THE VARIOUS NATIONAL FORCES. WE WILL BE WORKING WITH THESE OTHER NATIONS TO ESTABLISH APPROPRIATE MECHANISMS FOR COORDINATION, INCLUDING THE ESTABLISHMENT OF CHANNELS FOR COORDINATION OF INFORMATION ON MARITIME TRAFFIC AND APPROACHES TO GOVERNMENTAL AUTHORITIES, FOR OPERATIONAL COORDINATION, AND FOR LOGISTICAL ARRANGEMENTS.

0076

중동사태가 미국의 태평양 군사태세에 미치는 영향

1990. 8. 18

미 주 국
안 보 과

0077

1. 미군사력의 중동배치 개요

※ 지상군 1만, 해.공군 2만명 파병(약 4.5만명의 해병대 추가 파병)

가. 4개 항모전단

o Independence(인도양 함대)
o Eisenhower(지중해 함대)
o Saratoga(대서양 함대)
o Kennedy(대서양 함대)

나. 지상군

o 제24기계화 보병사단(Ft. Stewart, GA) : 16,600명중, 2,500명
o 제82 공정사단(Ft. Bragg, N.C) : 12,600명중, 2,300명
o 제101 공정사단(Ft. Campbell, Ky) : 15,400명중, 2,300명
o 제11 방공포 여단 일부(Ft. Bliss, Tex)
o 제1 해병사단 일부(Camp. Pendleton, CA) : 오끼나와, 괌, 디에고 가르시아 주둔 해병대 일부 합류

다. 공 군

o 제4 전술공군(Seymour Johnson AFB, N.C) : F-15
o 제363 전술공군(Shaw AFB, S.C) : F-16
o 제1전술공군(Langley AFB, VA) : F-15 48대
o 제354 전술공군(Myrtle Beach AFB, S.C) : A-10(Anti-Tank) 72대

0078

2. 중동지역에 조기 투입이 가능한 전투력

가. 비상투입용 미본토 군사력

o 육군 : 5개사단(공정, 기계화, 경보병사단)

o 공군 : 7개비행단

o 해군 : 2개 항모전단 및 수개 해병부대

나. 대서양지역

o 육군 : 5개사단 및 8개 예비사단

o 공군 : 15개 전술비행단

o 해군 : 6개 항모전단

o 해병대 : 지중해 기동단 및 3개 여단

다. 태평양지역

o 육군 : 2개사단

o 공군 : 4개전술 비행단

o 해군 : 6개 항모전단

o 해병대 : 4개 여단

0079

3. 아.태 군사태세에 미치는 영향

가. 대서양 사령부 및 미본토 중앙 사령부 군사력 중심의 투입

o 미국의 기본 작전계획에 따라 Atlantic Command(버지니아)와 Central Command(플로리다) 휘하 군사력 중심으로 배치

o 태평양 사령부 휘하로는 기존 인도양 배치 Independence 항모 전단 및 기타 태평양 사령부 산하 해병대(오끼나와 및 괌)의 일부 파병에 국한

나. 태평양 군사력 이동의 최소화

o 미국은 중동사태에 대응하여 미본토 대기 군사력, 대서양 군사력, 태평양 군사력 순으로 투입하므로써, 태평양 사령부와 대서양 사령부 휘하 군사력의 이동배치를 최소화

o 태평양 군사력 중에는 국지전 용으로 배속된 병력 및 장비가 아니라 해병대 및 공정부대(한국주둔 병력 일부 포함)등 기동 병력의 일부만을 투입

o 현재로서는 서태평양 에서의 국지전에 대비한 미국 군사 태세에 실질적 영향 미미

0080

아국의 다국적군 참여 문제

1990. 8.

미 주 국

0081

목 차

Ⅰ. 쿠웨이트 사태 관련 각국의 군사조치 현황

1. 미국
2. NATO 국가
3. 기타국가
4. 해상봉쇄 문제
5. 화학무기 사용 문제

Ⅱ. 아국의 다국적군 참여 문제

1. 걸프만 해상 봉쇄 및 다국적군에 관한 미측 입장
2. 아국입장 및 대책

Ⅲ. 쿠웨이트 사태 전망

0082

I. 쿠웨이트 사태 관련 각국의 군사조치 현황

1. 미 국

가. 해군 배치 상황(약50척 배치, 탑재기 약245대)

o 페르샤만 : 전함 9척

- Lasalle 전함, 순양함 2척, 구축함, 프리킷 5척

o 지중해 : 전함 5척 및 보조선 2척

o 홍 해 : 항모 Eisenhower호 및 함대 배치

- 구축함 2척 등 전함 5척이 호위

o 인도양 : 항모 Independence 호 호르무즈 입구에 배치

- 호위 전함 6척

o 대서양 : 항모 Saratoga호 지중해로 항진중

- 주말경 도착 예정

- Wisconsin호 등 전함 9척이 호위

(Tomahawk 크루즈 미사일 32개, 상륙정 5척 등 장비)

o 기 타

- 항모 Kennedy호 분쟁지역으로 출발(8.13.)

- 보급선 수척과 병원선 2척 걸프로 항진중

나. 대사우디 파병 내역

o 총 파병 병력수 : 약2만5천명(8.17.현재)

* 페르시아만 일대 배치 미군 병력 : 6만여명

* 최소 5만여명의 해병과 공정부대 현재 이동중(미국방부 관리 언급)

o 20-25만명까지 증파할 수 있는 비상 계획도 있음.(미 국방부 소식통)

o 파병 내역

- 101 공정사단(켄터키) 중 일부

· 공격용, 대전차 헬리콥터 등 장비

0083

- 24 기계화 보병사단(죠지아) 중 일부
  · 탱크, 전차, 155mm포, 연발 로켓트포 등 장비
- 82 공정사단(노스 캐롤라이나) 중 일부
  · TOW 대전차 미사일 등 장비
- 11 방공사단(텍사스) 중 일부
- 최신예 F-15E 전투기(노스 캐롤라이나) 파견(8.13.)
- F-15 전투기(버지니아) 48대 이상
- F-16 공격용 전투기 및 A-10 공격용 전투기(사우드 캐롤라이나)
- AWACS 5대 추가 파견(기존 5대와 합류)
- 기타 C-130 수송기, 급유기 등

o 병력 수송을 위해 Eastern Airlines 등 민간 항공사 접촉

3 다. 기 타

o F-11 전폭기 14대 터키 인시르리크에 배치
- 이라크 국경에서 680Km

o B-52 폭격기, 인도양 디에고 가르시아에 배치

o 사우디에 F-15 전투기 40대 인도
- 긴급 무기 공여법에 의거한 대통령 행정 명령(8.8.)

* Bush 대통령은 Kennebunkport 에서 휴가중 8.14. 백악관 귀환, 8.15. Cheney 국방 및 Powell 합참의장으로 부터 페만 사태 현황 브리핑 청취후 휴가지 귀환, 8.16. 후세인 요르단 국왕과 회담

II. NATO 국가

가. 영 국

o Tornado F-3 전투기 12대 사우디 파견
o Jaguar 공격용 전투기 12대 파견
o 전투기 호위 SAM 미사일 파견

0084

o 구축함 1척, 프리깃 2척, 지원선박 걸프로 파견

- NIMROD(조기경보기), 급유기 등이 지원 출동

o 소해정 3척 동지중해로 항진중

o 지원 병력 1,000명(지상군 없음)

2. 프랑스

o 항모 Clemenceau 파견 예정(순양함 등 6척이 호위)

o 지원 병력 3,200명

o 다국적군에는 불참하나, 필요시 걸프국가에 물자.기술 지원 예정

3. 터 키

o F-16, 병력, Rapier 대공 미사일 등 전진 배치(다국적군은 아님)

4. 기타 NATO 국가

o 이태리 : 미 공군의 영공 통과 허용. 수일내 다국적군 참가 여부 결정

o 카나다 : 함정 3척 파견

o 서 독 : 소해정 4-5척 동지중해 파견 예정

o 덴마크 : 여타국의 걸프 파병으로 인한 NATO 지역 방위 부담 인수.

상업선박이 다국적군의 보급선으로 사용되는 것 허가

o 그리스, 스페인, 포르투갈 : 미군에 기지 제공

o 벨지움 : 함대 파견 결정

o 화 란 : 프리깃 2척 파견 예정(8.20.)

Ⅲ. 기타 국가

1. 아랍 연합군

o 총병력 10,000명 예상

- 이집트군 3,000명 사우디 도착

- 시리아군 8.13. 출동

0085

다. 쏘련

- o 전함 1척, 대잠함 1척 걸프 파견
  - 다국적군에는 불참
- o UN에 의한 군사 행동이 결정될 경우 참여 고려(8.9. 외무부 성명)

라. 이스라엘

- o 공군에 경계령. 대공미사일 등 요르단 접경지로 이동
- o 이라크군이 요르단 진입하면 이라크 공격(8.7 국방장관 발표)

마. 기타

- o 일본 : 소해정(mine Sweeper), 병원선 파견 적극검토중.
- o 호 주 : 프리깃 2척, 유조선 1척 파견
- o 파키스탄 : 사우디 파병 결정
- o 이 란 : 이라크의 즉각.무조건 철수 요구(8.11. 국가 안보회의 성명)

* 쿠웨이트내 이라크군
  - 현재 약14만 추정(6개 대통령 경호사 정예부대 포함)

4. 해상 봉쇄 문제

- o 미 국 : 8.13. 이라크에 대한 사실상의 전면적 봉쇄에 돌입
  - 이라크의 봉쇄를 위해 필요한 모든 조치를 취할 계획(필요시 무력 사용도 불사한다는 강력한 입장 견지)
- o 영국, 호주 : 미국의 조치에 동참 의사 표명
  * 미.영군함, 걸프만 통과 선박 검문검색 개시(8.14)
- o 사 우 디 : 이라크산 원유를 선적하려 온 유조선의 입항을 금지

0086

o 프 랑 스

- 고전 상태에의 돌입을 뜻하는 해상 봉쇄에 참여하지 않을 것임을 선언
- 해상 봉쇄에는 유엔의 새로운 결의 필요함을 주장

5. 화학무기 사용 문제

o 이라크는 미국이 이라크를 공격할 경우 독가스 사용 경고(주그리스 이라크 대사)

  - 미측은 이라크가 화학무기 공격을 감행할 경우 동종의 신경 독가스로 보복할 것임을 천명(8.16, 스티븐 리도거 제네바 군축회의 미측 수석 대표 발언)

o 미측은 화학전에 대비하고 있다고 발표하고 있으나, 전문가는 이에 대해 회의적

o 이락이 화학무기를 사용할 경우 미국은 핵무기 사용 등 대량 보복책 고려(8.9 ABC-TV 보도)

II. 아국의 다국적군 참여 문제

1. 걸프만 해상 봉쇄 및 다국적군에 관한 미측 입장

가. 미측 통보 주요내용((8.16. Hendrickson 참사관이 미주국 심의관에게 통보)

o 미국은 쿠웨이트 주권 회복을 위한 대이라크 경제 제재 조치가 실효를 거둘 수 있도록 군사적 또는 필요한 여타 조치를 취해 달라는 쿠웨이트의 요청에 호응하고 있는바, 이는 유엔헌장 51조 및 유엔안보리 결의안 661호 취지에 부합됨.

o 한국도 쿠웨이트 정부로부터 이러한 다국적 노력에 동참해 달라는 요청을 이미 받은 것으로 미국은 이해함.

0087

o 미국은 또한 다국적군의 창설 지원을 위해 조정 및 연락 (coordination and liaison) 역할을 수행해 달라는 쿠웨이트 요청에도 호응하고 있음.

o 미국은 다국적군에 의한 이라크 및 쿠웨이트 출입선박 차단(Interdiction)을 위한 필요성이 최소화 하거나 또는 전무하기를 바라는 바, 과거 대이라크 교역국들이 대이라크 교역을 금지할 경우 공해상에서 대이라크 interdiction은 불필요할 것임.

o 이와 같은 노력을 강화하기 위해서는 쿠웨이트와 더불어 각국이 공동 조치를 취해야 할 것인 바, 한국이 쿠웨이트 요청에 호응, 다국적 노력에 참여키로 결정할 경우, 미국에 알려주기 바람.

나. Hendrickson 참사관 부언 내용

o 상기 문서는 한국정부에만 전달하는 것이 아니며 30-40여 미국 우방국에게 전달되었음.

o 미국은 한국정부에게 다국적군에 참여해 달라는 요청을 하는 것은 아님. 다만, 한국정부가 쿠웨이트의 요청에 호응키로 결정시, 미국과 긴밀 협의 요망함.

다. 미측 입장 분석

o 미측은 이라크의 사우디 침공 기회를 봉쇄하고 제재 조치의 실효적 시행을 위한 기반을 구축하였다는 점에서 제1단계 상황이 종료되고 대이라크 경제 제재 조치의 지속적인 실효성 확보를 위한 제2단계 조치 강구중

* 8.14. 부쉬 대통령 휴가지에서 백악관 귀환, 2단계 조치에 관한 내부 전략회의 개최

0088

- 미측은 많은 동맹국들의 자발적 참여와 신속한 판단에 의해 제재 조치가 효과적으로 개시되었다고 판단
- 그러나 부쉬 대통령은 일부 무임 승차국에 대한 경각심 환기 방안 고려중
  (최근 일부 인사들은 일본, 서독 및 여타 서방국들의 중동 원유 의존도가 미국보다 높다는 사실을 들어 미국의 과도한 부담에 불만 표시)

o 미국은 내심 아국정부가 대이라크 제재 조치의 실효적 시행을 위한 가능한 지원을 자발적으로 제공해 주기를 기대

2. 아국 입장 및 대책

가. 아국입장

o 대통령, 8.13. Korea Herald 지와의 인터뷰시 아국은 다국적군에 참여하지 않을 방침임을 천명

* 대이라크 무력 제재 조치 참가 가능성 질의에 대한 대통령 답변 요지
  - 우리에게 한반도의 평화와 안전을 확보하는 일이 급선무이며, 중동에 군사적 지원을 할 수 있는 입장에 있지 않음.
  - 우리는 현재 남.북간의 대화와 화해를 위해 노력하고 있지만, 이것도 어디까지나 한반도에서 안보를 확보하고 무력도발을 억제하는 바탕 위에서 이루어지는 것임.
  - 한반도가 아직 평화가 아니라 휴전상태에 있고 안보의 위협이 실재하는 상황에서 우리가 페르시아만의 무력 제재에 나설 수는 없을 것임.

0089

- 한국은 유엔 안보이사회의 결의에 찬성하고 어떠한 이유에서든 한 나라가 다른 나라는 무력으로 침공, 점령하는 일은 정상화될 수 없다는 우리 정부의 입장을 밝힌 바 있음.

나. 대 책

ㅇ 이라크 출입 선박 저지를 위한 다국적군에는 불참 입장 견지

ㅇ 다만, 실효성있는 대이라크 경제 제재 조치의 지속적 시행을 위한 미측의 요청은 가능한 수용
  - 다국적군 유지 관련 물자 지원 고려등

Ⅲ. 쿠웨이트 사태 전망

ㅇ 현재의 중동 정세는 미국과 이라크 양국간의 상호 억지 전략을 통한 군사적 교착 상태인 바, 이러한 군사적 교착상태는 일종의 소모전 성격을 띄면서, 미국이 지구전 전략을 계속 이행하고 이라크가 체면을 지키면서 후퇴를 할 수 있는 방안이 없는 한 상당기간 지속될 것으로 전망
  - 미 행정부의 입장에서는 적어도 11월 중간 선거까지는 현재의 전략을 계속 추구할 가능성이 큰 것으로 예측되는 바, 동 전략을 수행해 나가면서 후세인 대통령 전복 가능성등 이라크의 국내 정세를 예의 주시할 것으로 전망됨.
  - 현재 미측이 요구하고 있는 이라크군의 즉각적이고 무조건적인 쿠웨이트로 부터의 철수가 후세인 대통령의 입장에서 볼때 국내 정치 요인 등을 감안시 절대 수용할 수 없는 조건인 것 처럼, 이라크측이 쿠웨이트로 부터의 철군 조건으로 내세우고 있는 WEST BANK 및 GAZA 지구로 부터의 이스라엘군 철수도 미측으로서는

0090

받아 들일 수 없는 조건인 바, 이처럼 현 상황이 ZERO-SUM GAME의 성격을 띄고 있기 때문에 당분간은 타협의 여지가 있는 중도적 해결 방안을 모색하기 어려울 것으로 예상

o 한편 전술한 미국의 대이라크 억지 전략은 서구적인 기준에서 볼때 이라크도 Rational Actor라는 대전제하에서 수립된 전략인 바, 만약 이라크가 이미 선전 포고한 "성전(JIHAD)"을 실행으로 옮겨서 이스라엘에 대한 군사적 도발을 할 경우 사태는 더욱 심각한 국면에 빠질 가능성도 희박하나마 배제할 수는 없음.

0091

이라크-쿠웨이트 사태와 아국의 다국적군 지원 문제

90. 8. 18

미 주 국

0092

목 차

Ⅰ. 이라크-쿠웨이트 사태의 배경

Ⅱ. 미국의 개입배경 및 전략

Ⅲ. 이라크-쿠웨이트 사태 전망

Ⅳ. 아국의 다국적군 지원 문제

첨부 : 이라크- 쿠웨이트 사태 관련 각국의 주요 군사조치 현황

0093

Ⅰ. 이라크-쿠웨이트 사태의 배경

o 아랍권 지도국으로서의 위상 확립을 위한 후세인 대통령의 개인적 야망

- '바빌론 영광의 재현' '아랍권맹주'등 평소의 개인적 야망 바탕으로 걸프지역 패권 장악 시도

- 이.이전으로 인한 국내경제 피폐에 대한 국민적 불만 돌파구 마련

o 쿠웨이트의 풍부한 유전지대 및 원유수출 항만시설 확보

- 쿠웨이트 합병시 전세계 유전 매장량의 40% 장악

- 사실상의 내륙국으로서 걸프만으로의 진출로 확보

o 아랍권의 반시오니즘, 반외세 감정, 쿠웨이트등 일부산유국 집권층에 의한 '부'의 독점 및 친서방 태도에 대한 비판 심리 작용

o 8년간의 이.이전 전비(총부채700억불) 및 부채탕감 책략의 일환

- 쿠웨이트 및 사우디의 부채 상환 요구에 대한 후세인의 불만등

o 사우디의 지도력에 대한 도전

- 쿠웨이트의 병합을 통해 GCC역내 영향력 확대

0094

Ⅱ. 미국의 개입배경 및 전략

1. 미국개입 배경

o 걸프만 지역에서의 지배적인 국가(dominant power) 등장 방지

o 탈냉전체제하에서 미.쏘등 동서 협조 분위기를 활용한 범 세계적 지지 확보 자신감 배경

o 걸프산 원유의 보호 및 원유 안정공급 보장을 통한 세계경제 질서 유지

o 정치, 군사적 요인에 의해 주기적으로 발생하고 있는 에너지 위기의 종식

o 이라크등 아랍권 국가에 의한 이스라엘 공격 가능성 사전 방지

2. 미국의 기본전략

가. 이라크에 대한 군사적 억지, 외교적 고립화 및 경제적 질식 전략을 통한 이라크의 쿠웨이트로부터의 철수 실현

o 군사적 억지전략

- 미군의 사우디 주둔을 통해 이라크의 사우디 침공은 대미선전 포고를 의미한다는 인계철선(trip-wire)효과에 의한 억지전략

0095

- 다국적군 구성. 페르샤만 봉쇄를 통한 군사적 우위 과시로 이라크의 추가 군사 행동 억지

o 외교적 고립화 전략

- 유엔을 통한 이라크의 쿠웨이트 침공 규탄결의 및 쿠웨이트 합병 무효선언 결의 채택

o 경제적 질식 전략

- 유엔 안보리의 대이라크 경제제재 결의 쓰련을 포함한 전세계적 차원의 동참유도

나. 국제적 압력을 통한 이라크의 무력화

다. 이라크 지도층 내부의 반란이나 민중봉기에 의한 후세인 정권 전복 기대

라. 향후 여타 지역에서 정치적 해결 수단으로서 무력사용 재발 방지 효과 기대

마. 유엔 안보리 군사위(Militry Staff Committee)를 통한 유엔 기치하의 대이라크 제재조치 가능성 모색

- 이라크의 반미, 아랍 민족주의 고취 전술 무력화

0096

Ⅲ. 이라크-쿠웨이트 사태 전망

1. 상황의 전개

가. 단기간내 해결 가능성 희박

o 이라크의 비현실적 철수안, 이라크 및 쿠웨이트내 외국인에 대한 사실상 인질 취급등 부정적 태도로 가까운 장래 현정세 호전 예측 난망

o 미국은 외교적 해결 방안을 완전히 배제하고 있지는 않으나, 이라크가 쿠웨이트로부터 철수, 쿠웨이트 합법 정부 복귀등 조치가 없는한 단기간내 외교적 해결 가능성도 희박

o 다만, 경제 제재 조치로 이라크가 조만간 심대한 타격을 받을 경우는 이라크의 양보에 의한 해결 가능성도 불무.
  - 미국은 이를 위해 해상 봉쇄등을 통한 철저한 대이라크 질식 전략 전개중
  - 아카바항 봉쇄에 따른 물자 고갈로 이라크 압박 가중

0097

나. 고착상태 장기화 가능성

o 미국과 이라크 양국간의 상호 억지 전략을 통한 소모전 성격을 띤 군사적 고착 상태 장기화 가능성

- ZERO-SUM GAME의 성격을 띈 관계로 중도적 해결 방안 모색 난망
- 미 행정부는 11월 중간선거까지는 현재의 전략을 계속 추구할 가능성

* 미.이라크 요구 사항
o 미 국
- 쿠웨이트로부터 이라크군의 즉각적, 무조건철수
- 쿠웨이트 합법정부(왕정) 복구
- Gulf만에서의 항행자유 위협제거 및 Gulf만의 안정과 안전유지
- 중동지역내 미국 및 여타 외국국민의 안전 보장
o 이 라 크
- 사우디로부터 미군철수
- West Bank 및 Gaza지구로부터의 이스라엘군 철수

o 이라크의 대미 심리전 전개

- 미국을 제국주의자로, 사우디를 아랍내부에 외세를 끌어 들인 시온주의자로 규정
- 현상황의 촛점을 미국과 아랍권의 대결 상태로 전환 기도
- 아랍권내 아랍 민족주의를 바탕으로 하는 외세 배제론 대두 가능성

0098

o 이라크의 서방인질 전략 요충지역 분산 수용으로 미국의 군사적 행동 제약

다. 군사적 충돌 가능성

o 최악의 경우 이라크가 "성전(JIHAD)"을 실행으로 옮겨 이스라엘에 대한 군사적 도발 감행할 경우 사태가 더욱 심각한 국면에 빠질 가능성도 불배제

2. 이라크-쿠웨이트 사태가 국제정세에 미치는 영향

가. 국제정치 정세

(미-쏘관계)

o 쏘련의 즉각적인 이라크 규탄 및 대이라크 경제제재 조치 참여, 대이라크 무기금수 조치 단행등 미.쏘는 협력체제 과시

- 미.쏘는 냉전후 최초의 위기인 급변사태 관리가 탈냉전시대에 있어 국제질서 유지를 위한 군사 외교적 패턴 형성에 지대한 영향을 끼칠 것이라는데 공동인식
- 쏘련은 지속적인 개혁추진을 위해서도 탈냉전시대에 지역 분쟁등 국제질서 고란 요인 발생 불원

0099

- 쏘련은 급변 사태로 인한 유가인상으로 hard currency 유입증가는 내심 환영하나 이런 전술적 이득보다 쏘련 경제의 세계경제 참여라는 전략적 이해를 우선

  * 원유가격이 배럴당 1불 인상시 쏘련은 5억불의 수익 증가 시현

- 향후 미.쏘는 다극화 되어가는 국제질서 하에서 종전과 같은 영향력 및 질서유지 위해 지역 분쟁 해결등에 있어 제한적 상호 협력 관계 지속 전망

(미국-아랍 관계)

o 장기적인 교착상태 지속 경우 미국에 대한 아랍권내 지지도 쇠퇴가능

  - 사우디의 미국지원 요청은 장차 사우디를 비롯한 온건 아랍국가의 영향력 감소 초래 가능

  - 급변 사태를 미국 및 그 추종자와 아랍 세계와의 대결로 전이 시키려는 이라크의 심리 전술 전개로 아랍 민족주의 대두 가능

o 또한 급변 사태가 그기저에 갖고 있는 동서 냉전체제 붕괴후 남.북대결 이란 성격에 비추어 이라크 패배시에도 미국의 대아랍권 영향력 증가는 난망시

  - 22개국 아랍제국의 민족적 자각증대 경향

o 따라서 급변 사태로 장기적인 관점에서 미국-아랍관계는 더욱 불안정 화할 가능성 농후

0100

(한반도에 미치는 영향)

o 유엔에 의한 실효적 제재조치 성공시 북한등 불법적 무력사용 잠재 세력에 대한 경고 효과

o 남.북한 관계 진전에 긍정적 효과보다는 부정적 영향 예상

- 북한의 개방과 타협적 자세 기대 난망

- 북한의 대남, 대미 선전전 강화 가능

o 미국의 아.태 전략 조정 가능성에 따른 주한미군 3단계 감축 및 역할 변경 속도와 범위에 영향 파급 가능성

o 미국의 비용 분담 요구 계속 증대가능

- 주요 동맹국 및 국제 안보 수혜국 대상

나. 세계경제

o 국제 원유가 상승으로 미국, 서구제국, 일본 및 다수 개도국등 비산유국의 물가상승 및 경제 성장후퇴 초래

o 그러나 급변 사태로 인한 유가 상승은 1.2차 석유위기에 비해 소폭 예상

0101

* 유가 상승 전망

o 현교착상태 지속시 향후 수개월간 22-28불선 유지 전망

- 원유 초과 공급사태 지속
- 여타 산유국의 추가 생산 가능
- OECD등 선진국의 비축 원유
  (100일간 수요 충족분인 35억 배럴 상당)
- 세계경제의 석유 의존도 감소

o 그러나 개도국 및 동구권 국가의 경우 큰타격 예상

- 교역 조건 악화에 따른 실질 소득 감소
- 선진국 경제 성장 둔화로 인한 개도국 원자재 수요 감퇴
- 막대한 금번 외채 보유국은 세계 금융시장에서의 자금 조달 어려움 봉착
- 동구권 국가의 경우 91년부터 쏘련산 원유의 경화 수입 불가피 및 중공업등 에너지 소비 집중적 산업구조로 타격 심대 예상

0102

Ⅳ. 아국의 다국적군 지원 문제

1. 문제의 제기

가. 쿠웨이트 정부 요청 내용

ㅇ 90.8.13. 쿠웨이트 국왕, 대통령 각하앞 서한 발송

- 경제제재의 실효를 거두기 위한 군사적, 경제적 제반 지원 요청

나. 미국정부 협조 요청

* 8.17. Kimmitt 미 국무부 정무차관이 주미 대사에게 요청

ㅇ 이라크에 대한 제재조치 관련, 한국이 국제적인 노력의 일익을 담당해줄 것을 요청

- 반드시 군사력에 의한 기여가 아니라도 여타 물질적, 재정적 지원도 무방
- 군병력 및 장비 수송용 항공기 및 대형 화물선 지원

2. 아측 대응조치 수립시 고려사항

가. 유엔 안보리 결의에 의거한 국제적 평화 노력에의 동참 필요성

ㅇ 무력에 의한 침략행위는 용납될 수 없다는 대의 명분에의 적극적 기여

ㅇ 한국 전쟁시 유엔 기치하 국제적 지원을 받은 국가로서의 역사적, 도의적 책임

0103

o 한반도에서의 한.미간 공동 방위 노력과 같이, 걸프만 사태와 같은 세계적 공통 안보문제에 대한 아국의 동참 필요성 고려

(참고 사항)

- 미국은 사우디 및 쿠웨이트 정부의 요청 및 유엔헌장 51조(자위권 규정)에 의거 사우디에 파병
  또한 유엔헌장 51조를 수용, 이라크 및 쿠웨이트 출입 선박에 대한 해상 단속(Interdiction) 활동 실시
- 한편, 유엔 사무총장은 유엔헌장 51조를 수용, 유엔 안보리의 승인없이 군사력을 사용하는데 대해 적법성 의문 제기
  * 합법적인 해상봉쇄(naval blockade) 활동은 유엔헌장 제42조에 의거해야 가능

나. 긴밀한 한.미 우호협력관계 과시

o 미국의 동맹국으로서 유사시 미국이 신뢰할 수 있는 동맹국이라는 인식 부각

o 미 의회의 안보 무임 승차국에 대한 비판 증대

다. 한반도 안보와의 관계 고려

o 침략행위에 대한 국제적 공동대처로 북한의 잠재적 도발 가능성에 대한 경고 효과

0104

라. 국제 평화유지 역할에 있어서의 아국의 국제적 위상 제고

- 세계 주요국가들 대부분 다국적 활동에 참여하고 있는점 고려

3. 아국의 대층 방안 및 조치 계획

기본 방향

o 한국 전쟁시 유엔 기치하 국제적 지원을 받은 국가로서의 역사적, 도의적 책임을 감안, 국제평화 유지를 위한 아국의 기여 의지를 적극 과시함.

o 아울러 전통 우방국으로서 한.미 안보협력 관계 및 21세기를 향한 성숙한 동반자로서의 관계를 감안, 미국의 요청을 최대한 수용토록 검토함.

대응 방안

가. 병력 또는 함정 파견등 직접적인 군사 지원은 곤란

- 한반도의 첨예한 정치, 군하적 긴장 상태 지속등 한반도의 특수 상황 고려

0105

- 이라크-쿠웨이트 사태 관련, 태평양 지역 배치 미 해.공군 일부 이동에 의한 일시적인 군사력 변화 고려
- 현 국내정치, 경제 사정에 비추어 파병에 대한 부정적인 국민 여론 예상

나. 그러나, 장기적 한.미 안보협력 관계등 기존 한.미 우호관계 감안, 다음과 같이 다국적군 활동의 간접 지원을 검토

- 화생방전 대응 장비인 방독면 지원 (3만착 : 180만불 상당)
- 의약품, 의약장비, 의료지원단 파견
- 군복, 군화, 텐트등 비전투 군수품
- 찝차, 트럭등 수송 장비지원
- 현지 물품의 하역 서비스 및 육상운송 제공(사우디내 기존 아국 장비 활용)
- 해상 수송 선박등 수송장비 지원

  * 과격 아랍 테러단의 목표가 될 가능성 우려, 항공기 지원은 곤란

다. 지원 및 대외발표 시기

o 아국 교민의 대다수가 철수 완료된 시점 기준
  - 이라크 정부의 비우호적 태도 촉발 우려 감안

라. 예 산

o 정부 예비비에서 지출(경제기획원 협조)

0106

4. 홍보 및 외교 조치

가. 대국민 홍보

(홍보 방향)

o 유엔 안보리 결의에 따른 국제적 노력에의 동참 필요성 부각

o 중동사태가 궁극적으로 남.북한 관계에도 미칠수 있는 영향 부각

- 정치적 문제의 해결 수단으로서의 무력사용은 용납될 수 없고 국제적 응징을 받아야 한다는 대의 명분을 강조함으로써 북한의 적화통일 노선 포기유도

o 기존 한.미간 전통 우호관계 및 안보협력 관계에서의 협조 필요성 설명

o 중동사태의 조속한 해결이 아국 경제에 긴요한 점을 설명

(시행 방법)

o 주요 언론기관의 논설위원, 편집국장에 대한 설명

- 미국의 요청이나 압력에 의한 것이 아니고 국제평화 유지 노력에 기여한다는 대의 명분 강조

o 출입기자단에 대한 브리핑 실시

0107

나. 관계국에 대한 외교적 조치

o 대미 교섭

- 미측이 희망하는 구체적 품목 내용 협조

- 아국정부의 적극적인 대미 협조 노력 설명(행정부, 의회, 언론등)

o 대이라크 통보

- 대이라크 관계에 있어서의 부작용 최소화 방안 검토

첨 부 : 이라크-쿠웨이트 사태 관련, 각국의 주요 군사조치 현황

0108

<첨 부>

이라크-쿠웨이트 사태 관련 각국의 주요 군사조치 현황

I. 사우디 파병국 및 걸프지역 해군 파견국 현황

1. 사우디 파병국(12개국)

가. 기파병국(9개국)

미, 영, 이집트, 모로코, 오만, UAE, 카타르, 바레인, 쿠웨이트

나. 파병 예상국(3개국)

방글라데쉬, 파키스탄, 시리아

2. 걸프지역 해군 파견국(15개국)

가. 기파견국(10개국)

미, 영, 불, 쏘, 사우디, 오만, UAE, 카타르, 바레인, 쿠웨이트

나. 파견 예상국(5개국)

호주, 카나다, 그리스, 벨기에, 이태리

3. 참고사항

o 사우디 파병 아랍 7개국은 이라크의 쿠웨이트 침공이후 파병

o 걸프지역 해군 파견 아랍권 국가의 경우 침공이전부터 해군력 배치

o 걸프지역 해군 파견국들이 이라크 출입선박 해상 단속 조치에 전부 참여하는 것은 아님

- 호주의 경우, 호주 함정의 presence만 과시하고 실제 작전은 불참.

0109

Ⅱ. 각국의 군사 조치 현황

1. 미 국

o 대사우디 파병 내용

- 총 파병 병력수 : 약 6만여명(8.19.현재)
- 20-25만명까지 증파할 수 있는 비상 계획도 수립중인 것으로 알려짐.

o 페르시아만, 지중해, 홍해 등에 항모를 포함 약50척의 전함 배치(탑재기 약 245대)

o 기타 터키에 F-11 전폭기 11대, 인도양 디에고 가르시아에 B-52 폭격기 배치 및 사우디에 F-15 전투기 40대 인도등 조치

2. NATO 국가

o 영 국

- Tornado F-3 전투기 12대 Jaguar 공격용 전투기 12대등 파견
- 구축함 1척, 프리깃 2척, 지원 선박 걸프로 파견
- 지원 병력 1,000명(지상군 없음)

o 프랑스

- 항모 Clemenceau 파견하고 다국적군에는 불참하나, 필요시 걸프 국가에 물자.기술 지원 예정

o 터 키

- F-16, 병력, Rapier 대공 미사일등 전진 배치(다국적군은 아님)

o 기타 NATO 국가인 이태리, 카나다, 서독, 덴마크, 그리스, 벨지움, 화란도 다국적군 활동 지원에 참가

0110

3. 기타 국가

o 애급, 모로코군등으로 구성된 총병력 10,000명 아랍 연합군 사우디 파견

o 쏘련도 전함 1척, 대잠함 1척을 걸프만에 파견하였으나 다국적군 활동에는 불참, (UN에 의한 군사 행동이 결정될 경우 참여 고려)

o 일본은 미측 요청에 대해 다국적군 활동에 필요한 실질적 기여 약속

o 호주는 프리깃 2척, 유조선 1척 파견, 이라크 출입 선박 차단을 위한 해상 봉쇄 활동에 참여

0111

我國의 多國籍軍 支援 問題

90. 8. 20.

外　　務　　部

0112

目 次

1. 問題의 提起

2. 我側 對應措置 樹立時 考慮事項

3. 我國의 對應方案 및 措置計劃

4. 弘報 및 外交措置

添 附 : 이라크-쿠웨이트 事態關聯 各國의 主要 軍事 措置 現況

0113

1. 問題의 提起

가. 쿠웨이트 政府 要請 內容

ㅇ 90.8.13. 쿠웨이트 國王 大統領 閣下앞 書翰 發送

- 經濟制裁의 實効를 거두기 위한 軍事的, 經濟的 諸般 支援 要請

나. 美國政府 協調 要請

* 8.17. Kimmitt 美 國務部 政務次官이 駐美 大使에게 要請

ㅇ 이라크에 對한 制裁措置 關聯, 韓國이 國際的인 努力의 일익을 擔當해줄 것을 要請

- 반드시 軍事力에 의한 寄與가 아니라도 餘他 物質的, 財政的 支援도 무방

- 군병력 및 裝備 輸送用 航空機 및 大型 貨物船 支援

2. 我側 對應措置 樹立時 考慮事項

가. 유엔 安保理 決議에 依據한 國際的 平和 努力에의 同參 必要性

ㅇ 武力에 의한 侵略行爲는 容納될 수 없다는 大義 名分에의 積極的 寄與

ㅇ 韓國 戰爭時 유엔 旗幟下 國際的 支援을 받은 國家로서의 歷史的, 道義的 責任

0114

o 韓半島에서의 韓.美間 共同 防衛 努力과 같이, 걸프만 事態와 같은 世界的 共通 安保問題에 對한 我國의 同參 必要性 考慮

(參考 事項)

- 美國은 사우디 및 쿠웨이트 政府의 요청 및 유엔憲章 51조(자위권 規定)에 依據 사우디에 派兵
  또한 유엔憲章 51조를 援用, 이라크 및 쿠웨이트 出入 船舶에 대한 海上 團束 (Interdiction) 活動 實施
- 한편, 유엔 事務總長은 유엔憲章 51조를 援用, 유엔 安保理의 承認없이 軍事力을 使用하는데 대해 適法性 疑問 提起
  * 合法的인 海上封鎖 (naval blockade) 活動은 유엔憲章 제42조에 依據해야 可能

나. 緊密한 韓.美 友好協力關係 誇示

o 美國의 同盟國으로서 有事時 美國이 信賴할 수 있는 同盟國이라는 認識 浮刻

o 美 議會의 安保 無賃 乘車國에 대한 批判 增大

다. 韓半島 安保와의 關係 考慮

o 侵略行爲에 對한 國際的 共同對處로 北韓의 潛在的 挑發 可能性에 對한 警告 効果

0115

라. 國際 平和維持 役割에 있어서의 我國의 國際的 位相 提高

- 世界 主要國家들 대부분 多國籍 活動에 參與하고 있는点 考慮

3. 我國의 對應 方案 및 措置 計劃

基本 方向

o 韓國 戰爭時 유엔 旗幟下 國際的 支援을 받은 國家로서의 歷史的, 道義的 責任을 감안, 國際平和 維持를 위한 我國의 寄與 意志를 積極 誇示함.

o 아울러 傳統 友邦國으로서 韓.美 安保協力 關係 및 21世紀를 향한 成熟한 同伴者로서의 關係를 감안, 美國의 要請을 最大한 受容토록 檢討함.

對應 方案

가. 兵力 또는 艦艇 派遣等 直接的인 軍事 支援은 困難

- 韓半島의 尖銳한 政治, 軍事的 緊張 狀態 持續等 韓半島의 特殊 狀況 考慮

0116

- 이라크-쿠웨이트 事態 關聯, 太平洋 地域 配置 美 海.空軍 一部 移動에 의한 一時的인 軍事力 變化 考慮
- 現 國內政治, 經濟 사정에 비추어 派兵에 대한 否定的인 國民 與論 豫想

나. 그러나, 長期的 韓.美 安保協力 關係等 旣存 韓.美 友好關係 감안, 다음과 같이 多國籍軍 活動의 間接 支援을 檢討

- 化生放戰 對應 裝備인 防毒面 支援 (3萬着 : 180萬弗 相當)
- 醫藥品, 醫療裝備, 醫療支援團 派遣
- 軍服, 군화, 텐트等 非戰鬪 軍需品
- 찝차, 트럭等 輸送 裝備支援
- 現地 物品의 하역 서비스 및 陸上運送 提供(사우디內 旣存 我國 裝備 活用)
- 海上 輸送 船舶等 輸送裝備 支援

* 과격 아랍 테러단의 目標가 될 可能性 우려, 航空機 支援은 困難

다. 支援 및 對外發表 時期

o 我國 僑民의 大多數가 撤收 完了된 時點 基準
  - 이라크 政府의 非友好的 態度 觸發 憂慮 감안

라. 豫 算

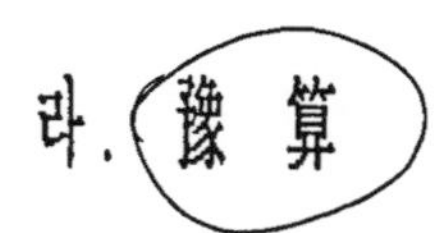

o 政府 豫備費에서 支出(經濟企劃院 協調)

0117

4. 弘報 및 外交 措置

가. 對國民 弘報

(弘報 方向)

o 유엔 安保理 決議에 따른 國際的 努力에의 同參 必要性 浮刻

o 中東事態가 窮極的으로 南.北韓 關係에도 미칠수 있는 影響 浮刻
  - 政治的 問題의 解決 手段으로서의 武力使用은 容納될 수 없고 國際的 膺懲을 받아야 한다는 大義 名分을 強調함으로써 北韓의 赤化統一 路線 抛棄誘導

o 旣存 韓.美間 傳統 友好關係 및 安保協力 關係에서의 協調 必要性 說明

o 中東事態의 早速한 解決이 我國 經濟에 緊要한 点을 說明

(施行 方法)

o 主要 言論機關의 論說委員, 編輯局長에 대한 說明
  - 美國의 요청이나 壓力에 의한 것이 아니고 國際平和 維持 努力에 寄與한다는 大義 名分 強調

o 出入記者團에 대한 브리핑 實施

0118

나. 關係國에 對한 外交的 措置

o 對美 交涉

- 美側이 希望하는 具體的 品目 內容 協議

- 我國政府의 積極的인 對美 協調 努力 說明(行政部, 議會, 言論等)

o 對이라크 通報

- 對이라크 關係에 있어서의 副作用 最小化 方案 檢討

添 附 : 이라크-쿠웨이트 事態 關聯, 各國의 主要 軍事措置 現況

0119

我國의 多國籍軍 支援 問題

90. 8. 20.

外　　務　　部

0120

目 次

1. 問題의 提起

2. 我側 對應措置 樹立時 考慮事項

3. 我國의 對應方案 및 措置計劃

4. 弘報 및 外交措置

添 附 : 이라크-쿠웨이트 事態關聯 各國의 主要 軍事 措置 現況

0121

1. 問題의 提起

가. 쿠웨이트 政府 要請 內容

o 90.8.13. 쿠웨이트 國王 大統領 閣下앞 書翰 發送

- 經濟制裁의 實效를 거두기 위한 軍事的, 經濟的 諸般 支援 要請

나. 美國政府 協調 要請

* 8.17. Kimmitt 美 國務部 政務次官이 駐美 大使에게 要請

o 이라크에 對한 制裁措置 關聯, 韓國이 國際的인 努力의 일익을 擔當해줄 것을 要請

- 반드시 軍事力에 의한 寄與가 아니라도 餘他 物質的, 財政的 支援도 무방

- 군병력 및 裝備 輸送用 航空機 및 大型 貨物船 支援

2. 我側 對應措置 樹立時 考慮事項

가. 유엔 安保理 決議에 依據한 國際的 平和 努力에의 同參 必要性

o 武力에 의한 侵略行爲는 容納될 수 없다는 大義 名分에의 積極的 寄與

o 韓國 戰爭時 유엔 旗幟下 國際的 支援을 받은 國家로서의 歷史的, 道義的 責任

0122

o 韓半島에서의 韓.美間 共同 防衛 努力과 같이, 걸프만 事態와 같은 世界的 共通 安保問題에 對한 我國의 同參 必要性 考慮

(參考 事項)

- 美國은 사우디 및 쿠웨이트 政府의 요청 및 유엔憲章 51조(자위권 規定)에 依據 사우디에 派兵
  또한 유엔憲章 51조를 援用, 이라크 및 쿠웨이트 出入 船舶에 대한 海上 團束 (Interdiction) 活動 實施
- 한편, 유엔 事務總長은 유엔憲章 51조를 援用, 유엔 安保理의 承認없이 軍事力을 使用하는데 대해 適法性 疑問 提起
  * 合法的인 海上封鎖 (naval blockade) 活動은 유엔憲章 제42조에 依據해야 可能

나. 緊密한 韓.美 友好協力關係 誇示

o 美國의 同盟國으로서 有事時 美國이 信賴할 수 있는 同盟國이라는 認識 浮刻

o 美 議會의 安保 無賃 乘車國에 대한 批判 增大

다. 韓半島 安保와의 關係 考慮

o 侵略行爲에 對한 國際的 共同對處로 北韓의 潛在的 挑發 可能性에 對한 警告 効果

0123

라. 國際 平和維持 役割에 있어서의 我國의 國際的 位相 提高

- 世界 主要國家들 대부분 多國籍 活動에 參與하고 있는点 考慮

3. 我國의 對應 方案 및 措置 計劃

基本 方向

o 韓國 戰爭時 유엔 旗幟下 國際的 支援을 받은 國家로서의 歷史的, 道義的 責任을 감안, 國際平和 維持를 위한 我國의 寄與 意志를 積極 誇示함.

o 아울러 傳統 友邦國으로서 韓.美 安保協力 關係 및 21世紀를 향한 成熟한 同伴者로서의 關係를 감안, 美國의 要請을 最大한 受容토록 檢討함.

對應 方案

가. 兵力 또는 艦艇 派遣等 直接的인 軍事 支援은 困難

- 韓半島의 尖銳한 政治, 軍事的 緊張 狀態 持續等 韓半島의 特殊 狀況 考慮

0124

- 이라크-쿠웨이트 事態 關聯, 太平洋 地域 配置 美 海.空軍 一部 移動에 의한 一時的인 軍事力 變化 考慮
- 現 國內政治, 經濟 사정에 비추어 派兵에 대한 否定的인 國民 與論 豫想

나. 그러나, 長期的 韓.美 安保協力 關係等 旣存 韓.美 友好關係 감안, 다음과 같이 多國籍軍 活動의 間接 支援을 檢討

- 化生放戰 對應 裝備인 防毒面 支援 (3萬着 : 180萬弗 相當)
- 醫藥品, 醫療裝備, 醫療支援團 派遣
- 軍服, 군화, 텐트等 非戰鬪 軍需品
- 찝차, 트럭等 輸送 裝備支援
- 現地 物品의 하역 서비스 및 陸上運送 提供(사우디內 旣存 我國 裝備 活用)
- 海上 輸送 船舶等 輸送裝備 支援

* 과격 아랍 테러단의 目標가 될 可能性 우려, 航空機 支援은 困難

다. 支援 및 對外發表 時期

o 我國 僑民의 大多數가 撤收 完了된 時點 基準.

- 이라크 政府의 非友好的 態度 觸發 憂慮 감안

라. 豫 算

o 政府 豫備費에서 支出(經濟企劃院 協調)

0125

4. 弘報 및 外交 措置

가. 對國民 弘報

(弘報 方向)

ㅇ 유엔 安保理 決議에 따른 國際的 努力에의 同參 必要性 浮刻

ㅇ 中東事態가 窮極的으로 南.北韓 關係에도 미칠수 있는 影響 浮刻

- 政治的 問題의 解決 手段으로서의 武力使用은 容納될 수 없고 國際的 膺懲을 받아야 한다는 大義 名分을 強調함으로써 北韓의 赤化統一 路線 抛棄誘導

ㅇ 旣存 韓.美間 傳統 友好關係 및 安保協力 關係에서의 協調 必要性 說明

ㅇ 中東事態의 早速한 解決이 我國 經濟에 緊要한 点을 說明

(施行 方法)

ㅇ 主要 言論機關의 論說委員, 編輯局長에 대한 說明

- 美國의 요청이나 壓力에 의한 것이 아니고 國際平和 維持 努力에 寄與한다는 大義 名分 強調

ㅇ 出入記者團에 대한 브리핑 實施

0126

나. 關係國에 對한 外交的 措置

o 對美 交涉

- 美側이 希望하는 具體的 品目 內容 協議

- 我國政府의 積極的인 對美 協調 努力 說明(行政部, 議會, 言論等)

o 對이라크 通報

- 對이라크 關係에 있어서의 副作用 最小化 方案 檢討

添 附 : 이라크-쿠웨이트 事態 關聯, 各國의 主要 軍事措置 現況

0127

〈첨 부〉

이라크-쿠웨이트 사태 관련 각국의 주요 군사조치 현황

I. 사우디 파병국 및 걸프지역 해군 파견국 현황

1. 사우디 파병국(12개국)

가. 기파병국(9개국)

미, 영, 이집트, 모로코, 오만, UAE, 카타르, 바레인, 쿠웨이트

나. 파병 예상국(3개국)

방글라데쉬, 파키스탄, 시리아

2. 걸프지역 해군 파견국(15개국)

가. 기파견국(10개국)

미, 영, 불, 쏘, 사우디, 오만, UAE, 카타르, 바레인, 쿠웨이트

나. 파견 예상국(5개국)

호주, 카나다, 그리스, 벨기에, 이태리

3. 참고사항

- 사우디 파병 아랍 7개국은 이라크의 쿠웨이트 침공이후 파병
- 걸프지역 해군 파견 아랍권 국가의 경우 침공이전부터 해군력 배치
- 걸프지역 해군 파견국들이 이라크 출입선박 해상 단속 조치에 전부 참여하는 것은 아님
  - 호주의 경우, 호주 함정의 presence만 과시하고 실제 작전은 불참.

0128

Ⅱ. 각국의 군사 조치 현황

1. 미 국

o 대사우디 파병 내용

- 총 파병 병력수 : 약 6만여명(8.19.현재)
- 20-25만명까지 증파할 수 있는 비상 계획도 수립중인 것으로 알려짐.

o 페르시아만, 지중해, 홍해 등에 항모를 포함 약50척의 전함 배치(탑재기 약 245대)

o 기타 터키에 F-11 전폭기 11대, 인도양 디에고 가르시아에 B-52 폭격기 배치 및 사우디에 F-15 전투기 40대 인도등 조치

2. NATO 국가

o 영 국

- Tornado F-3 전투기 12대 Jaguar 공격용 전투기 12대등 파견
- 구축함 1척, 프리깃 2척, 지원 선박 걸프로 파견
- 지원 병력 1,000명(지상군 없음)

o 프랑스

- 항모 Clemenceau 파견하고 다국적군에는 불참하나, 필요시 걸프 국가에 물자.기술 지원 예정

o 터 키

- F-16, 병력, Rapier 대공 미사일등 전진 배치(다국적군은 아님)

o 기타 NATO 국가인 이태리, 카나다, 서독, 덴마크, 그리스, 벨지움, 화란도 다국적군 활동 지원에 참가

0129

3. 기타 국가

o 애급, 모로코군등으로 구성된 총병력 10,000명 아랍 연합군 사우디 파견

o 쏘련도 전함 1척, 대잠함 1척을 걸프만에 파견하였으나 다국적군 활동에는 불참. (UN에 의한 군사 행동이 결정될 경우 참여 고려)

o 일본은 미측 요청에 대해 다국적군 활동에 필요한 실질적 기여 약속

o 호주는 프리깃 2척, 유조선 1척 파견, 이라크 출입 선박 차단을 위한 해상 봉쇄 활동에 참여

0130

관리번호 91-1957

면 담 요 록

1. 면담일시 : 90.8.20(월) 17:15-17:45

2. 면담장소 : 미주국장실

3. 면 담 자 :

아 측	미 측
반기문 미주국장	E. Mason Hendrickson 주한 미대사관 참사관
김규현 북미과 사무관 (기록)	Aloysius O'Neill 1등 서기관

4. 면담요지

미주국장 : 휴가후의 건강한 모습을 대하게 되어 반가움. 지난 8.17. Kimmitt 정무차관이 박동진 주미대사를 초치, 요청한 사항과 관련 금일 외무, 국방, 교통장관 및 안기부장등 정부 고위급 회의가 있었는바 관련사항을 통보코자 함.

Hendrickson 참사관 : 김종휘 외교 안보보좌관이 회의를 주재하였는지 ?

미주국장 : 회의는 노재봉 비서실장이 주재하였으며 동 회의에 김 보좌관도 참석한 것으로 알고 있음.

금일 회의시 유엔안보리 결의에 의거한 국제평화 노력에 동참하고 긴밀한 한.미 우호 및 안보 협력 관계를 고려하여 미국 정부의 요청을 최대한 수용하기로 원칙을 정하고 다음과 같이 결정하였음.

안보과장: 송.

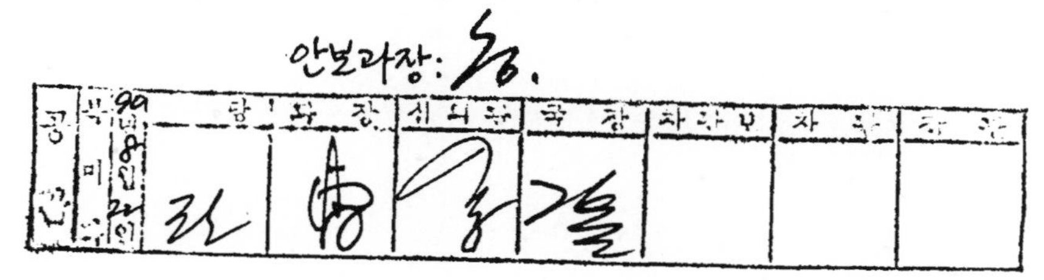

0131

우선 미측의 요청관련 인원, 물자수송을 위한 민간선박(commercial vessel)을 용선하여 수송선으로 제공할 것을 긍정적으로 고려키로 하였음. 이와관련 동수송선이 필요한 시기 및 기간, 수송 대상물자 또는 인원, 목적지등 관련사항을 아측에 알려주기 바람.

Hendrickson 참사관 : 한국측이 용선하고자 하는 선박이 현재 중동지역에 위치하고 있는지?

미 주 국 장 : 현재로서는 원칙만 정해진 상태이므로 어떤 선박을 어디에서 용선할 것인가 등 구체적인 사항에 관해서는 미정인 상태임.

한편, 방독면등 화생방 장비는 아국의 안보 상황을 고려할때 어려움이 있으나 중동사태의 긴급성을 감안, 우선 아국 비축 보유분을 할애하여 공급할 용의가 있으니 사용 국가, 수량, 대금 결재 방법등에 관하여 구체적으로 알려주기 바람.
또한 필요하다면 의약품과 군복, 군화, 텐트등 비살상용 군용 물품도 공급할 용의가 있는바, 소요량, 사용국가, 대금 결제 방법등 사항에 관해서도 아측에 통보 바람.

Hendrickson 참사관 : 귀측의 요청사항을 잘 알겠음.
금번 회의에서 군용선박 등의 사용 여부는 검토되지 않았는지 ?
동 질문은 한국측의 군용 선박의 지원을 요청하는 뜻에서 하는 것이 아니며 단지 사실 확인을 위한 것임.

미 주 국 장 : 금번 회의에서 군용 선박 사용 문제는 고려되지 않았던 것으로 알고 있음.
한반도의 특수한 안보 상황을 고려할때 우리의 제1차적인 관심은 우리의 안보 확보인 바, 이러한 맥락에서 노 대통령이 Korea Herald 지와의 기자 회견시 밝힌 대이라크 군사적 제재 조치 불참이란 우리의 입장을 이해해야 할 것으로 봄.

0132

Hendrickson 참사관 : 동 기자회견 내용은 지상을 통해 알고 있는 바, 한국은 군사적 참여를 완전히 배제한 것으로 이해해도 되는지 ?

미 주 국 장 : 앞으로 중동 사태의 추이를 보아야 할 것이나 Gregg 대사와 RisCassi 주한 미군 사령관이 노 대통령을 뵙는 자리에서 태평양 지역 미 해.공군 일부가 걸프만으로 이동한 사실을 통보한 것으로 알고 있는바 이러한 미군 배치의 변화 등도 한반도 안보 상황에 고려사항이 된다고 봄.

Hendrickson 참사관 : 금번에 이동한 미 해.공군은 Midway 배치 병력중 일부로서 한반도 방위 태세에는 별다른 영향을 미치지 않을 것으로 봄. 한편, 쿠웨이트와 이라크에 있는 한국인 수는 얼마나 되는지 ?

미 주 국 장 : 쿠웨이트에는 현재 60-70명의 한국인을 제외하고는 모두 바그다드로 이동한 것으로 알고 있음.
현재 중동진출 아국 건설업체들은 이라크 및 쿠웨이트측 공사 발주자들과 공사를 완성하지 못한 현단계에서 아국 근로자들이 출국할 수 있도록 교섭을 진행하고 있는 것으로 알고 있음.
현재 아국 쿠웨이트 대사관의 경우 가족들은 철수하였으나 대사를 비롯한 대사관 직원들은 이라크의 대사관 폐쇄 요구에도 불응 대사관을 지키고 있으며 아국은 이라크가 강제폐쇄를 할때까지 대사관을 운영할 방침임.
이는 아국정부가 이라크의 쿠웨이트 합병을 인정할 수 없다는 것을 보여주는 것임.

Hendrickson 참사관 : 바그다드로부터 한국인들을 수송하기 위하여 금일 암만으로 특별 전세기가 떠난 것으로 알고 있는데 한국인이 얼마나 있는지 ?
이라크에 아직 남아 있는 한국인들의 안전 문제 때문에 한국 정부가 대이라크 정책에 제약을 받고 있는 것은 아닌지 ?

0133

미 주 국 장 : 아직 상당수의 한국인이 이라크에 체류하고 있으며 아국 정부는
이들의 안전에 지대한 관심을 갖고 있음.
그러나 이들 한국인의 신변 안전 문제 때문에 아국 정부의
이라크에 대한 정책이 결정적인 영향을 받는다고 할 수는 없음.

Hendrickson 참사관 : 지난 18일자 한국 언론 보도에 의하면 금번 중동 사태와 관련
한국 정부는 미국으로 부터 어떠한 요청도 받은바 없다고 미측의
지원 요청 사실을 전적으로 부인하였다는바, 한국측은 미국 정부가
요청 사실을 공개하는 것을 불원하는지 ?

미 주 국 장 : 금번에 아측의 결정은 유엔안보리의 결의에 의거한 국제적
평화 노력에의 동참 필요성과 긴밀한 한.미 우호 협력을 고려,
미국의 노력을 적극 지원하기 위한 것인바, 대외 공표 문제는
상금 구체적인 문제가 최종적으로 확정되지 않은 상태이므로
아국정부의 결정내용에 대해서는 당분간 보안을 유지하여 주기바람.

Hendrickson 참사관 : 한국측의 요청 내용을 고려, 한국 정부의 결정 내용을 현단계에서
국무부 보도지침을 통해 공개하는 일이 없도록 국무부에 건의하겠음.
한편, 부쉬 대통령을 오랫동안 잘 알고있는 그레그 대사에 의하면
부쉬 대통령이 금번 중동사태를 맞아 매우 단호한(determined)
입장을 견지하고 있다함.

미 주 국 장 : "단호한"(determined) 이라는 것이 이번 사태와 관련 무슨 특별한
의미를 내포하는 것인지 ?

Hendrickson 참사관 : 다른 특별한 의미가 있다는 뜻은 아니며, 부쉬 대통령이 강력한
리더쉽을 발휘, 효과적으로 금번 사태에 대응해 나가고 있으므로
미국의 동맹국들은 미국의 확고한 의지를 믿어도 좋다는 것임.

0134

금번에 부쉬 대통령의 "친분 외교"(personal diplomacy)는 커다란 힘을 발휘하고 있는바, Sadam Hussein도 부쉬 대통령의 친분 외교의 힘에 놀랐을 것으로 봄.

미 주 국 장 : 금번 사태와 관련, 앞으로 한.미 양국간에 보다 긴밀한 협조를 위해 협의할 일이 있으면 알려주기 바람. 끝.

예고: 90.12.31 일반

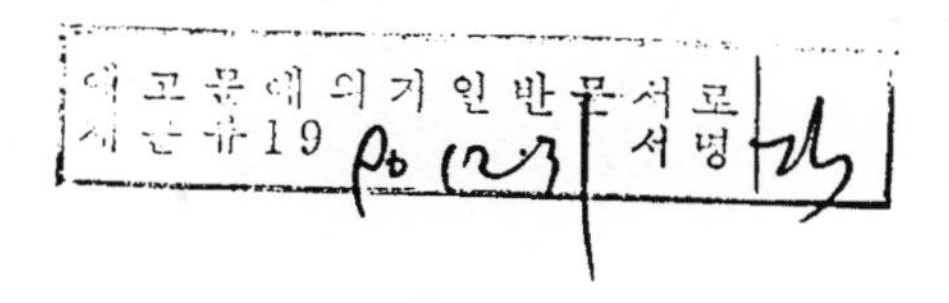

0135

한반도 정세에 대한 영향

(북한에 대한 영향)

o 북한의 잠재적 도발 욕구에 대한 억제 요인으로 작용

- 미국의 즉각적인 군사개입 사례가 북한에 미치는 심리적 효과
- 유엔에 의한 실효적 집단 제제조치 성공시, 대북 경고 효과 병행
- 미.쏘간 지역 분쟁의 방지 및 해결을 위한 협조체제 발전 동향

o 단기적으로는 북한의 군사적 모험 충동 가능성에도 대비

- 불안정한 국제정세 악용 및 이라크에 대한 군사지원 가능성
- 미국은 대서양 및 본토 서부지역 배치 군사력을 중심으로 중동지역에 배치(태평양 군사력은 현상유지)

(남.북대화 측면)

o 단기적으로는 북한사회의 내부적 폐쇄와 위축 초래 가능성

o 중.장기적으로는 금번사태의 예상되는 귀추로보아 북한이 타협을 통한 남북문제의 해결에 다소 긍정적으로 나올 가능성

0136

90. 8. 20 [illegible]

(미국의 아.태전략 관련 측면)

o 동.서화해 고조 추세에도 불구, 지역 군사력간의 분쟁 발발 가능성 상존 입증

  - 지역분쟁에 효과적으로 대응키 위한 전술 및 재래식 군비유지 또는 증강 필요성 인식

  - 주한미군 포함 해외주둔 미군의 전진배치 전략 재검토 조정 가능

o 미국의 주요 동맹국 및 안보 수혜국에 대한 방위 비용분담 요구 증대

  - 아국에 대하여도 직.간접적인 역내외 방위 및 비용 분담 요청 강화 예상

0137

90-940

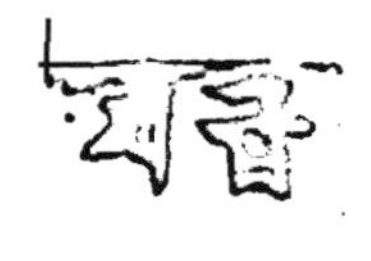

기 안 용 지

분류기호 문서번호	미안 01225-1112	(전화 . 720-2324)	시 행 상 특별취급	
보존기간	영구.준영구. 10. 5. 3. 1.	차 관	장 관	
수 신 처 보존기간				
시행일자	1990. 8. 17.			
보조기관 국 장		협조기관	제1차관보 :	문 서 통 제
심의관			중동국장 :	1990. 8. 20
과 장				
기안책임자	김 수 권		대책본부장 :	발 송 인
경 유		발신명의		발송 1990. 8. 20 외무부
수 신	국방장관			
참 조	군수국장, 정책기획관			
제 목	대중동 화생방 장비 공급			

검토필 90. 12. 31

1. 주한 미대사관은 사우디등 Gulf지역국가들이 이라크의 화학 무기 사용가능성에 대비, 미국을 통하여 화생방 장비(방독면, 필터, 보호의, 제독기) 공급 가능성을 한국, NATO 제국, 일본 호주, 뉴질랜드 정부에 타진하고 있음을 당부에 알리고, 아국정부가 상기 장비를 즉시 공급할 수 있는지 여부를 지급 알려 줄 것을 요청하여 왔읍니다.

1990 장비파트 일반 91. 6. 30 7

계속......

0138

이후 진전사항 국방부
자재과 손중령에게
전화로 통보. 8.24.

2. 아국의 사우디등 중동 국가에 대한 화생방 장비 공급은,

가. 화학무기 사용금지에 대한 국제적 지지에 비추어
인도주의적 목적에 부합하고

나. UN 결의 등을 통하여 전개되는 중동 평화 회복을 위한
국제적 노력에 부응하는 효과가 있으며,

다. 한.미간의 간접적 안보협력에 기여한다는 점에서,

← 동장비의 공급이 기술적으로 가능할시 (당장 공급가능한
장비 보유등 고려사항) 이를 적극 추진 하는것이 바람직할
것으로 판단됩니다.

3. 주한 미대사관측은, 사우디등 중동 국가들이 화생방 장비에 대한
수요의 긴급성 때문에 즉시 ~~구매~~ 공급의 가능성을 타진 중임에 비추어
볼때, ~~판매~~ 공급 물량은 우리의 공급 가능량에 의해 결정 될것이라
하는바, 현재 우리나라에 지금 즉시 ~~판매~~ 공급할 수 있는 상기 화생방
장비의 재고나 여유분이 있는지, 있을경우 그 양이 얼마나
되는지를 가능한 조속히 당부에 알려 주시기 바랍니다.

끝.

예고 : 1991.6.30

0139

가속

국 방 부

장비 24431- 1306 (793-9505) 90. 8. 23.

수신 외무부 장관

참조 미주국장

제목 대 중동 화생방 장비 공급 문의(회신)

1. 관련근거 : 미안 01225-1112('90.8.20) 대 중동 화생방 장비 공급

2. 위 관련근거에 의거 중동지역에 즉시 공급할 수 있는 화생방 장비의 제고,가용량 문의에 대한 회신입니다.

3. 전투 물자인 화생방 장비를 국방부가 외무부에 지원은 대금지불이 전재되어 외무부에 대여후 즉각 보충하는 조건으로 지원 가능함을 통보합니다.

4. 지원 세부내용은 위 "3"항을 협의후 지원 가용물량 및 즉각 보충 계획을 병행 검토 예정임을 통보하오니 귀부의 세부 추진계획시 업무에 참고 하시기 바랍니다. 끝.

발송 1990. 8. 23 국방부

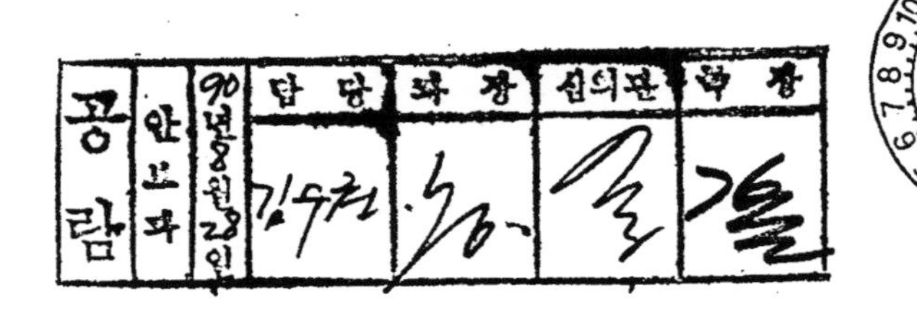

공람	안보과	90년 8월 23일	담당	과장	심의관	국장
			김수천			

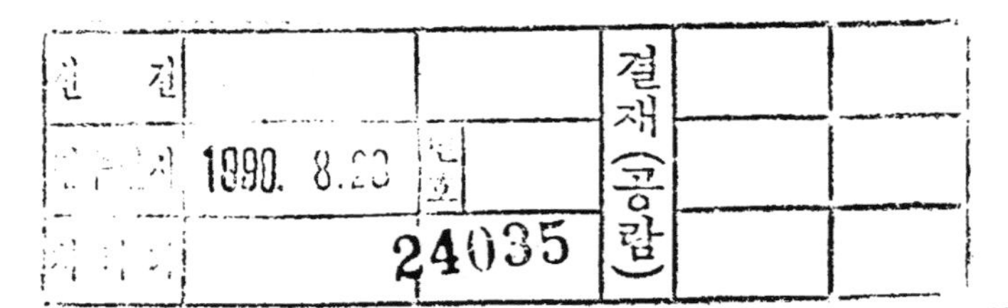

선결			결재(공람)		
접수일시	1990. 8.23	처리과			
접수번호	24035				

국 방 부 장

장비과장전결

0140

관리 번호	90-416

	분류번호	보존기간

발 신 전 보

번 호 : WUS-2749 900820 1901 BB 종별 : 긴 급

수 신 : 주 미 대사. ~~총영사~~

발 신 : 장 관 (미북)

제 목 : 이라크-쿠웨이트 사태 관련 한.미 협조

대 : USW-3807

1. 본부는 금 8.20. 정부 고위 대책회의를 갖고 대호에 관해 협의한바, 아래와 같은 선에서 미측의 요청을 수용하는 방향으로 검토키로 하였음.

가. 인원.물자 수송을 위한 민간 선박을 용선, 수송선을 제공하는 문제를 신중 검토중인바 미측의 구체적인 요청사항을 파악 보고 바람. 수송 선박 지원 경비는 정부에서 부담함.

나. 사우디 정부등 걸프제국이 공급 요청한 방독면등 화생방 장비는 아국의 안보 상황을 고려하여 어려움이 없지 않으나 중동사태의 긴급성을 감안, 우선 아국 비축 보유분을 할애하여 공급할 용의가 있으니 공급 국가, 수량, 대금 결제 방법 등에 관해 구체적으로 알려 주기 바람.

다. 의약품, 군복, 군화, 텐트 등에 관해서도 공급할 용의가 있는바, 필요한 경우 공급 대상, 소요량 등에 관해 알려주기 바람.

라. 민간 항공기 지원 문제는 아국의 특수한 안보 상황을 고려하고 과격 테러단의 목표가 될 가능성이 있음을 우려, 현 단계에서의 지원은 곤란함. (미측의 추가 문의가 있을시)

/ 계 속 /

대책반장 :
중동아국장 :

보 안 통 제	

앙 고 재	90년 8월 20일	북미과	기안자 성 명		과 장	심의관	국 장	제1차관보	차 관	장 관
			김유현							

외신과통제

0141

2. 병력 또는 함정 파견등 직접적인 군사지원 문제는 한반도의 첨예한 정치.군사적 상태 지속 및 이미 태평양 지역 배치 미 해.공군 일부 병력의 이동등 일시적인 군사력 변화가 있음을 고려, 어려운 입장임을 참고 바람.

3. 상기 미국 요청에 대한 지원 시기 문제는 아국의 교민 철수가 완료된 시점에서 함이 좋을 것이라는 것이 본부의 판단인 바, 이는 귀관만의 참고로하고 이점 유의하여 대미 교섭에 임하기 바람.(이라크 정부를 자극시키지 않고 또한 미국 시민들이 억류되어 있는 상황을 고려함)

4. 정부의 상기한 입장은

가. 유엔안보리 결의에 의거한 국제적 평화 노력에의 동참 필요성

나. 긴밀한 한.미 우호 협력 관계 과시

다. 침략 행위에 대한 국제적 공동 대처로 북한의 잠재적 도발 가능성에 대한 간접 경고 효과 등을 고려하여 결정한 것임을 참고 바람.

5. 귀하는 국무부 Kimmitt 차관등 고위층을 접촉, 아국정부의 입장을 전달하고 구체적인 미측의 희망 사항등을 파악 보고 바람. 본 내용은 금 8.20. 미주국장이 주한 미대사관 Herdrickson 참사관에도 통보한 바 있음.

6. 미측은 아국 정부의 상기한 참여 및 지원 용의 표명 내용에 대해 공개하는 문제를 제기하였는 바, 본부로서는 이 문제는 당분간 보안을 지켜줄 것을 요청하였음. 이에 대해 미측은 이러한 정부 요청을 국무부에 press guidance 작성시 감안토록 보고하겠다고 언급하였음을 참고 바람. 끝.

(장관 최호중)

예고 : 1990. 12. 31. 일반

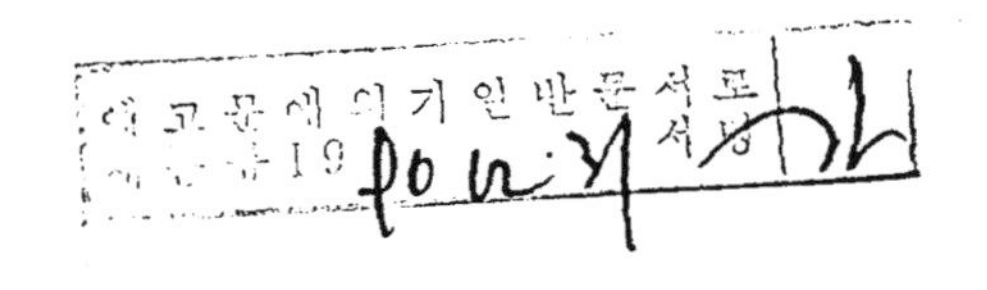

0142

관리번호	90-1590

외 무 부

원 본

종 별 : 긴 급

번 호 : USW-3822 일 시 : 90 0820 1833

수 신 : 장관(미북,중근동)

발 신 : 주 미 대사

제 목 : 미국무부 브리핑

금 8.20 국무부 정례 브리핑시 대이락 경제 제재조치에 대한 한국측의 협조정도에 대한 미측 평가를 문의한 기자 질문에 대해, BOUCHER 국무부 대변인은 자신은 각개별국가에 대한 평가를 갖고 있지 않다고 답변하였는바, 관련 질의 응답 전문은 다음과같음.

Q. DO YOU HAVE ANY COMMENT ON THE ASSESSMENT OR-- ASSESSMENT ON DEGREES OF COOPERATION WITH THE INTERNATIONAL SANCTIONS AGAINST IRQ BY SOUTH KOREA, WHICH IS NOT A MEMBER OF THE UNITED NATIONS?

MR. BOUCHER: I DO NOT HAVE ASSESSMENTS OF INDIVIDUAL COUNTRIES. I WOULD NOTE THAT MANY, MANY COUNTRIES AROUND THE WORLD, INCLUDING SOUTH KOREA, HAVE INDICATED THEIR INTENTION TO APPLY THE SANCTIONS. THIS IS ONE OF THE MOST WIDELY SUPPORTED, IF NOT THE MOST WIDELY SUPPORTED, APPLICATION OF SANCTIONS THAT I CAN REMEMBER.

(박동진대사-국장)

예고:90.12.31 까지

PO 나기 7h

미주국 차관 1차보 2차보 중아국

PAGE 1

90.08.21 08:00

외신 2과 통제관 EZ

0143

미북 (오코도) 4

관리번호	90-439

원 본

외 무 부

종 별 : 긴 급

번 호 : USW-3843 일 시 : 90 0821 1939

수 신 : 장관(미북,중근동,기정)

발 신 : 주 미 대사

제 목 : 국무부 솔로몬 차관보 면담

대:WUS-2749

1. 본직은 금 8.21 국무부 SOLOMON 동아태 담당 차관보를 면담하여 최근 동인이 싱가폴 APEC 회의 참석에 이어 BAKER 국무장관을 수행 , 소련, 몽고 및 중공에 이어 한국을 방문한것과 관련 소감을 청취하였음.

아울러 본직은 이락사태와관련 경제 제재조치및 기타 한. 미간 협조문제에 관하여도 의견교환을 갖고 대호 아측 입장을 설명한바 있음.

(유명환 참사관 배석, 미측은 ANDERSON 부차관보, RICHARDSON 한국과장 배석)

2. 이에 대해 솔로몬 차관보는 아국이 유엔 안보리의 결의에 따라 신속히 경제재재조치를 취하고 또한 선박 지원등을 검토하기로 한것을 높이 평가한다고 하면서 다음 사항을 강조함.

가) 아직 잔류하고 있는 교민 철수문제 및 건설공사등을 고려할때 위험부담이 있는것은 알지만, 한국정부가 무모한 침략행위를 저지한다는 취지에서 여타 우방국과함께 작전지원(OPERATIONAL ASSISTANCE)에 적극 참여하는것이 매우 중요함.

나)현재의 시점이 금번 사태의 향방에 매우 결정적인(VERY CRITICAL)상황이라고 보는바, 이는 첫단계 공동조치가 취해진 지금의 상태에서 이를 뒷바침할수 있는 강제적 수단(TEETH BEHIND THEM)이 필요하기 때문임. 일본, 호주는 물론 뉴질랜드도 여사한 공동작전에 참여하고 있는바 특히 미국과 특별한 동맹관계에 있는 한국에 대한 기대가 큼.

다) 필리핀에서도 이러한 국제적 위기를 악용, 반군이 공세를 취할것이라는 정보가 있는바, 또다른 누가 나쁜생각을 갖지 않도록 분명히 교훈을 남겨야함. 특히 북한에 대하여, 침략을 자행할 경우 응분의 국제적 보복을 받는다는 점을 보여주어야할것임.

라)또한 금번 사태의 조속한 종결을 위해서는 우방국이 단결하는것이 무엇보다

미주국 장관 차관 1차보 2차보 중아국 청와대 안기부

PAGE 1 90.08.22 09:26

외신 2과 통제관 EZ

0144

중요하며 그렇게 함으로써 대이락 제재조치가 실효를 거둘것임.

3. 이어 솔로몬 차관보는 상기와같은 제반 상황을 고려할때 한국정부가 좀더 눈에 보이는(VISIBLE)지원을 하는것이 필요하다고 하면서 이미 지난번 KIMMITT 차관이 요청한것과 유사한 다음 5 가지 방안을 예로서 언급함.

1) 병력, 인원 수송을 위한 일반 항공기 지원

2) 물자수송을 위한 WIDE-BODY CARGO AIRPLANE 지원

3) ROLL-ON/ROLL-OFF MERCHANT SHIP 지원

4) CONTAINERIZED MERCHANT SHIP 지원

5) BREAK-BULK MERCHANT SHIP 지원

상기 5 가지중 미측은 특히 항공기의 지원이 가장 시급하고 또한 상징적으로도 중요하다고 첨언함.

4. 상기와같은 미측의 요청과 관련 당관의 관찰은 다음과같음.

1) 미 행정부는 금번 중동사태를 매우 심각하게 간주하고 있는바, 이는 앞으로의 유사한 지역분쟁을 방지하고 국제질서를 확립하는데 있어 매우 중요한 분기점으로 생각하고 있기 때문인 것으로 봄.

2) 부쉬 대통령자신도 이미 수차에 걸친 대국민 발표를 통해 금번 이락의 쿠웨이트 강점사태를 단호히 배격할것을 다짐하고 이를 실효적으로 뒷받침하기 위해 예비군동원에 필요한 조치까지 취하는 한편 대규모 병력장비를 사우디등 인근지역으로 계속 이동시키고 있는것으로 보도되고 있음.

3) 이러한 행정부의 단호한 대응조치에 대해 의회 지도자들은 물론 일반국민 대부분이 이를 지지하는 분위기라고 할수 있음.

작일 BUSH 대통령의 볼티모어 연설에서도 언급된바와같이, 이락이 미국등 서방국가 민간인을 강제로 연행하여 군사시설 주변에 인질로 배치한것과관련 미국 여론이 무력을 쓸수밖에 없다는 방향으로 전개되어 가고 있는것으로 보임.

4) 한편 미군의 대대적 전개에 따른 군사비 추가 부담등과관련 일부 언론 및 여론 지도층등은 우방국도 적극적인 동참을 통해 이를 분담하여야한다는 주장이 대두되고 있는 형편임.이러한 분위기는 중간 선거를 앞둔 의회에도 쉽사리 퍼져 어느 우방국이 소극적이고 또한 어느 동맹국이 적극적이었다는 평가가 나올 가능성이 있음.

5) 미국의 많은 지도층 인사는 한국의 국제적 위치를 매우 높게 평가하고 있으며, 또한 주한미군이 계속 주둔하고 있다는 점과 연계하여, 아국이 동맹국의 입장에서

좀더 적극적이고 가시적으로 참여하기 기대하고 있는 것으로 느껴짐.

6) 따라서 아국의 반응이 이와같은 미국의 기대에 현저히 못미친다면, 앞으로 주한미군에 관한 문제가 의회에서 거론될경우는 물론 한미안보협력관계 전반에도 부정적인 효과를 미칠 우려도 있다고 봄.또한 현실적으로도 중동에 미군 증원이 더욱 필요할경우 주한미군 일부를 이동시킬 가능성도 배제할수 없음.

7) 상기와같은 제반 상황을 감안할때 비록 여러가지 현실적인 어려움이 있더라도 보다 큰 이익을 지키기 위해서 항공기 지원같은 가시적인 방안도 검토할것을 건의함.

(대사 박동진-국장)

예고:90.12.31 일반

면 담 요 록

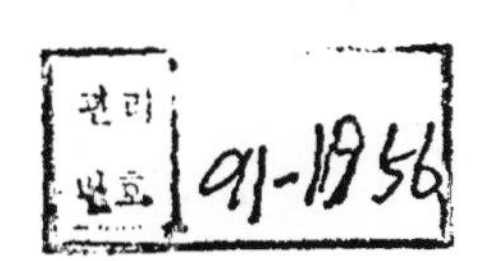

1. 일 시 : 1990.8.22 (수) 17:50-18:20

2. 장 소 : 미주국장실

3. 면 담 자 :

아 측	미 측
반기문 미주국장	E. Mason Hendrickson 주한 미대사관 참사관
김규현 북미과 사무관 (기록)	Aloysius O'Neill 1등 서기관

4. 면담요지

Hendrickson 참사관 : 지난 월요일 한국측이 제공 용의를 표명한 방독면등 대화생방전용 장비는 최근 북한의 군 이동등이 감지된다는 첩보도 있어 한반도에서 군사적 긴장 상태가 다소 고조될 가능성이 있음을 감안할때 한국 군용비축 장비를 사용할 수는 없으므로 동 장비의 공급은 추후로 연기하는 것이 좋겠다는 것이 미측의 판단임.

대신 워싱톤은 미국이 현재 필요로 하는 지원 우선 순위 5개사항을 결정 통보하여 왔음. (문서로 미측요청 5개사항 제시)

미 주 국 장 : (미측 수교 문서를 일독후) 문서에 표기된 순서가 미국이 원하는 우선 순위를 나타내는 것인지 ?

또한 나열된 모든 항목에 대해 지원을 요청하는 것인지 ?

아니면 일부만의 지원도 가한 것인지 ?

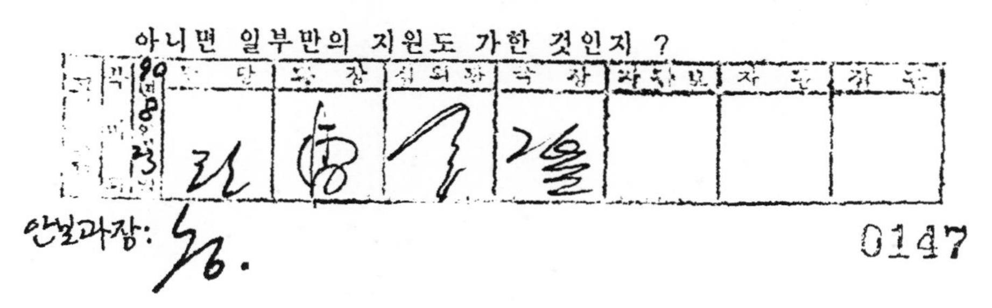

0147

Hendrickson 참사관 : 전부 지원 또는 일부 지원의 문제는 한국 정부의 결정 사항이며 금번 미측이 제시한 5개항은 지난 8.20(월) 한국측이 운송 수단 지원 요청 내용을 보다 구체적으로 제시해 달라고 요청해 옴에 따라 워싱톤에서 새로이 구성된 우방국 지원 문제 전담 기관에서 가용성(availability) 등을 고려하여 작성한 것임.

미 주 국 장 : 미측이 요청하고 있는 운송 수단을 한국이 제공할 경우, 사용 개시 시점, 사용기간, 사용 횟수 등은 어떻게 되는지 ?

Hendrickson 참사관 : 그러한 사항에 대해서는 훈령을 받지 못하였음. 그러나 이 5개의 운송 수단은 미국으로서는 가장 시급히 지원을 필요로 하는 것으로서 사용기간, 횟수 등은 이라크-쿠웨이트 사태의 상황 전개에 달려 있을 것으로 봄.

미 주 국 장 : 중동지역의 공수 지역(Mid-East aerial parts of debarkation) 이란 구체적으로 어디를 지칭하는 것인지 ?

O'Neill서기관 : 확실치는 않으나 현상황으로 미루어 볼때 사우디 아라비아, 아랍 에미리트(UAE)등을 의미하는 것으로 봄.

미 주 국 장 : 아국 정부가 제공키로한 민간 선박 지원과 관련, 고동부와 협의 한바, 화물의 적재항 및 하역항, 화물 운송시기, 화물의 종류등을 알아야 구체적인 민간 선박의 용선 계획을 수립할 수 있다 하므로 이에 관해 상세히 알려 주기 바람.
(이어 정기 항로 취항 선박의 용선은 불가하며 비정기 취항 선박의 용선만이 가능함을 설명)

Hendrickson 참사관 : 그러한 구체적인 사항을 한국측과 협의하기 위해서는 미군 병참 전문가들이 한국측의 병참 관련부서와 접촉을 하도록 함이 어떠한지?

0148

미 주 국 장 : 현단계는 양국 병참 전문가들이 접촉할 시점이 아니라고 보며 당분간은 귀하와 본인간의 채널을 통해 협의하는 것이 바람직 하다고 봄.

Hendrickson 참사관 : 물론 현 채널을 통한 협의를 배제하고 군사 채널만을 통하자는 의미는 아님.

한편, 5개 항의 운송 수단 지원 요청에 대해 귀 정부의 반응은 어떠할 것으로 보는지 ?

미 주 국 장 : 금번 미측의 요청은 아국 정부가 전혀 예상치 않았던 것은 아님.. 관계 부처간 내부적 협의를 거쳐야 하겠으나 금번 사태를 조속 해결하고자 하는 미국의 노력을 최대한 지원 한다는 아국의 방침에는 변화가 없음. 다만, 항공 운수 분야의 경우 주지하다 시피 우리의 능력은 매우 제한적임.

Hendrickson 참사관 : 한국 정부의 어떠한 지원 조치도 미국의 노력에 큰 보탬이 될 것임.

미 주 국 장 : 금번 5개 항의 지원 요청에 대하여 이미 말씀드린 보다 구체적인 사항을 아측에 통보 바람.

Hendrickson 참사관 : 한국 정부가 5개 지원 요청 사항에 대해 보다 구체적인 정보를 요구하고 있는 것은 보다 도움이 되는 방법을 모색하기 위한 취지라고 이해해도 되는지 ?

미 주 국 장 : 누차 밝힌 바와 같이 아국은 금번 사태와 관련한 미국의 노력을 적극 지지하고 지원한다는 입장임.

0149

Hendrickson : 만약에 한국이 요청한 사항과 관련, 예컨대 Virginia주 소재 미군의 사우디 이동 계획 및 North Carolina 소재 물자의 중동 지역 모처로 수송계획 등을 제시할 경우 한국정부가 취할 그다음 단계의 조치는 ?

미 주 국 장 : 미측 요청사항에 대하여 고동부등 관계 부처와 구체적 가용성 (availability) 등을 검토, 지원 계획을 수립하게 될 것임.

Hendrickson 참사관 : 금일 대사관내 경제, 국방 관계 담당관들과 대책회의를 가졌는바 경제 참사관, 국방 무관 등이 각각 자신들의 접촉선을 통해 지원 요청 활동을 전개하겠다고 해 본인이 이를 만류한바 있음.

미 주 국 장 : 현재 외무부가 이 문제를 주도, 관계 부처들의 협조를 구하고 조정을 하고 있는 점에 비추어 볼때 그러한 방법은 바람직하지 않다고 봄.
금번 미측 요청 사항에 대해서는 가능한 신속히 아국 정부의 결정사항을 알려 주겠음.
한편, 다가오는 남북 총리회담 관련 아측 제시 군비 통제 방안등에 관한 미측의 입장이 정해졌는지 ?

Hendrickson 참사관 : 지난 8.20(월) Gregg 대사와 김종휘 보좌관 접촉시 김 보좌관이 이 문제를 제기, Gregg 대사가 김 보좌관에게 한국측 안에 대한 미측 의견을 기 통보한 것으로 알고 있음.

미 주 국 장 : 아측의 방안에 대한 미측 입장은 외무부도 반드시 알아야 되는 사항인 바, 미측 입장을 외무부에 조속 통보해 주기 바람.

Hendrickson 참사관 : Gregg 대사에게 보고하여 외무부에 빠른 시일내 통보되도록 하겠음.

첨부 : 미측 지원 요청 5개 사항. 끝.

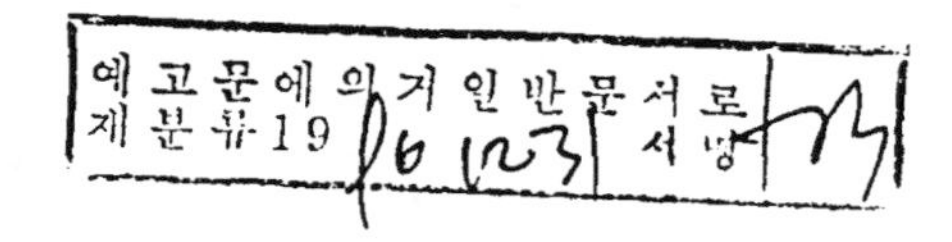

0150

SECRET

ROK Support in Gulf Crisis

In discussions between the Departments of Defense and State, our current transportation requirements and priorities for the Gulf have been determined as follows:

1. civil aircraft (wide-body): personnel
2. civil aircraft (wide-body): cargo
3. roll-on/roll-off (ro-ro) merchant shipping
4. containerized merchant shipping
5. break-bulk merchant shipping

Korean civil aircraft are needed to pick up personnel and cargo from continental U.S. aerial ports of embarkation and deliver them to Mid-East aerial parts of debarkation. This is the most immediate shortfall in meeting transportation requirements.

Korean cargo ships are needed to pick up cargo from U.S. sea ports of embarkation and deliver them to mid-east sea ports of debarkation.

The USG asks that the ROKG absorb lease costs for the transportation just as the USG is doing with U.S. carriers. The USG would also insist that this process remain separate from the current cost-sharing framework associated with U.S. Forces and mutual security on the Korean peninsula.

Once the extent of ROK transportation support is known, U.S. military transportation agencies will coordinate arrangments with ROKG transportation agencies.

SECRET

0151

이라크-쿠웨이트 事態 關聯
多国籍軍 活動 支援

1990. 8. 22

外　　務　　部

0152

美國 政府는 이라크에 대한 國際的 制裁 強化 努力에 我國 政府가 積極 同參해 준데 대해 謝意를 표함과 동시, 輸送 分野에 있어서 我國 政府의 支援을 要請하여 왔습니다.

이에 대해 政府는 緊密한 韓.美 友好協力 關係와 유엔.安保理 決議에 依據한 國際的 平和 努力에의 同參 必要性 等을 勘案, 關係部處 協議를 거쳐 輸送機 1대 및 船舶 1隻을 우선 支援하고자 하는바, 關聯事項을 報告드립니다.

美側 要請 事項

(輸送 支援 要請 5個 事項)

- 人員 輸送用 大型 民間 旅客機
- 物資 輸送用 大型 輸送機
- 物資 揚陸用 運搬船(roll-on/roll-off)
- 콘테이너船
- 살물선(Bulk Carrier)

(支援 時期 및 費用 問題)

- 美國內 軍 要員과 物資의 中東地域 輸送 手段이 絶對 不足한 狀況을 勘案, 時急 支援 要望

0153

o 韓國 政府가 費用 全額을 負擔

- 但, 經費는 今年度 駐韓 美軍 駐屯 防衛費 分擔과는 別途로 計上

措置 計劃

o 우선 다음과 같이 美國에 대해 支援

- 大韓航空 保有 輸送機(B - 7 4 7) 1대를 賃借, 3回에 걸쳐 美軍 物資를 美 本土로부터 中東 安全 地域으로 輸送

- 콘테이너 또는 살물선 1척을 傭船, 美 本土로부터 中東 地域 安全 地帶로 美軍 物資를 運送

o 上記 支援에 所要되는 豫算은 政府 豫備費에서 支出

- B - 7 4 7 輸送機 專貰 運航料(3 回 基準) : 約1 5 0 萬弗

- 살물선 또는 콘테이너船 1隻 1回 運航傭船料: 約1 0 0 萬弗

o 向後 美側의 追加 要請事項이 있을 경우, 兩國間 協議를 통해 決定

0154

弘報 計劃

o 韓. 美 兩國間 交涉이 進行되는 동안은 對外秘로 지켜줄 것을 條件으로 美國에 즉시 通報, 我國의 積極的 協調 意志 誇示

- 對外 發表는 我國 僑民 撤收 現況, 實際 輸送手段 提供 時期等을 考慮, 適切한 時点에서 實施

o 政府의 對美 支援 措置에 대한 國民的 共感帶 擴散을 위해 對國民 弘報 積極 展開

- 유엔 安保理 決議에 따른 國際的 努力에의 同參 必要性 浮刻
- 中東 事態가 積極的으로 南. 北韓 關係에도 미칠수 있는 影響 浮刻
  . 政治的 問題의 解決 手段으로 武力 使用은 容納될 수 없고 國際的 응징을 받아야 한다는 大義 名分을 強調함으로써 北韓의 武力 赤化 統一 路線 포기 誘導

- 既存 韓. 美間 友好協力 및 安保 協力 關係에서의 協調 必要性 強調

- 我國에 대한 主要 에너지 供給國이며 友好 關係國인 쿠웨이트 國王의 公式 支援 要請 事實 強調

- 끝 -

0155

大 統 領

이라크.쿠웨이트 事態 關聯 多國籍軍 活動 支援 建議

1990. 8. 23

外 務 部

0156

1. 最近 이라크.쿠웨이트 事態 關聯, 美國 政府는 이라크에 대한 國際的 制裁를 더욱 強化하기 위한 國際的 努力에 韓國 政府가 積極 同參해 준데 대해 謝意를 표함과 동시, 하기 輸送 分野에 있어서 韓國 政府의 支援을 要請하여 왔습니다.

가. 人員 輸送用 大型 民間 旅客機

나. 物資 輸送用 大型 輸送機

다. 物資 揚陸用 運搬船(roll-on / roll-off)

라. 콘테이너船

마. 撒物船(Bulk Carrier)

2. 美國 政府는 現 狀況下에서 美國內 軍要員과 物資를 中東地域에 輸送하는데 있어 上記 輸送 手段이 絶對 不足, 시급히 必要하므로 韓國 政府가 費用 全額을 負擔하여 支援해 주되 同 經費는 금년도 駐韓 美軍 駐屯 防衛費 分擔과는 別途로 計上해 줄 것을 아울러 要請하여 왔습니다.

3. 政府로서는

가. 유엔 安保理 決議에 의거한 國際的 平和 努力에의 同參을 통하여 武力에 의한 侵略行爲는 容納될 수 없다는 大義 名分에 積極的으로 寄與함으로써 北韓의 潛在的 挑發 可能性에 대한 警告 効果를 거두고,

0157

나. 緊密한 韓.美 友好協力 關係를 誇示, 韓國이 同盟國으로서 有事時 美國이 信賴할 수 있는 友邦이라는 認識을 浮刻시킴과 동시,

다. 韓國 戰爭時 유엔 旗幟下 國際的 支援을 받은 國家로서의 歷史的, 道義的 責任을 감안, 國際平和 維持를 위한 我國의 寄與 意志를 積極 誇示함으로써 我國의 國際的 位相을 提高시키기 위하여 하기와 같은 支援을 美國 政府에 提供하고 早速한 時日內 이를 美國 政府에 通報토록 措置할 것을 建議합니다.

(1) 大韓航空 保有 輸送機(B-747) 1대를 賃借하여 우선 2-3회에 걸쳐 美軍 物資를 美 本土로부터 中東 安全 地域으로 輸送함.

(2) 콘테이너 또는 撒物船 1척을 傭船하여 美 本土로부터 中東 地域 安全 地帶로 美軍 物資를 輸送함.

4. 상기 輸送支援 經費는 아래와 같이 소요될 것으로 豫想되는 바, 同 經費를 政府 豫備費에서 支出할 것을 아울러 建議합니다. (詳細 內譯 別添)

가. B-747 輸送機 傳貰 運航料(3회 기준)

50만불 x 3회 = 150만불

나. 傭船料(1隻)

1회당 60-70만불

0158

5. 상기 措置 發表는 美側에 대하여는 교섭이 진행되는 동안 對外秘로 지켜줄 것을 條件으로 즉시 通報함으로써 我國의 積極的 協調 意志를 表明하되, 對外 發表 問題는 我國 僑民 撤收 現況, 實際 輸送裝備 投入 時期 등을 고려, 適切한 시점에서 對外 發表코자 합니다. 또한 상기한 措置를 취함에 있어서 政府로서는 下記와 같은 方向으로 對國民 弘報를 展開함으로써 今番 政府 措置에 대해 國民的 共感帶를 이루기 위해 努力하겠습니다.

o 유엔 安保理 決議에 따른 國際的 努力에의 同參 必要性 浮刻

o 中東事態가 窮極的으로 南.北韓 關係에도 미칠수 있는 影響 浮刻
  - 政治的 問題의 解決 手段으로서의 武力 使用은 容納될 수 없고 國際的 膺懲을 받아야 한다는 大義 名分을 強調함으로써 北韓의 武力 赤化統一 路線 抛棄 誘導

o 既存 韓.美間 傳統 友好關係 및 安保 協力 關係에서의 協調 必要性 強調

o 우리나라와 友好 關係를 維持해 왔으며 主要 에너지 供給國인 쿠웨이트 國王의 公式 支援 要請(8.13.자 大統領 閣下앞 書翰)

o 中東 事態의 早速한 解決이 我國 經濟에 緊要한 점을 說明. 끝.

0159

船舶 傭船 및 航空機 傭貫料

구 분	기 준	적재능력	1일 운항 경비	1 항차당 용선료	비 고
자동차 전용선 (Car Carrier)	39,000 G/T	4,800 대	$ 15,500	$530,000 ($764,000 15일 체선시)	항해 28일 소요 양육 6일 소요
철물선 (Bulk Carrier)	24,000 G/T	39,800DWT	$ 15,450	$695,000 ($1,083,700 15일 체선시)	항해 36일 소요 양육 8일 소요
	36,000 G/T	65,000DWT	$ 19,200	$856,000 ($1,384,000 15일 체선시)	
콘테이너 선 (Semi-Container)	18,000 G/T	1,100TEU (20ft 콘내이너 1,100개)	$ 2,000	$576,000 ($756,000)	항해 36일 소요 양육 12일 소요
B-747	Charter	400 명		$ 600,000	서울-미국-중동-서울 (비행시간45시간)
B-747 수송기	Charter	100 톤		$ 500,000	상 동 (비행시간45시간)

0160

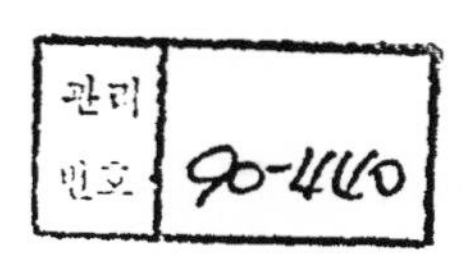

이라크-쿠웨이트 事態 關聯
多国籍軍 活動 支援

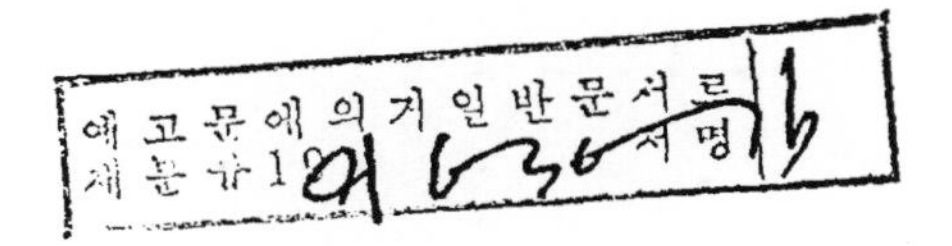

1990. 8.

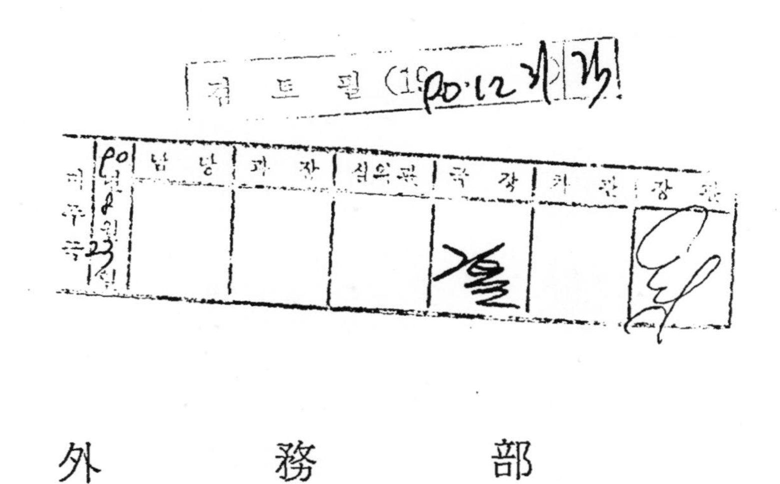

外　　　務　　　部

0161

美國 政府는 이라크에 대한 國際的 制裁 強化 努力에 我國 政府가 積極 同參해 준데 대해 謝意를 표함과 동시, 輸送 分野에 있어서 我國 政府의 支援을 要請하여 왔습니다.

이에 대해 政府는 緊密한 韓.美 友好協力 關係와 유엔 安保理 決議에 依據한 國際的 平和 努力에의 同參 必要性 等을 勘案, 關係部處 協議를 거쳐 輸送機 1대 및 船舶 1隻을 우선 支援하고자 하는바, 關聯事項을 報告드립니다.

美側 要請 事項

(輸送 支援 要請 5個 事項)

- 人員 輸送用 大型 民間 旅客機
- 物資 輸送用 大型 輸送機
- 物資 揚陸用 運搬船(roll-on/roll-off)
- 콘테이너船
- 살물선(Bulk Carrier)

(支援 時期 및 費用 問題)

- 美國內 軍 要員과 物資의 中東地域 輸送 手段이 絶對 不足한 狀況을 勘案, 時急 支援 要望

0162

o 韓國 政府가 費用 全額을 負擔
  - 但, 經費는 今年度 駐韓 美軍 駐屯 防衛費 分擔과는 別途로 計上

措置 計劃

o 우선 다음과 같이 美國에 대해 支援

  - 大韓航空 保有 輸送機(B-747) 1대를 賃借, 3回에 걸쳐 美軍 物資를 美 本土로부터 中東 安全 地域으로 輸送

  - 콘테이너 또는 살물선 1척을 傭船, 美 本土로부터 中東 地域 安全 地帶로 美軍 物資를 運送

o 上記 支援에 所要되는 豫算은 政府 豫備費에서 支出
  - B-747 輸送機 專貰 運航料(3回 基準): 約150萬弗
  - 살물선 또는 콘테이너船 1隻 1回 運航傭船料: 約100萬弗

o 向後 美側의 追加 要請事項이 있을 경우, 兩國間 協議를 통해 決定

0163

弘報 計劃

ㅇ 韓. 美 兩國間 交涉이 進行되는 동안은 對外秘로 지켜줄 것을 條件으로 美國에 즉시 通報, 我國의 積極的 協調 意志 誇示

- 對外 發表는 我國 僑民 撤收 現況, 實際 輸送手段 提供 時期等을 考慮, 適切한 時点에서 實施

ㅇ 政府의 對美 支援 措置에 대한 國民的 共感帶 擴散을 위해 對國民 弘報 積極 展開

- 유엔 安保理 決議에 따른 國際的 努力에의 同參 必要性 浮刻
- 中東 事態가 積極的으로 南. 北韓 關係에도 미칠수 있는 影響 浮刻
  . 政治的 問題의 解決 手段으로 武力 使用은 容納될 수 없고 國際的 응징을 받아야 한다는 大義 名分을 強調함으로써 北韓의 武力 赤化 統一 路線 포기 誘導

- 既存 韓. 美間 友好協力 및 安保 協力 關係에서의 協調 必要性 強調

- 我國에 대한 主要 에너지 供給國이며 友好 關係國인 쿠웨이트 國王의 公式 支援 要請 事實 強調

- 끝 -

0164

관리 번호	PO-441

	분류번호	보존기간

발 신 전 보

번 호 : WUS-2800 900823 1842 DY 종별 : 초긴급

수 신 : 주 미 대사. 총영사 (친전)

발 신 : 장 관 (미북)

제 목 : 다국적군 활동 지원

대 : USW-3843

1. 정부는 대호 미측 요청사항에 대해 긴밀한 한.미 우호 협력 관계와 유엔 안보리 결의에 의거한 국제적 평화 노력 필요성 등을 감안, 관계부처 협의를 거쳐 다음과 같이 미측의 활동을 지원키로 하였음.

가. 대한항공 보유 수송기(B-747) 1대를 임차, 3회에 걸쳐 미군 물자를 미 본토로부터 중동 안전 지역으로 수송

나. 콘테이너 또는 ~~철물선~~ 산물선(BULK Carrier) 1척을 용선, 미 본토로부터 중동 지역 안전 지대로 미군 물자를 1회 운송

다. 상기 지원에 소요되는 ~~예산은~~ 경비는 아국 정부 ~~예비비에서 지출~~ 부담 (약 250~300만불).

2. 귀관은 상기 아측 지원 결정 내용을 미 국무부에 통보하고 아측 제공 수송 수단의 사용 시기 및 기간, 수송 물자 종류, 화물의 적재 및 하역 장소등 구체적인 사항을 파악 보고 바람. 이는 아측의 구체적 지원 계획을 수립하기 위한 것임.

3. 또한 상기와 같은 구체적 사항을 ~~협의하기 위한~~ (이에 관하여는 접수시 여러 부처가 관련되어 있어 본부에서 주관에 대해서만 협의 될 것으로 사료되는바,) 적절한 채널에 관한 미 국무부의 견해 및 귀견을 보고 바람.

/ 계 속 /

대책반장 : (서명)
중동아국장 : (서명)

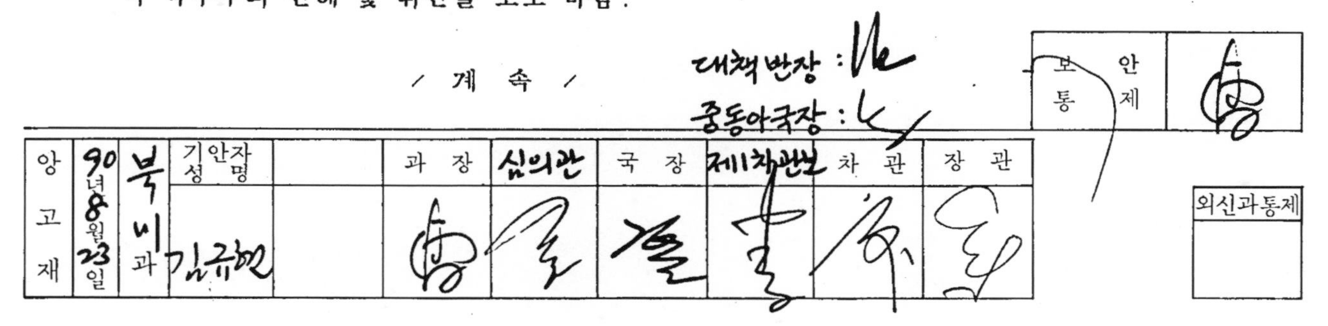

앙 고 재	90년 8월 23일	북미과	기안자 성명	김규현	과 장	심의관	국 장	제1차관보	차 관	장 관
					(서명)	(서명)	(서명)	(서명)	(서명)	(서명)

보 안 통 제	(서명)

외신과통제

0165

4. 한편, 아측은 양국 수송 전문가들의 협의를 거쳐 실제 수송 수단이 제공될때 까지는 아국의 대미 지원 내용이 대외적으로 공개되지 않는 것을 바람직하다는 입장인바, 아측 지원 내용에 관해 미측이 당분간 보안을 유지하여 줄 것도 미측에 요청 바람. 끝.

(장관 최호중)

예고 : 91.12.31. 일반

검 토 필 (1990.12.31.)

검 토 필 (1991.6.30.)

일반문서로 재분류(1991.12.31.)

WUS-2800 1-17-31242 1Y

0166

File

韓國에 지원강화 요청
솔로몬-朴대사 회담

【워싱턴聯】 美國은 21일 유엔의 對이라크 제재조치이행과 관련 韓國정부에 대해 이미 발표한 이라크와의 무역금지등의 조치외에 보다 강화된 지원을 공식 요청한것으로 알려졌다.

朴東鎭주미대사는 21일 오후 리처드 솔로몬 美국무부 東亞太담당차관보와 만나 중동사태와 관련한 협조문제등 양국간의 상호관심사에 관해 의견을 교환했다.

外務部선 부인

외무부 鄭義溶대변인은 22일 朴東鎭駐美대사와 리처드 솔로몬美국무부東亞太담당차관보와의 면담 사실을 확인했으나 이 면담은우리측 요청에 따른 의례적인 것이었다고 설명했다.

鄭대변인은 이 면담에서 「美國측이 對이라크군사제재조치에 韓國의 동참을 요청했다는 일부 보도를 부인하고 『솔로몬차관보는 최근 美蘇외무장관회담과 자신의 서울방문등에 관해 의견을 교환했다』고 말했다.

동아일보 90. 8. 23.

0167

관리 번호	90-442

원 본

외 무 부

종 별 : 긴 급

번 호 : USW-3872 일 시 : 90 0823 1907

수 신 : 장관(미북)

발 신 : 주 미 대사

제 목 : 다국적 군 활동지원

대:WUS-2800

1. 대호, 당관 유명환 참사관은 8.23(목) 국무부 RICHARDSON 한국과장을 면담, 아측의 방침을 통보함. 미측은 이에 대해 여사한 아국정부의 결정은 한미간의 긴밀한 동맹관계를 한층 발전시키는 중요한 계기가될것으로 보며 이를 크게 환영한다고 말함. 또한 동과장은 아측의 통보내용을 BUSH 대통령에게 즉각 보고하겠다고 말함.

2. 대호 2 및 3 항의 세부적 지원 계획 수립과 관련해서는 국방성의 의견을물어 지체없이 주한 미대사관으로 하여금 아측과 협의토록 하겠다고 하니 본부에서 직접 조치 하기 바람.

3. 또한 대호 4 항 대외적 공개문제에 대해서는 비록 언론에서 추측보도를 하더라도 미측은 당분간 철저히 보안을 지켜주도록 당부하였음.

4. 상기 아측 방침은 금일 백악관 NSC 안보담당 보좌관인 PETER WATTSON 에게도 통보한바 동인은 이를 크게 환영하며 한미간 동맹관계를 과시하는 훌륭한 조치라고 말함.

(대사 박동진-국장)

예고:90.12.31 일반

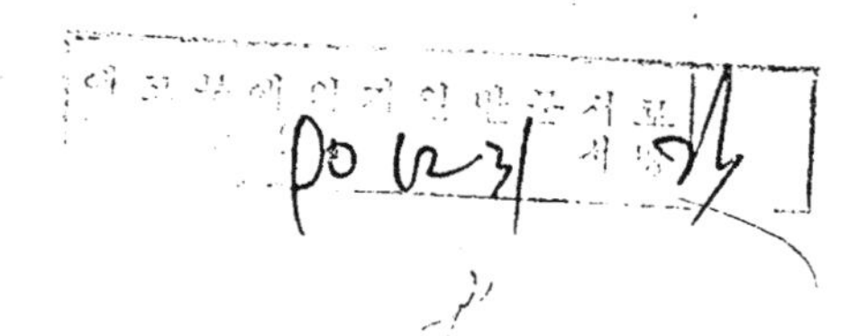

미주국 장관 차관 중아국. 대책반. 청와대. 안기부.

PAGE 1

90.08.24 09:05

외신 2과 통제관 EZ

0168

관리번호	90-1844

통 화 요 록

1. 통화일시 : 1990.8.24.(금) 17:30

2. 통 화 자 : 미주국장 반 기 문
   주한미대사관 Hendrickson 참사관

3. 통화내용

o Hendrickson : 한국정부의 수송지원과 관련, 금일 미국무성이 국방성과 협의하여 통보해온 바를 알려드리겠음.
미국으로서는 수송과 관련한 제반문제를 한국 국방부가 주한 미군 사령부 RisCassi 사령관을 통하여 미국내 U.S. Transportation Command 와 접촉하도록 하는 채널을 유지하기를 희망하고 있음.

o 미주국장 : 본건은 당초 외무부에서 주도하여 시행하고 있는 일이며 여러 부처가 관련되어 있기 때문에 국방부가 주관이 되는 문제는 부적합하다고 생각함. 물론 국방부와 주한 미군 사령부 사이에는 상호 연락이 있어 편리한 점이 많이 있을 것으로 생각되나 기본적으로 민간 항공사에 소속되어 있는 수송수단을 지원하는 문제이기 때문에 교통부가 주로 관련되어 있으므로 국방부가 이러한 민간 수송수단 지원 문제를 담당하는 것은 적절치 않다고 생각함.

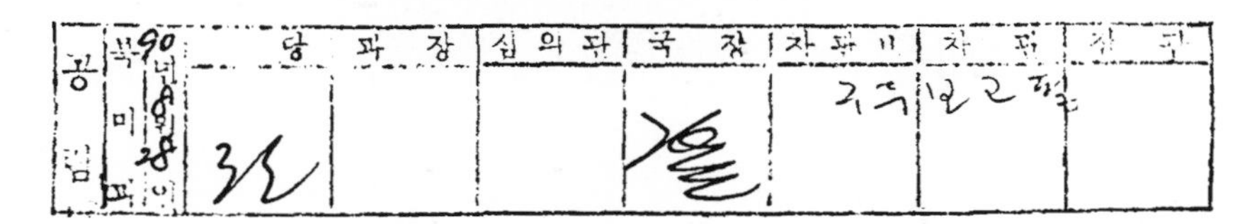

공람	90년 8월 28일 북미과	담당	과장	심의관	국장	차관보	차관	장관
		3인			서명			

0169

여하간 한■정부로서는 수송지원을 하기로 결정한만큼
미국측에서 구체적으로 필요한 사항을 알려주기 바람.
또한 기술적이고 실무적인 문제에 관해서 미8군 관계관과
대한항공이나 교통부 수송국장이 직접 협의를 하도록함이
좋을 것으로 생각됨.

ㅇ 참 사 관 : 그러면 미8군 관계관을 지정해서 다시 연락드리겠음. 끝.

예 고 : 91.6.30. 일반

검 토 필 (1990.12.) 7ㅎ

예고문에 의거 일반문서로
재분류 1991. 6. 30 서명 7ㅎ

0170

관리 번호	90-443

	분류번호	보존기간

발 신 전 보

번 호 : WUS-2849 900827 1912 DN 종별 : 긴 급

수 신 : 주 미 대사. ~~총영사~~ (친전)

발 신 : 장 관 (미북)

제 목 : 다국적군 활동 긴급 지원

대 : USW-3872
연 : WUS-2800

1. 미국 정부는 8.26(일) 주한 미대사관을 통하여 아국 정부에 대해 미 군수물자를 라성 근교 El Toro 기지로 부터 사우디까지 수송할 화물기 1대를 긴급 지원해 줄것을 요청해 왔음.

2. 상기 요청에 대해 본부는 교통부등 관계부처 및 대한항공, 주한 미대사관, 미8군 등과의 협의를 거쳐 대한항공 보유 화물기(B-747) 1대를 긴급 지원, 다음 일정(서울시각 기준)으로 미군 수송물자를 수송토록 조치 하였음을 참고바람.

8.28(화) 18:00 미국 엘 토로 기지 출발

8.29(수) 13:20 사우디 도착

3. 한편, 상기 아국 제공 화물기는 1회 약 100톤 정도의 수송 능력을 보유하고 있으며 1회 운항 소요예산은 약 50만불 정도임. 끝.

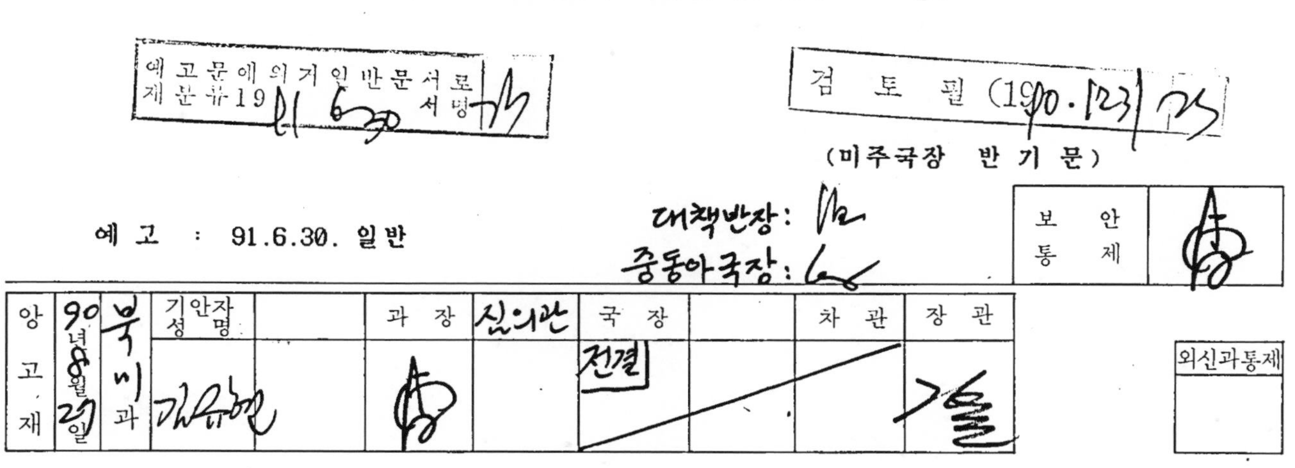
예고문에 의거 일반문서로 재분류 1991. 6. 30 서명

검 토 필 (1990. 12. 31)

(미주국장 반기문)

예 고 : 91.6.30. 일반

대책반장:
중동아국장:

보안 통제	

앙 고 재	90년 8월 27일	북미과	기안자 성명		과 장	심의관	국 장		차 관	장 관
			김유현				전결			

외신과통제

0171

多国籍軍 活動 緊急 支援

1990. 8.

外 務 部

0172

美國政府는 8.26(日) 駐韓 美大使館을 통하여 我國 政府가 美軍 物資輸送을 위해 貨物機 1台를 緊急 支援해 줄 것을 要請하여 왔습니다. 이에 따라 外務部는 交通部等 關係部處 및 大韓航空, 駐韓 美大使館, 美8軍等과의 協議를 거쳐 8.28(火) 貨物機 1台를 支援키로 하였는 바, 關聯事項을 報告드립니다.

美側 支援要請事項

- 美國 로스앤젤레스 附近 엘 토로(El Toro) 基地로부터 사우디아라비아까지 軍需物資 輸送用 貨物機 1台 緊急 支援

緊急支援 措置內容

- 다음 日程(서울시각 基準)으로 大韓航空 保有 貨物機 (B-747) 1台를 緊急 支援, 美 軍需物資 輸送토록 措置
  - 8.28(火) 18:00 美國 엘 토로 基地 出發
  - 8.29(水) 13:20 사우디 到着

關聯 参考事項

- 輸送能力 : 1回 約 100톤
- 豫 算 : 約50萬弗(政府 豫備費에서 追後 精算)

끝.

0173

관리 번호	90-444

	분류번호	보존기간

발 신 전 보

번 호 : WBG-0362 900827 1157 FA 종별 : 지 급

수 신 : 주 이라크 대사. ~~총영사~~ (친전)

발 신 : 장 관 (미북)

제 목 : 다국적군 활동 지원

1. 이라크.쿠웨이트 사태 관련, 정부는 유엔 안보리 결의에 의거한 국제평화노력지원 필요성 및 긴밀한 한.미 우호 협력관계를 고려, 미국의 활동을 다음과 같이 지원키로 하였음. ~~하고 이를 금주중 실행할 예정임.~~

가. 대한항공 보유수송기(B-747) 1대를 임차, 3회에 걸쳐 미군 물자를 미 본토로부터 중동 안전지역으로 수송

나. 콘테이너선 또는 Bulk 선 1척을 용선, 미 본토로부터 중동지역 안전지대로 미군 물자를 1회운송.

다. 상기 지원에 소요되는 경비는 아국 정부 부담.

2. 미측에 대한 상기지원 내용은 중동내 아국교민의 안전상 보안유지가 절대 필요한 사안이므로 귀관만의 참고로 하고 추후 통보시까지 철저히 보안을 유지하기 바람. 끝.

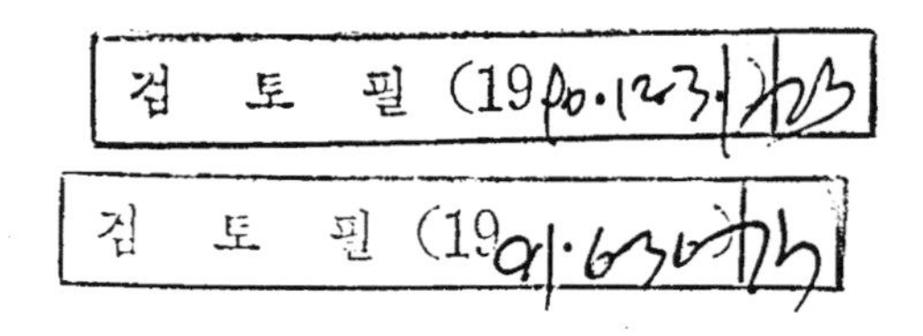

일반문서로 재분류 (1991.12.31.)

(미주국장 반 기 문)

예 고 : 91.12.31. 일반

대책반장 :
중동아국장 :

보안 통제	

앙 고 재	90년 8월 27일	북미과	기안자 성명		과 장	심의관	국 장		차 관	장 관
			(서명)		(서명)	(서명)	전결			(서명)

외신과통제

0174

B747 화물기 특별 전세 운항

(1990. 8.27)

1 . 최대 탑재량

기 종	중 량	용적(CUFT)	비 고
B747F	90 TON	20.000	

가. 중량은 운송 당일의 운항 조건에 따라 증감될 수 있음.

나. 용적은 수송 품목의 형태 및 특성에 따라 제한된 수 있음.

2 . 전세 운송료

가. 시간당 요율은 USD 13,080 임.

나. 전세 운송료 : 상기 시간당 운송요율 X 실제 비행 시간

다. 비행 시간 산출 기준

1) 미국 대한항공 모기지 (로스앤젤레스, 뉴욕) 로부터 서울 대한항공 모기지까지의 비행시간 (BLOCK TIME)

예) EL TORO / SAUDI ARABIA 전세비행의 경우

LAX - 중간지점(기술착륙) - SAUDI ARABIA - SEOUL 구간 운항시간을 총 비행 시간으로 함.

라. 전쟁 발발 예상지역 추가 보험료

- 기체 보험료 : 기종별 보험 부보액 X 0.054% (현지사태 진전에 따라 조정됨)

예) 6,000 만불 - 11,300 만불 X 0.054% = USD 32,400 - 61,000

- 화물 보험료 : 1 회당 USD 1,000 (현지사태 진전에 따라 조정됨)

마. DEMURRAGE CHARGES : 시간당 USD 1,000

전세권자의 요청 또는 과실에 의해 계획된 비행 시간을 지연하는 경우 상기 요율에 의거 추가 요금을 지불하여야 함.

0175

바. 전세 운송료에 포함되지 아니한 내용

- 군 기지 사용시 지상 조업료
- 지상 조업 지원에 필요한 특수한 장비 또는 설비 조달에 필요한 경비 및 인건비
- 특수품 (고폭 물질, 기타 IATA 에서 정하는 탑재 불가 혹은 제한품목) 의 수송으로 항공사가 지불하여야 하는 추가 비용 (보험료 등)
- 기타 전세 운송 계약시 정하지 아니한 비용의 추가 발생분

3 . 기타 사항

가. 특수품의 수송에 따른 ADDITIONAL PREMIUM, INSURANCE 에 대한 보험료는 전세자가 부담.

나. 전세 비행을 위한 출발지, 목적지, 경유지의 착륙 및 통과 허가는 필요시 전세자가 외교 경로를 통하여 지원 또는 해결함.

다. 계약서는 별도 작성하며, 지불 방법 및 정산은 당사 전세 계약서 및 전세 운송 약관에 의함.

0176

화물기 특별 전세 운항 관련 SKD 및 가격

1 . 스케쥴

가 . 운항구간 :

SKD #1 : LAX NYC CDG SAUDI A. BKK SEL

05'30 07'10 05'10 08'10 05'10

TOTAL B/T : 31HR 10MIN (MAX ACL 사용 가능)

(예상 출반/도착 시간 : LEAVE EL TORO 280900Z / ARRIVE SAUDI A. 290420Z)

SKD #2 : LAX LON SAUDI A. BKK SEL

09'50 07'00 08'10 05'10

TOTAL B/T : 30HR 10MIN (ACL 약 80TON 으로 제한)

(예상 출반/도착 시간 : LEAVE EL TORO 280900Z / ARRIVE SAUDI A. 290220Z)

나 . 조정 SKD

- KE083/28AUG CNXL 후 CHTR OPS
- 정비 지원
- CREW 지원

2 . 가격

- B/T 당 $13,080
  - SKD #1 : 31.2HR X $13,080 = $408,096
  - SKD #2 : 30.2HR X $13,080 = $395,016
- 추가 보험료 :
  - 기체(HL7474) : 11,300만불 X 0.054% = $61,000
  - 화물 : $1,000 / FLT

0177

관리번호	90-1843

통 화 요 록

1. 통화일시 : 1990. 8. 27(월) 17:30

2. 통 화 자 : 미주국장 반기문
   주한 미대사관 Hendrickson 참사관

3. 통화내용 :

참 사 관 : 미국 정부는 한국 정부가 대한 항공 화물기를 신속히 보내 주도록 조치해 준데 대해 감사하며 특히 주말에도 불구하고 모든 일을 잘 arrange 해준 국장께 감사 드림.

오늘 미국 정부로 부터의 지시에 의해 말씀드리고자함. 직접 찾아 뵙고 말씀드려야 되나 오늘 국장께서도 바쁘셨고 또한 본인도 저녁에 손님을 초대한 관계로 우선 전화로 말씀 드림.

미국 정부는 한국 정부가 수송 지원을 해 주기로 한데 깊이 감사하고 있음. 그러나 최근 사태 관련 너무나 많은 수송 물량과 필요성 때문에 한국 정부가 화물기 1대를 무기한 (indefinite future) 미국측에 배정(dedicate, assign) 해 주기 바람. 이 경우 비용은 미국 정부가 부담치 않고(at no cost to U.S. Government) 한국 정부가 부담해 주기 바람. 미국은 일본 정부에 대해서는 수송기 여러대를 무기한 배정해 주도록 요청할 예정임.

0178

미주국장 : 우선 미국 정부의 새로운 요청에 대해서는 상부에 보고 하겠음. 귀국 요청중 무기한 이라고 말하는 것은 좀 구체성이 결여된 것으로 생각됨. 우리 정부로서는 1개월이 될지 1-2년이 될지 모르는 사항에 대해 어떤 결정을 내리기는 어려운 일일 것임. 지난번 한국 정부가 항공기와 수송 선박을 지원하기로 한 것은 현 실정하에서 우리가 할 수 있는 최대한의 지원을 한 것이었음.

본인이 알고 있기로는 KAL은 8대의 화물기를 갖고 있으며 이는 예비기 1대를 포함한 것임. KAL로서도 기존 화물 수송 예약을 조정하여 가면서 지원하고 있는 것임을 이해해 주기 바람.

본건 상부에 보고하겠으나 우선 구두로 보다는 문서로서 전해 주면 검토하는데 도움이 되겠음.

참 사 관 : 그레그 대사와 본인도 "무기한"등 일부 wording에 관해 좀 더 구체적으로 알아 볼 필요가 있다는 생각을 하였음.
본건은 8.25. Eagleburger 국무차관이 주재한 고위 정책회의에서 결정된 내용임을 아울러 말씀 드리는 바임. 끝.

예고 ; 90. 12. 31 일반

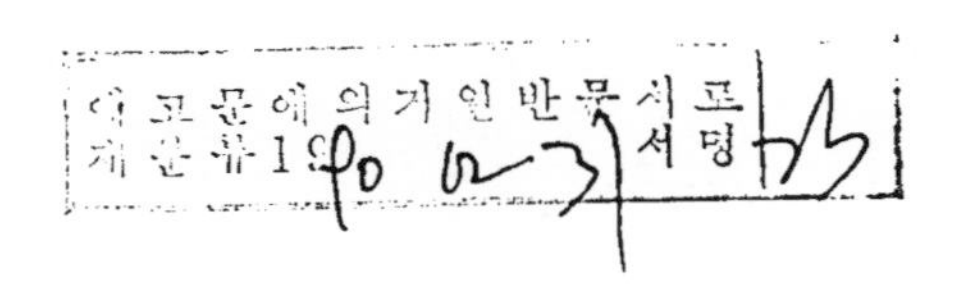

공람	본인	담 당	과 장	심의관	국 장	차관보	차 관	장 관
	비밀							
	파일							

0179

報告畢

長官報告事項

1990. 8 . 27.
中東.아프리카局
中近東課(33)

題目 : 美國側 이라크 大使館 人員 減縮等 外交的 制裁 同參 要請

> 美國은 駐美 이라크 大使館 人員 減縮等 外交的 制裁 措置 決定과 關聯, 我國等 友邦國들도 類似한 措置를 취하도록 要請하여 왔는바, 關聯事項을 다음과 같이 報告 드립니다.

1. 美側 通報 內容

- ㅇ 미국무부, Mack 중근동 담당 부차관보 주재로 8.26 긴급 외교관 회의 소집(EC,중,소등 참석)
  - 미측, 대 이라크 외교적 제재 조치 결정 설명
  - 쿠웨이트에 공관을 갖고 있는 우방국들도 유사한 조치를 취할 것을 제의
- ㅇ 미국의 대 이라크 외교적 제재 조치 내용
  - 이라크 공관원 감축(현 26명에서 19명으로), 또한 이라크가 쿠웨이트 잔류 미국 공관원에 대해 제한을 가할 경우 재차 9명으로 감축 (주 이라크 미국 공관원과 동일 인원)
  - 이라크 공관원( )의 활동 범위를 25마일로 제한
  - 이라크 대사관의 학생 및 소위 인도적 필요를 위한 자금 사용 통제
  - 이라크인에 대한 비자 통제(민간인에 대한 비자발급시 신원조회 실시 포함)
  - 이라크 외교관에 대한 복수비자를 단수비자로 변경
  - 이라크 대사관의 구매관 및 상무관 추방

미주국장: 그룹

안 고 재	90. 8. 27	담 당	과 장	심의관	국 장	차관보	차 관	장 관

0180

2. 我國의 立場

- ㅇ 금반 걸프만 사태와 관련, 이라크의 쿠웨이트 무력 침공을 국제적으로 규탄 응징하기 위한 집단적인 관련조치에 참여하는 문제와, 이라크와 아국간의 양자관계 문제 처리는 별도 구분 대응토록 함
- ㅇ 현재 아국 회사가 시공중인 건설공사가 계속되고 있는 상황하에서 주한 이라크 대사관원의 감축과 활동 제한을 가하는 별도 조치를 취할 경우 현재 이라크에 잔류하고 있는 아국 근로자(~~430~~ 460여명)의 신변 안전에 중대한 위해가 초래될 가능성이 농후함
- ㅇ 따라서 아국으로서는 우선 사태 발전을 관망하면서, 여타 우방국들의 자국 주재 이라크 공관원에 대한 외교적 제재 조치 동향을 예의 주시, 추후 적의 대처해 나가는 것이 좋을 것으로 사료됨

參 考

- ㅇ 주한 이라크 대사관 직원 현황 (4명)
  - Ghazal 대사대리, Huzam 2등 서기관, Haraj 문화행정관, Faris 행정관

0181

중동사태 관련 군사적 상황에 대한 브리핑

- 북한의 군사동향
- 미군의 이동 및 중동의 군사적 상황

1990. 8. 28.

미 주 국
안 보 과

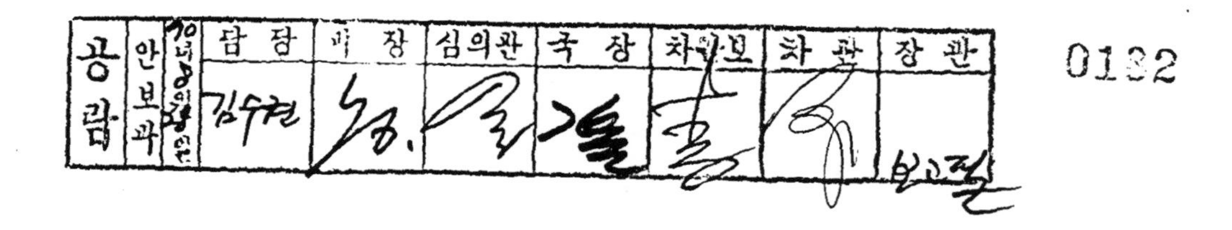

0132

공 란

공　　　란

공 란

관리 번호	90/10PP

	분류번호	보존기간

발 신 전 보

WUS-2865 900829 1423 DP

번 호 : 종별 : 지 급

수 신 : 주 미 대사. 총영사

발 신 : 장 관 (중근동, 미북)

제 목 : 미국의 대이라크 외교적 제재

대 : USW - 3899

대호 관련 아국으로서는 이라크 및 쿠웨이트 잔류 아국인(8. 29.현재 440여명)의 신변안전등을 고려 우선 사태발전을 관망하면서 여타 우방국들의 자국주재 이라크 공관원에 대한 제재 조치 동향을 예의 주시, 추후 적의 대처해 나갈 예정인바, 귀관 참고로만 하기 바람. 끝.

(중동아프리카국장 이 두 복)

예고 : 90. 12. 31. 일반

1990. 12. 31. 에 예고문에 의거 일반문서로 재 분류됨.

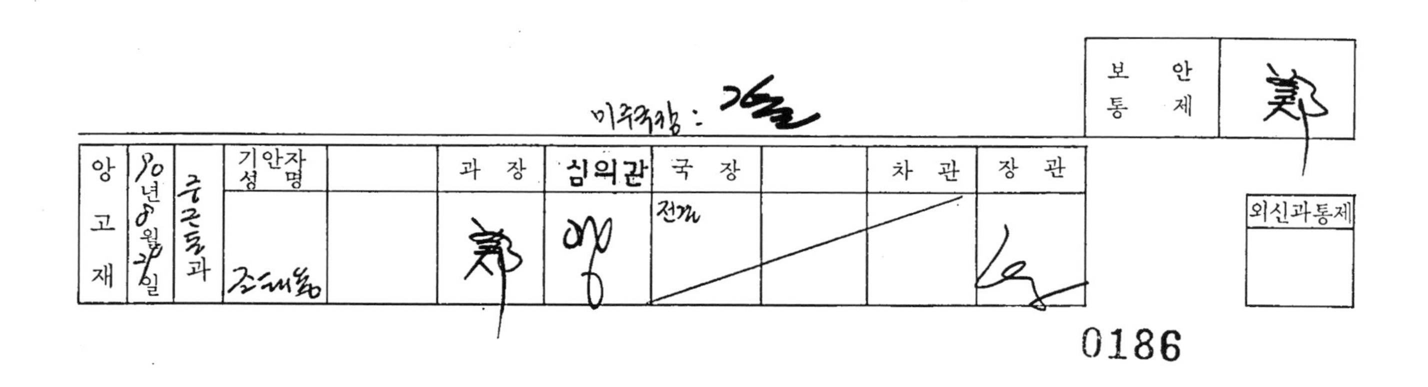

미주국장 :

앙고재	90년 8월 29일	중근동과	기안자 성명		과 장	심의관	국 장		차 관	장 관
							전결			

보안 통제	

외신과통제

0186

외 무 부

종 별 :

번 호 : USW-3926 일 시 : 90 0829 1400

수 신 : 장관(미북,미안,중근동)

발 신 : 주미대사

제 목 : 이락사태- 의회 반응(3)

1. 미 상원 외무위 공화당 간사 RICHARD LUGAR(인디아나) 의원은 작 8.28. 기자 간담회를 통해 동 아시아 7개국 순방결과에 대하여 설명한후 가진 질의응답에서 이락사태에대한 한국정부의 대미정책 지원에 관하여 언급 하였는바, 골자는 아래와 같음.

가. 노 대통령은 중동에서의 미국의 군사 전략지원을 위하여 한국 국적의 수송선(CARGOTRANSPORT PLANE) 을 제공할 것이라고 발표 함.

나. 한국 정부는 이락 제재 UN 결의안에 대하여 즉각적인 지지를 표명하였으며 미국에대한 뚜렷한 지지를 인정받기를 희망하였음. 주한미대사는 이에 대하여 한국 국적선이 태극마크를 부착한채 미군지원에 동원 된다면 소기의 성과를 거둘수 있을것이라고 언급 하였음.

2. LUGAR 의원은 아울러 화학무기를 보유하고 핵무기 개발을 추진하는 후세인의존재가 중동지역의 안정에 장애가 되는 까닭에 미국의 대이락 전략목표에 후세인 제거가 포함되어야 한다고 주장하였음.

첨부:한국 관련 질의 응답 (USW(F)-1968 (1매)

(대사 박동진-국장)

미주국	차관	1차보	2차보	미주국	중아국

PAGE 1

90.08.30 05:53 CG

외신 1과 통제관

0187

USW(F)-3968
수신: 장관 (미북, 미안, 중근동)
제목: 이락사태 - 언론반응 (3)
발신: 주미대사 (1매)
USW-3926 유첨

Q To what extent in your travels did you see the perception that the situation in the Middle East is a conflict between the US and Iraq more than we would wish it perceived that way? And then what do you think should be done (relative to ?) that?

SEN. LUGAR: I found universally, in all seven stops, that the conflict was perceived as a United Nations effort. It was not perceived as a US-versus-Iraq affair. And the question almost always came back to the interests of the particular country in how aggressive it would be in supporting the UN or in making a visible sign of support for the United States.

Now, by the time we got to Korea, for example, seventh stop, almost two weeks later, the President of Korea, Roh Tae Woo, just prior to my visit with him had announced that a cargo transport plane -- a Korean plane on a Korean vessel be helped in transport -- would be made available to the general operation.

They had quickly supported the UN sanctions there, but they wanted a visible show of support for the United States and they wanted to make that known. Our ambassador encouraged that they paint the plane clearly in Korean colors and fly (?) it to the United States and make it manifest that they had that kind of support. They made no comment on that, but nevertheless, they're making something available.

0188

관리번호	90/1120

협조문용지

분류기호 문서번호	통일 2065-551	(2193, 2194)	결재	담 당	과 장	국 장
시행일자	1990. 8. 30.					
수 신	중동아프리카국장	발신	통상국장 (서명)			
제 목	대이라크 경제제재조치					

1. 주한미국대사관측은 미국정부가 대이라크 제재를 위한 유엔 안보리 결의 660,661호 이행과 관련하여 모든 유엔 회원국 및 옵서버 국가에 대하여 항공 및 해운수송분야에서 필요한 조치를 취해줄 것을 요청하는 Non-Paper 를 당부에 전달(8.21)해 왔읍니다.

2. 당국은 별첨과 같이 교통부에 동 내용을 통보하고, 8.9자 정부의 대이라크 제재조치 결정과 관련 별도 조치 필요여부를 검토하도록 요청하였는 바, 업무에 참고하시기 바랍니다.

첨 부 : 상기 공문 및 미측 Non-Paper 사본 각 1부. 끝.

예고문 : 90.12.31. 일반

0189

관리번호	90-531

기 안 용 지

분류기호 문서번호	통일 2065 - 1134	(전화:)	시 행 상 특별취급	
보존기간	영구·준영구. 10. 5. 3. 1	장		관
수 신 처 보존기간				
시행일자	1990. 8. 23.			

보조기관	국 장		협조기관	제1차관보 대책반장	문서통제
	심의관			제2차관보 미주국장	
	과 장			중동아국장	
기안책임자		안 총기			발송인

경 유 수 신 참 조	교통부장관(사본:해운항만청장)	발신명의	
제 목	대이라크 제재조치		

1. 주한 미국대사관측은 미국정부가 대이라크 제재를 위한 유엔안보리 결의 660, 661호 이행과 관련하여 모든 유엔회원국 및 옵서버 국가에 대하여 항공 및 해운수송 분야에서 필요한 조치를 취해줄 것을 요청한다는 내용의 별첨 Non-Paper를 당부에 전달(8.21)하여 왔읍니다.

2. 정부는 90.8.9 국무총리 주재 관계부처 장관회의에서 유엔안보리 결의를 존중, 대이라크 경제제재조치를 실시할 것과,

/// 계속....

0190

관계부처로 구성되는 대책반을 설치, 동 제재조치 이행을 점검해 나갈것을 결정한바 있으며, 이어 8.22 대외 무역법 제4조에 의거 상공부장관이 대이라크, 쿠웨이트 상품 수출입 승인중지 조치를 취한바 있읍니다.

3. 상기 미측요청에 대해 아국과 이라크, 쿠웨이트간 항공 및 선박운항이 사실상 중단된 상태이므로 특별한 조치는 불필요할 것으로 사료되오나, 상기 2항 정부의 대 이라크 제재조치 결정과 관련 귀부(청)에서 별도 조치필요 여부를 검토하여 주시고 결과를 당부에 통보하여 주시기 바랍니다.

첨부 : 1. 대 이라크 제재관련 미측요청

2. 주한 미대사관 Non-Paper

예고 : 1990. 12. 31 까지

0191

대 이라크 제재관련 미측요청
(미측 Non-Paper 요지)

1. 항공분야

가. 유엔 안보리결의 661호에 반하는 목적으로 이라크 등록 항공기가 입국하는 것을 금지(인도적, 비상업적 목적의 비행은 허용)

나. 어떠한 상황이라도 자국내에 있는 이라크 등록 항공기는 억류

다. 자국민에 의한 이라크 출발.향발.경유 항공수송의 판매금지

라. 자국민 또는 자국내 외국인에 의한 이라크 출발.향발.경유 항공수송과 관련된 금융 또는 기타 거래를 금지

마. 자국내에서 모든 자연인, 법인, 기관에 의한 이라크 출발. 향발.경유 항공수송 판매금지

바. 쿠웨이트 망명정부에 의해 8대의 쿠웨이트 항공소속 항공기가 쿠웨이트 영토밖에서 운항중인 바, 동 항공기에 대해 추방, 억류, 압류등 조치를 취하지 않을것.

(동 항공기 type 및 등록번호 : Boeing 727-269, 9K-AFB; Boeing 727-269, 9K-AFC; Boeing 727 269, 9K-AFD; Boeing 747-269B, 9K-ADC; Boeing 747-269B, 9K-ADD; and Boeing 767, 9K-AIA)

0192

2. 해운분야

o 유엔결의 661호의 효과적인 해운수송금지 조치요망

o 유엔결의 661호의 구체 조치필요내용

- 이라크, 쿠웨이트로부터의 상품수출 또는 환적을 촉진 시키거나 촉진시킬것으로 판단되는, 자국민에 의한 또는 자국 영토내에서의 모든 활동 금지

- 자국민 또는 자국선박에 의한 이라크, 쿠웨이트로부터의 어떠한 상품관련 거래도 금지

- 자국민 또는 자국내에서의 이라크, 쿠웨이트인 또는 집단에 대한 사실상의 모든 상품판매, 공급금지 및 이와 관련한 자국선 이용금지

0193

NON-PAPER ON UNSC RESOLUTIONS 660 AND 661

In the spirit of UNSC Resolutions Number 660 and 661 President Bush has issued Executive Orders 12724 and 12725 prohibiting US citizens anywhere in the world and other persons located in the United States from conducting any transactions relating to transportation to, from, or through Iraq or Kuwait.

The United States Government believes that, in order for the trade, financial services, and arms embargo on Iraq and Kuwait to be effective, UN member states must take specific action to bar aircraft registered in Iraq from engaging in air transportation to or from their territory.

The USG therefore urges all UN member and observer states to take appropriate measures in accordance with local law and custom to:

1. Prohibit the entrance into the host government's territory of aircraft of Iraq registry for purposes inconsistent with UNSCR 661 (661 permits, e.g., flights for humanitarian, non-commercial purposes.);

2. Detain Iraqi registered aircraft which land in the host nation's territory regardless of circumstances;

(FYI: The USG has done this under Executive Orders 12724 and 12725, which may go beyond the specific requirements of UNSCR 661. The USG believes that such actions would foster the UNSC's goal of exerting pressure to bring the invasion and occupation of Kuwait by Iraq to an end and to restore sovereignty to Kuwait. End FYI)

3. Prohibit the sale of air transportation by its nationals, wherever they may be located, to, from, or through Iraq and Kuwait;

4. Prohibit its nationals and any other persons in its territory from engaging in any financial or other transaction relating to air transportation to, from, or through Iraq; and,

5. Prohibit the sale of its territory of air transportation to, from, or through Iraq by any person, corporation, or other entity.

Eight aircraft belonging to Kuwait airways are presently outside of Kuwait and are being operated by and on behalf of the Government of Kuwait in exile (GOKE). These aircraft, identified below, should not be subject to exclusion, detention, seizure, or other adverse action while operating on behalf of the GOKE.

0194

The specific aircraft and their registration numbers are:
Boeing 727-269, 9K-AFB; Boeing 727-269, 9K-AFC; Boeing 727-269, 9K-AFD; Boeing 747-269B, 9K-ADC; Boeing 747-269B, 9K-ADD; and, Boeing 767, 9K-AIA.

U.S. Treasury Office of Foreign Assets Control is in the process of issuing licenses to certain U.S. owned corporations to provide appropriate services to aircraft in para named above.

0195

NON-PAPER ON ENFORCEMENT OF MARITIME SANCTIONS ON IRAQ

The United States Government believes that the effective prohibition of maritime transportation is a crucial element in the enforcement of United Nations Security Council sanctions against Iraq and Kuwait.

UNSC Resolution 661 calls on all member and observer states to prevent any activities by their nationals or in their territories which would promote or are calculated to promote the export or transshipment of any commodities or products from Iraq or Kuwait.

UNSCR 661 specifically calls on all member and observer states to prevent any dealings by their nationals or their flag vessels in any commodities or products originating in Iraq or Kuwait.

The Resolution also prohibits the sale or supply by their nationals or from their territories or using their flag vessels of virtually all commodities or products to any person or body in Iraq or Kuwait.

For its part, the United States has prohibited, inter alia, the following activities related to Iraq or Kuwait:

The importation of goods and services;
The export of goods, technology, or services;
Any transaction by a United States person relating to transportation to or from Iraq or Kuwait;
The provision of transportation to or from the United States by any Iraqi or Kuwaiti registration;
Any transportation by a United States person which evades or avoids, or has the purpose of evading or avoiding, any of the above prohibitions.

0196

NON-PAPER ON IRAQ SANCTIONS:
INTERDICTION OF IRAQ AIRWAYS

The USG shares concerns raised by many of our friends and allies with respect to their nationals and those of other nations who are presently in Iraq or may have made their way to Jordan.

Our concerns are twofold: that Iraq Airways be allowed to operate only from points in Iraq and then if and only if the flight is operated solely for humanitarian, non-commercial purposes.

UNSCR 661 paragraphs three and four can be interpreted to prohibit flights to/from the addressee nations by Iraq Airways. This is particularly true with regard to financial transactions with the Government of Iraq and its entities. Iraq Airways is owned and operated by the Government of Iraq. The possible exception would be for humanitarian flights operated directly from Baghdad or other points in Iraq directly to an addressee nation.

Furthermore, it is important that UN member nations and the other nations of the world act in concert to deny to this aggressor nation any and all means by which it may acquire additional capital or goods or earn hard currency. Banning service by Iraq airways to/from the host nation from Amman or other points outside Iraq would be a positive and welcome contribution to this effort.

The provision of direct air services by any air carrier other than Iraq Airways or aircraft from occupied Kuwait providing services from points in Iraq to the host nation provided that the services are for humanitarian, non-commercial purposes including the airlift of refugees of host country or other nationality, and do not/not involve the transport of any cargo other than normal passenger baggage appears to be within the spirit of UNSCR 661.

For the purposes of UNSCR 661, it would be reasonable to define a flight as "humanitarian non-commercial" where the objective was to provide transport from Jordan or Iraq to refugees and others seeking to depart Iraq and occupied Kuwait and such services were provided at minimal cost to the travellers, or not greater than the usual economy class fare. Such flights might carry Iraqi citizens from the point of departure to Iraq and non-Iraqi refugees from Iraq/Jordan to the host nation.

The United States Government urges each government to deny Iraq Airways and aircraft from occupied Kuwait any future access to its territory, except for humanitarian, non-commercial flights directly from points in Iraq.

0197

원 본

외 무 부

종 별 :

번 호 : USW-3943 일 시 : 90 0830 1600

수 신 : 장 관(반기문 미주국장)

발 신 : 주 미 대사관 임성준

제 목 : 업연

1. LUGAR 상원의원 기자회견 내용 중 한국관련 부분은 당지 언론에 보도된바 없으며, 당관이 입수하는 FEDERAL NEWS SERVICE 를 통해 확인된것입니다.

2. 사태의 민감성은 충분히 숙지하고 있읍니다.

3. 8.27자 WSJ 기사 참고로 송부합니다.

첨부: USW(F)-1980 (1 매)

미주국

PAGE 1

90.08.31 09:16 WG

외신 1과 통제관

0198

20 ☎202 797 0595 EMBASSY OF KOREA --- WOI ⊠001/001

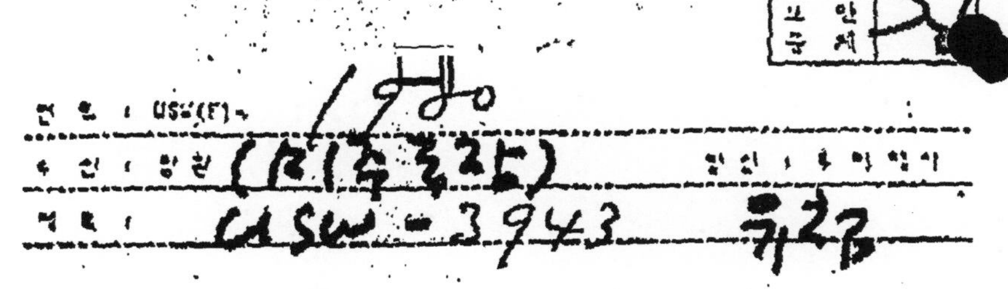

THE WALL STREET JOURNAL

MONDAY, AUGUST 27, 1990 A12

Seoul Plans Non-Lethal Aid

SEOUL—The South Korean government intends to supply only non-lethal aid, and possibly transport support, to the forces arrayed against Iraq in the Persian Gulf—but is hesitant to announce even that because of possible diplomatic and economic repercussions.

According to Korean journalists who had been briefed by government officials, Seoul intends to provide boots, uniforms, medicines, tents and other non-lethal aid to Mideast allies of the U.S. No weapons or munitions will be sent, but South Korea, one of the world's biggest users of tear gas, will provide one of its specialties: gas masks.

Korean officials refused to give details of the assistance package to foreign reporters. "It isn't the right time to make a comment," said Lee Joung Binn, assistant foreign minister.

Providing aid to nations that might clash with Iraq is an extremely delicate situation for Korea. Because Seoul is totally dependent on imported oil, it balances its supplies from among Saudi Arabia, Kuwait, Iraq, Iran and others, and takes pains to offend no one. South Korea also has billions of dollars in major construction contracts with both sides in the conflict, and it doesn't want to put those in jeopardy.

South Korea also still has about 600 citizens in Iraq and Kuwait and the South Korean government is owed about $138 million by Iraq and Kuwait. So it has tried hard to appear neutral, while, analysts say, it struggles to fulfill its responsibilities as an industrialized democracy with trade ties to the U.S. and other countries committed against Iraq's Saddam Hussein.

0199

외 무 부

종 별 : 긴 급

번 호 : USW-3953 일 시 : 90 0830 1855

수 신 : 장 관(미북,미안, 중근동)

발 신 : 주 미 대사

제 목 : 미국의 대이락 정책(BUSH 대통령기자회견)

연: USW(F)-2000

1.금 8.30 부쉬 대통령은 백악관에서 걸프만 사태에대한 특별 기자 회견을 갖고,이락의 쿠웨이트 침공과 관련, 유엔 결의안에 반영된 미국의 기본목표를 재확인하고, 일본,한국,서독,사우디, UAE 쿠웨이트 망명정부(발언순)등 여러국가에게 여사한목표 실현을 위한 비용 분담을 요청할계획이라고 발표하였음.

2.동 대통령 발표에 따르면, 금번 대이락 제재조치의 시행에 따른 피해 국가(터키, 이집트,동구국가)의 지원, 각국의 비용 분담 문제등에관한 전략이 8.29 NSC에 보고 되었다고 하고, 동 문제와 관련, 미정부 고위 사절단이 걸프만,유럽,아주 지역에파견될것이라고 밝힘(BAKER국무장관과 BRADY 재무장관이 대표단을이끌도록 지시함)

3.한편 동 대통령은 행정부내의 강경파(후세인 대통령 제거)와 유화파(중동 평화국제회의소집)의 대립이 있다는 질문에대해, 현재미국의 당장의 목표는 쿠웨이트에서의 기존 질서 재확립이며, 전반적인 중동 평화의 달성은 장기적 목표가 될수 있으나국제회의의 소집은 목표가 될수 없다고 답변하였음(중동평화 문제관련 기보고 전문 참조)

4.동 대통령 기자 회견 전문은 별전 FAX송부함.

첨부: USW(F)-2000

(대사 박동진-국장)

미주국 1차보 2차보 미주국 중아국 정문국 안기부 통상국 대책반 차관 장관

PAGE 1

90.08.31 08:43 ER

외신 1과 통제관

0200

관리번호	90-980

원 본

외 무 부

종 별 : 긴 급

번 호 : USW-3956 일 시 : 90 0830 1940

수 신 : 장관(미북,미안,중근동)

발 신 : 주 미 대사

제 목 : 부쉬 대통령 기자 회견-걸프만 비용 분담 요청

연: USW-3953

1. 연호 부쉬 대통령 기자 회견시 비용 분담 참여 요청 대상국에 한국을 포함 지칭한것과 미고위 사절단 파견 계획을 밝힌것과 관련, 앤더슨 동아태국 부차관보는 당관 이승곤 공사의 문의에 대해, 상금 구체 방침이 정해진바 없으며, 추후 미측 제안을 통보하겠다는 반응을 보였음.

2. 금일 W.P 지가 미국정부가 금번 걸프만 사태로 인한 피해국에 대한 보상을 포함, 걸프만 비용 분담을 동맹국들에 요청할것이라는 보도를 게재한것과 관련(미국의 ECONOMIC ACTION PLAN 이라고 보도하면서 각국의 구체적 목표 기여액 소개), 당관 유명환 참사관은 RICHARDSON 한국과장에게 한국에 관한 검토가 있었는지 문의한바, 동과장은 검토 사실은 알고 있었으나, 구체적 금액은 정해지지 않은것으로 안다고 답변하였음(W.P 지의 관련 기사 도표는 한국에 대해서는 UNDETERMINED 라고 표시한바 상세는 FAX 보고 참조 바람)

3. 또한 부통령실 GLASSMAN 안보 보좌관은 금일 유참사관과의 오찬 접촉시(부쉬 대통령 기자 회견 직전), 현재 행정부로서는 의회 개원 직후 의회측과의 예산 타협(BUDGET SUMMIT)이 이루어지지 않으면 그램-래드먼 법에 따라 전 예산 항목에 대해 30% 규모의 자동 삭감 집행(AUTOMATIC SEQUESTRATION)을 할수밖에 없는 사정인바, 부쉬 대통령 에게는 의회측(민주당 지도부)의 협조 확보가 최우선의 당면 과제라고 설명하고, 최근 의회 내에서 점차 걸프만에서의 무임 승차는 있을수 없다는 강한비판이 증대되고 있음에 따라 이러한 비판에 선제 대응키 위해 동맹국에 대한 비용 부담 요청 결정을 하게 된것으로 본다 말함.

4. GLASSMAN 보좌관은 한국이 대상국에 포함된것은 한국의 의사 여부에 관계없이 한국에 대한 미국내의 일반적 인식(일본을 따라가는 성공적 신흥 공업국)과, 주한

미주국 대책반	장관	차관	1차보	2차보	미주국	중아국	청와대	안기부

90.08.31 11:44

외신 2과 통제관 EZ

0201

미군등 긴밀한 한미 동맹 관계에 따른것이라고 설명함.

5. 금일 부쉬 대통령은 기자 회견에서 안전한 원유 공급(FREE OIL-FLOW)의 덕을 보고 있는 국가는 정당한 몫을 내야할것이라고 언급한바 있으며 동 기자 회견직후 미 방송 매체들은 일본 , 한국및 유럽국가들이 미국보다 오히려 안정적 원유 공급으로 덕을 보고 있는 나라들이며 이러한 나라들로부터 재정적 기여가 있어야한다는 전문가들의 평가를 보도 하고 있음.

6. 한편 KEN BAILEY 동아태국 부대변인은 미 고위 대표단의 파한 여부에 대한 당지 특파원의 전화 질문에 대해, 현재로서는 알수 없으나, 사견으로는 BRADY 재무장관이 방한할 가능성이 있다고 답변하였음.

(대사 박동진-차관)

예고:90.12.31 일반

0202

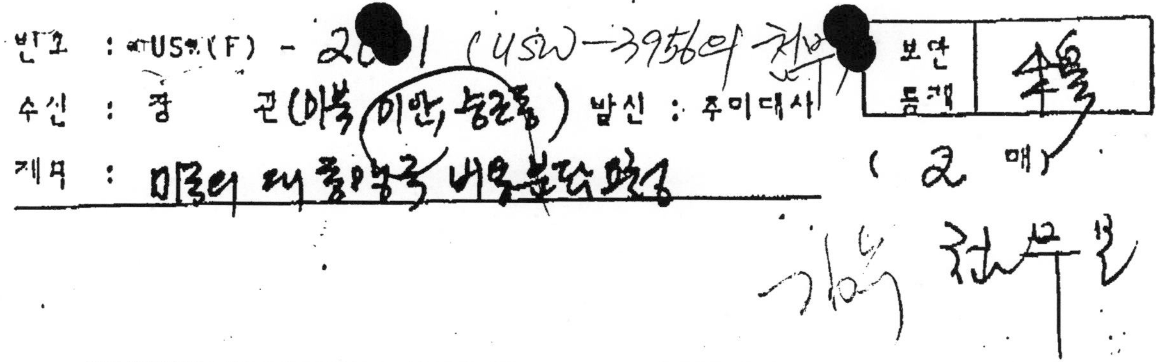

U.S. Asking Allies To Share the Costs

Plan Would Also Aid Nations Suffering From the Embargo

By Patrick E. Tyler and David Hoffman
Washington Post Staff Writers

President Bush is expected to launch an "economic action plan" under which wealthy U.S. allies agree to share the cost of the U.S. military deployment to the Persian Gulf and to help ease the financial pain to key countries participating in the trade embargo against Iraq, administration officials said.

The plan, which could total as much as $23 billion in donor aid in the first year, half of which would be paid to the United States, was reviewed by Bush during a National Security Council meeting yesterday. It could be implemented as early as today, one senior administration official said.

In one sign that donor nations are signing up, Japanese Prime Minister Toshiki Kaifu announced his country's participation yesterday in a nationally televised address. Bush had talked to Kaifu by telephone earlier in the day.

It could not be determined which other countries have firmly committed to the plan, although officials expect Germany, Saudi Arabia and the exiled Kuwaiti government to participate.

The plan would be the first significant step by the administration to get the rest of the world to help pay the bill for one of the largest military operations since World War II, designed to defend Saudi Arabia and to enforce the United Nations trade embargo against Iraq with a naval blockade. It would also prevent economic breakdown or possible cheating in other countries—particularly in

See AID, A36, Col. 2

AID, From A1

the Middle East—hard pressed by the cessation of trade with Iraq and occupied Kuwait.

The Pentagon this week said the cost of the U.S. deployment was running at a rate of $46 million a day, or $2.5 billion by Sept. 30.

This "burden-sharing" drive by the White House follows increasingly vocal advice from members of Congress that the U.S. mission in the Persian Gulf will lose popular political support unless Europe and Japan, which depend heavily on Persian Gulf oil, share the cost of defending Saudi Arabia.

Members of Congress returning from their districts to meet Tuesday with Bush said they were beginning to hear complaints from constituents that U.S. soldiers might be called upon to die in defense of Arab oil shipped primarily to Asia and Europe.

Under the terms of the draft prepared for yesterday's National Security Council meeting, wealthy nations would commit at least $1.1 billion a month to help cover the cost of the U.S. defense of Saudi Arabia. And they would also contribute to a pool of at least $10 billion for distribution to Iraq's neighbors and other nations severely affected by the U.N. embargo.

Japanese government officials said Japan will contribute $1 billion, Washington Post foreign correspondent T.R. Reid reported from Tokyo. The U.S. draft plan calls for Tokyo to pay at least $1.3 billion into the donor pool, and an additional $60 million a month toward the "monthly incremental costs of U.S defense expenditures." Saudi Arabi and the exiled Kuwaiti goverr ment—much of whose assets ar outside Kuwait—would pay th largest amount, $7 billion for donc aid and $900 million a month fo U.S. defense forces.

One U.S. official described th plan as a "multilateral approach by number of donor nations in an effor coordinated by the United States t provide to front-line countries an to others involved the assistanc they need to ensure they can cor tinue to support the embargo."

The senior administration offici said the plan allows Japan, German and other European and Arab dc nors to "show some responsibility by helping countries that are mal ing big sacrifices by cutting o trade with Iraqi President Saddar Hussein.

"It's very important to demor strate we are going to be respor sive to their needs," he said, addin "One of the reasons this is a critic thing to do is to ensure a continuin squeeze on Saddam."

One U.S. official who saw th four-page memorandum to th president outlining the plan said included a country-by-country sun mary of donor nation commitmen that were under discussion and country-by-country resume of r cipient nation needs. It was n clear whether the aid figures h the final approval of the foreig governments, but Kaifu's announc ment in Tokyo was an indicatic that some may be final.

Defense Secretary Richard Cheney and Gen. Colin L. Powe chairman of the Joint Chiefs Staff, recommended that Jorda

W.P. 8.30.

2001-1

0203

Bush to Urge Allies to Share Costs, Aid Nations Hurt by Trade Embargo

THE PROPOSED ECONOMIC ACTION PLAN

Funds would come from:

	Total funds	Defense Assistance to U.S.
Japan	$1.3 billion	$60 million per month
Germany	$600 million	$40 million per month
Saudi Arabia	$4 billion	$500 million per month
United Arab Emirates	$1 billion	$100 million per month
Kuwait	$3 billion	$400 million per month
South Korea	Undetermined	Undetermined
Total	**At least $10 billion**	**At least $1.1 billion monthly**

NOTE: Discussions with other European countries regarding funding are pending.

Funds would go to selected countries, including:

BANGLADESH:
Needs funds to offset the cost of military support to Saudi Arabia.

EASTERN EUROPE:
Faces interruption of important trade with Iraq.

EGYPT:
Facing default on a $7.1 billion military debt to the United States and the influx of tens of thousands of expatriate workers coming home from Iraq.

INDIA:
Facing the loss of oil supplies from Iraq that were used as payment in barter deals.

JORDAN:
Predicted to lose $900 million a year in trade with Iraq—25 percent of its GNP. The kingdom also has substantial debts outstanding.

MOROCCO:
Needs funds to offset the cost of military support to Saudi Arabia.

PHILIPPINES:
Facing the loss of oil supplies from Iraq and the return of thousands of expatriate workers from Iraq and Kuwait.

TURKEY:
Predicted to lose $2 billion a year in trade with Iraq.

THE WASHINGTON POST

Egypt and Turkey be singled out for special and more urgent assistance because of their key contributions to enforcing the embargo.

In Jordan's case, however, the provision of aid would be preceded by a strong diplomatic demarche to King Hussein calling on him to "get on board or forget it," as one senior official put it. Concern about "leakage" of embargoed goods through Jordan to Iraq remains high in the White House and the State Department, and has added to growing Saudi resentment over Jordan's continuing close ties with Baghdad.

Sources said the demarche would require Jordan to cut all military-to-military ties to Iraq and to reaffirm its commitment to block Iraq-bound commercial traffic from passing through the Jordanian port of Aqaba or on Jordan's highways.

Jordan also stands to gain or lose an additional $20 million earmarked for Amman in this year's U.S. defense appropriations bill, but the money has yet to be released. Some members of Congress want to block the money if Jordan does not strongly support the embargo.

In Egypt's case, the Pentagon was said to have recommended that the United States forgive most or all of the $7.1 billion military debt Cairo owes Washington for converting its military from Soviet-made weapons to American-made weapons. The debt forgiveness would require congressional approval.

A week ago, Congress agreed to a Pentagon request to reprogram $50 million in cash to be given to Egypt in recognition of Cairo's support to the U.S. deployment.

White House deputy press secretary Roman Popadiuk yesterday rejected any suggestion that Arab and other foreign aid to the United States put the U.S. military forces in a "mercenary" position. "It's a multinational cooperative effort," Popadiuk said, "We have about 22 countries that are involved in this in terms of military assistance to the defense of Saudi Arabia. We have a strong commitment by the United States for that defense."

The Pentagon also yesterday confirmed a Washington Post report that the president has approved the purchase of additional weapons by Saudi Arabia. A Pentagon statement said an initial package of 24 F-15 fighters, 150 M-60 tanks and 200 Stinger missiles had been approved, along with other missiles and weapons totaling $2.2 billion.

But administration officials said that a second Saudi weapons package, which would push the total to $6 billion to $8 billion, has been approved and will be announced later. This package calls for the delivery of 24 more F-15s after the first of the year, along with M-1 tanks, Bradley fighting vehicles, a naval command and control system, tank recovery vehicles and a host of artillery, munitions and other weapons.

2001-2.

0204

PRESIDENT BUSH'S STATEMENT OF AUGUST 30 ON BURDENSHARING FOLLOWS:

BEGIN TEXT. THE UNITED STATES IS ENGAGED IN A COLLECTIVE EFFORT INVOLVING THE OVERWHELMING MAJORITY OF THE MEMBER STATES OF THE UNITED NATIONS TO REVERSE THE CONSEQUENCES OF IRAQI AGGRESSION. OUR GOALS, ENSHRINED IN FIVE SECURITY COUNCIL RESOLUTIONS, ARE CLEAR: THE IMMEDIATE AND UNCONDITIONAL WITHDRAWAL OF IRAQI FORCES FROM KUWAIT; THE RESTORATION OF KUWAIT'S LEGITIMATE GOVERNMENT; THE STABILITY OF SAUDI ARABIA IN THE PERSIAN GULF; AND THE PROTECTION OF AMERICAN CITIZENS.

WHAT IS AT STAKE HERE IS TRULY SIGNIFICANT -- THE DEPENDABILITY OF AMERICA'S COMMITMENTS TO ITS FRIENDS AND ALLIES. THE SHAE OF THE POST-POSTWAR WORLD, OPPOSITION TO AGGRESSION, THE POTENTIAL DOMINATION OF THE ENERGY RESOURCES THAT ARE CRUCIAL TO THE ENTIRE WORLD. THIS EFFORT HAS BEEN TRULY INTERNATIONAL FROM THE VERY OUTSET. MANY OTHER COUNTRIES ARE CONTRIBUTING. AT LAST COUNT, 22 COUNTRIES HAVE EITHER RESPONDED TO A REQUEST FROM SAUDI ARABIA TO HELP DETER FURTHER AGGRESSION OR ARE CONTRIBUTING MARITIME FORCES PURSUANT TO UNITED NATIONS SECURITY COUNCIL RESOLUTION 665. STILL OTHERS ARE PROVIDING OTHER FORMS OF FINANCIAL AND MATERIAL SUPPORT TO THESE DEFENSE EFFORTS OR TO COUNTRIES WHOSE ECONOMIES ARE AFFECTED ADVERSELY BY SANCTIONS OR BY HIGHER OIL PRICES. STILL OTHERS ARE PAYING A HEAVY ECONOMIC PRICE AT HOME FOR COMPLYING WITH THE UNITED NATIONS SANCTIONS,

IT IS IMPORTANT THAT THE CONSIDERABLE BURDEN OF THE EFFORT BE SHARED BY THOSE BEING DEFENDED AND THOSE WHO BENEFIT FROM THE FREE FLOW OF OIL. INDEED, ANYONE WITH A STAKE IN INTERNATIONAL ORDER HAS AN INTEREST IN ENSURING THAT ALL OF US SUCCEED.

THE UNITED STATES HAS LARGE INTERESTS IN THE BALANCE AND HAS UNDERTAKEN COMMITMENTS COMMENSURATE WITH THEM. WE'RE MORE THAN WILLING TO BEAR OUR FAIR SHARE OF THE BURDEN. THIS INCLUDES, ABOVE ALL, THE THOUSANDS OF MEN AND WOMEN IN OUR ARMED FORCES WHO ARE NOW IN THE GULF. BUT WE ALSO EXPECT OTHERS TO BEAR THEIR FAIR SHARE.

A NUMBER OF COUNTRIES ALREADY HAVE ANNOUNCED THEIR WILLINGNESS TO HELP THOSE ADVERSELY AFFECTED ECONOMICLLY BY THIS ENDEAVOR. IT'S ESSENTIAL, THOUGH, THAT THIS BE A CONCERTED AND COORDINATED ONE, AND THAT ALL AFFECTED COUNTRIES PARTICIPATE. IT IS IMPORTANT TO GET THE PRIORITIES RIGHT AND MAKE SURE THAT THOSE MOST DESERVING OF ASSISTANCE RECEIVE IT AND THAT THOSE MOST ABLE TO CONTRIBUTE DO SO.

FOR THAT REASON, I DIRECTED AN INTERAGENCY EFFORT TO DEVELOP A STRATEGY TO ACCOMPLISH THIS OBJECTIVE. THE GROUP'S REPORT WAS PRESENTED AT YESTERDAY'S NATIONAL SECURITY COUNCIL MEETING HERE, AND THIS MORNING I APPROVED AN ACTION PLAN. OUR APPROACH CALLS FOR SUBSTANTIAL ECONOMIC ASSISTANCE TO THOSE STATES, IN PARTICULAR I'D SINGLE OUT TURKEY AND EGYPT WHO ARE BEARING A GREAT PART OF THE BURDEN OF SANCTIONS AND HIGHER OIL PRICES. THE PLAN ALSO TARGETS ADDITIONAL COUNTRIES, INCLUDING JORDAN, THE COUNTRIES OF EASTERN EUROPE AND OTHERS FOR SPECIAL ASSISTANCE. THE UNITED STATES WILL ALSO SEEK BURDEN SHARING FOR PART OF OUR OWN EFFORT.

AT THE SAME TIME, WE WILL BE ASKING OTHER GOVERNMENTS, INCLUDING JAAN, THE REPUBLIC OF KOREA, THE FEDERAL REPUBLIC OF GERMANY, SAUDI ARABIA, THE EMIRATES, FREE KUWAIT AND OTHERS TO JOIN US IN MAKING AVAILABLE FINANCIAL AND, WHERE APPROPRIATE, ENERGY RESOURCES TO COUNTRIES THAT HAVE BEEN MOST AFFECTED BY THE CURRENT SITUATION. TO FACILITATE THIS UNDERTAKING, I'VE ASKED SECRETARY OF STATE JIM BAKER AND SECRETARY OF THE TREASURY NICK BRADY TO LEAD HIGH-LEVEL DELEGATIONS TO THE PERSIAN GULF, EUROPE AND ASIA. AND I'LL BE GETTING DIRECTLY IN TOUCH WITH THE LEADERS OF THESE COUNTRIES, BEFORE SECRETARIES BAKER AND BRADY ARRIVE, TO SET FORTH -- SPELL OUT OUR GENERAL OBJECTIVES.

LET ME CLOSE BY REPEATING WHAT I SAID THE OTHER DAY IN MEETING WITH THE CONGRESSIONAL LEADERS. THE BASIC PIECES OF OUR POLICY ARE IN PLACE. THE IRAQI REGIME STANDS IN OPPOSITION TO THE ENTIRE WORLD AND TO THE INTEREST OF THE IRAQI PEOPLE. IT IS TRULY IRAQ AGAINST THE WORLD. BUT I WANT TO MAKE THIS POINT CLEAR, WE HAVE NO ARGUMENT WITH THE PEOPLE OF IRAQ.

THE SANCTIONS ARE BEGINNING TO TAKE HOLD. IN THE MEANTIME, WE WANT TO ENSURE THAT COUNTRIES CONTRIBUTING TO THIS UNPRECEDENTED COLLECTIVE RESPONSE DO NOT SUFFER FOR DOING SO. AND WHAT I'VE ANNOUNCED TODAY, AND WHAT I EXPECT WILL BE IMPLEMENTED IN THE COMING DAYS SHOULD HELP CREATE A CONTEXT IN WHICH SANCTIONS AGAINST IRAQ CAN BE SUSTAINED WITH THE INTENDED EFFECT.

ANOTHER AREA WHERE THERE HAS BEEN UNPRECEDENTED INTERNATIONAL SOLIDARITY IS OPEC'S WILLINGNESS TO TAKE UP THE SLACK IN OIL PRODUCTION CREATED BY THE EMBARGO ON IRAQI AND KUWAIT'S OIL. IN THIS CONNECTION, I MET THIS

0206

MORNING WITH OUR ENERGY ADVISORS WHO ARE WATCHING THE OIL PRODUCTION SITUATION VERY, VERY CLOSELY. AND WE ARE PLEASED WITH OPEC'S DECISION TO HELP TAKE UP THE SLACK IN CRUDE OIL PRODUCTION. AND ALTHOUGH WE'RE IN WHAT I WOULD SEE AS A TRANSITION ERIOD, THE SITUATION APPEARS MANAGEABLE.

AT THE PRESENT TIME, WE DON'T ANTICIPATE MAJOR IMBALANCES IN THE OIL MARKET, BUT WE DO HAVE THE STRATEGIC PETROLEUM RESERVE TESTED AND AVAILABLE IF IT IS TRULY NEEDED. OUR ENERGY POLICY IS RESULTING IN INCREASED OIL PRODUCTION AND FUEL SWITCHING TO NATURAL GAS AND TO OTHER FUELS.

I ALSO REPEAT MY PREVIOUS REQUEST FOR AMERICANS TO CONSERVE AND FOR ALL PARTIES TO ACT RESPONSIBLY. RIGHT NOW THE SITUATION, I WOULD SAY, IS RELATIVELY STABLE AND I AM VERY PLEASED BY THE COORDINATION THAT IS TAKING PLACE WITH SO MANY COUNTRIES IN MAINTAINING ADEQUATE FUEL LEVELS.

END TEXT.

美, 韓國에도 페灣 軍備분담 요구

액수는 미정

【워싱턴=文昌克특파원】 부시 美대통령은 30일 쿠웨이트사태로 인해 발생하고 있는 재정부담을 해소키 위해 韓國을 비롯한 日本·西獨·사우디아라비아등에 주둔비용을 포함한 경제적 부담을 분담토록 요구하겠다고 밝혔다.

부시美대통령은 이날 기자회견을 통해 이지역에 연합군의 주둔으로말미암아 보호를 받는 나라들과 이러한 군사적 주둔에 원유를 원활히 공급받아 혜택을 누리는 나라들은 이번 사태에 따른 부담을 공평히 나누어져야 한다고 말하고 韓國·日本·西獨·사우디아라비아·아랍에미리트연합·망명쿠웨이트등을 그 대상으로 꼽았다.

부시美대통령은 특히 분담대상국을 꼽으며 韓國을 日本 다음으로 두번째로 거론함으로써 美國정부가 韓國에 거는 기대가 적지 않음을 시사했다.

이와관련, 워싱턴포스트紙는 30일 美國정부는 우선 2백30억달러의 모금을 계획하고 있다고 보도했다.

鄭義溶외무부대변인은 31일 부시 美대통령이 韓國에 대해 페르시아灣 파견 美軍의 주둔경비 지원을 요청했다는 보도에 대해 『아직까지 공식적으로 통보받은 사실이 없다』고 말했다.

◇경비 부담 내역(案)
(단위 : 억달러)

국 가	할 당	월경비
日本	13	0.6
獨逸	6	0.4
사우디	40	5
UAE	10	1
쿠웨이트(망명)	30	4
韓國	미정	미정
계	최소 100	최소 11

<자료=워싱턴포스트紙>

중 앙 일 보 (90. 8. 31)

0208

KAL機 美軍지원 참가

本土부대와 계약 軍裝備수송

美부대公報官 확인

【엘토로美해병기지(캘리포니아州)=LA支社 邊鴻鎭·安相浩기자】 대한항공(KAL)소속화물기가 미국이 주도하는 對이라크제재작전에 외국항공사로서는 최초로 참가하고 있음이 밝혀졌다.

캘리포니아州 오렌지카운티에 있는 엘 토로 제3해병비행단의 브라운공보관은 29일 「KAL 점보화물기가 미군장비를 적재하고 28일 하오 10시22분 中東으로 떠났다」고 밝혔다.

브라운공보관은 그러나 이번 작전에 동원된 KAL기의 숫자나 구체적인 계약조건등에 대해서는 군사기밀을 이유로 언급을 회피했다.

KAL기는 미국의 페르시아灣수송작전을 책임지고 있는 공수사령부와의 계약에 의해 엘 토로해병비행단에 배속된것으로 알려졌다.

외국항공사로서는 이번「사막의 방패」작전에 최초로 투입된 KAL機는 한국인조종사에 의해 운항되고 있으며 KAL측의 특수조정반이 엘 토로기지안에서 지상조업업무를 수행하고있는 것으로 드러났다.

8.31(금) 한국 1면

KAL Planes Carrying US Military Cargoes Off to Saudi Arabia

By Byon Hong-jin
Korea Times Correspondent

LOS ANGELES — Korean Air freight planes are transporting military cargoes from the continental U.S. to Saudi Arabia on a contract signed with the U.S. government, a spokesman of a U.S. Marine Corps aviation unit based near here said Wednesday.

A KAL Boeing 747 cargo aircraft loaded with military equipment left here for Saudi Arabia at 10:22 p.m. (local time) on Aug. 28, said the spokesman of the unit stationed at the El Toro Marine Corps Base.

With the cargo transportation, KAL has become the first foreign airline involved in Operation Desert Shield launched by the U.S. on the heels of the Iraqi invasion of Kuwait.

The Marine spokesman, however, withheld commenting specifically on the terms of the transport contract and the number of KAL cargo planes involved.

It was learned that the KAL cargo planes were commissioned to the El Toro U.S. Marine Corps Base under a contract signed with the U.S. Military Airlift Command.

8.31(금) K.T. 1면

0209

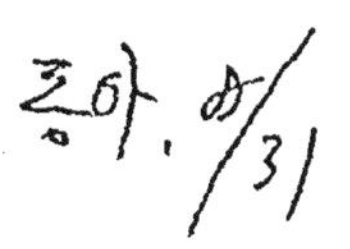

0210

우리에게 닥쳐온 페灣波高

美費用분담요구 배경과 전망

油價상승등 「3重부담」 고민

駐韓美軍문제로 거절名分찾기 어려워

해설

페르시아灣 사태로 韓國은 2중3중의 경제적 부담을 도리없이 안게됐다. 사태발발 이후 배럴당 30달러를 넘어선 국제원유값 상승에 따른 원유도입 추가부담이 그 첫째이고 이라크에 대한 유엔의 경제제재로 이라크와 쿠웨이트의 건설공사및 교역중지에 따른 경제적 손실이 그 둘째다. 여기에다 사우디와 페르시아灣 원유수송로를 美國이 지켜주고 있는 보답으로 미국의 페르시아灣 개입에 따른 군사비 즉 미국의 페르시아灣 작전비의 일부를 어떤 형태로든 부담하지 않으면 안되게 됐다.

30일 부시美國대통령은 특별기자회견을 갖고 사우디 방어와 이라크에 대한 유엔의 제재를 집행하는 데는 국제적으로 일치된 노력이 절대 필요하며 이에 따르는 막대한 비용은 「보호를 받는 당사국들과 원유수송로 혜택을 받고있는 나라들이 적절하고도 공평한 몫을 분담해야 한다」고 강조했다. 부시대통령은 비용분담 대상국가로 日本과 韓國 西獨 사우디아라비아 쿠웨이트망명정부 아랍에미리트연합을 지칭하고 미국은 곧 베이커국무장관과 브래디재무장관등으로 구성되는 행정부고위사절을 이들 국가에 파견, 협의를 가질것이며 이들 사절이 현지에 도착하기전에 자기가 해당국가 대통령등 최고지도자들과 전화로 직접 접촉을 갖겠다고 계획을 밝혔다.

현재 美국방부가 추산한 페르시아灣 작전비는 하루에 4천6백만달러(3백22억원), 한달 11억달러 정도며 사태발생이후 9월말까지 우선 부담분에만 25억달러가 소요될 전망이다. 여기에다 이라크에 대한 경제제재 동참으로 경제적 어려움을 담하고 있는 이집트와 터키 요르단 등 [illegible] 가능에 대한 경제원조도 해주지 않을 수 없게 되어 있다.

부시 대통령이 이날 서명발표한 「경제행동계획」이란 이름의 이 비용분담계획은 우선 첫 회계연도인 모금액을 2백30억달러로 잡고 있을 뿐 절반은 미국이 페르시아灣 작전비에 보태어 쓰고 나머지 절반은 경제원조로 해당국가에 제공키로 돼있다. 부시대통령은 미국 또한 이 지역의 안정에 중대한 이해관계를 갖고있기 때문에 군대파견으로 기여하는것이라고 강조하고 다만 미국은 개입에 상응하는 「공평한 몫」을 기꺼이 부담하겠다고 밝혔다.

베이커관의 공식발표에 앞서 이날아침 이 계획내용을 특종보도한 워싱턴 포스트는 일본과 서독 사우디 아랍에미리트연합 쿠웨이트 망명정부등 5개국의 분담할당액을 [illegible] 현재 협의중이라고 밝혔다.

부시행정부의 이같은 비용분담계획은 의회지도자들로부터의 강력한 요청에 더욱 자극받은 것으로 알려졌다. 각 선거구에서 여름휴가를 보내고 워싱턴으로 속속 돌아오고 있는 의회의원들은 페르시아灣 작전비용을 페르시아灣 원유에 의존도가 큰 우방이나 일본등에 분담시키지 않으면 부시행정부의 개입정책은 국민들의 지지를 곧 잃게 될 것이라고 강력히 경고하고 있다. 지난 28일 의회인사들을 대상으로 한 베이커관의 설명회에서 많은 의원들은 「유럽과 일부 아시아국가에 치명적인 원유수송로를 보호하기위해 미국의 젊은이들이 사막에서 목숨을 무릅써야 하느냐」며 행정부의 이 지역 [illegible]에 대한 의회의 지지에 留保를 달았었다.

미국이 군대를 보내고 그 비용을 우방국가들이 댄다면 이지역 주둔美軍은 영락없는 「傭兵」신세가 된다. 부시행정부가 아랍국가와 우방국들에 군대파견을 요청해 「多國籍」 방위전선구축을 고집하는 이유도 여기에 있다. 따라서 행정부의 고위관료들은 이 비용분담은 단순한 돈문제를 넘어 앞으로 지역분쟁의 해결에 중요한 利害당사국들이 각기 상응하는 책임을 분담한다는 의미에서 冷戰이후 시대의 국제분쟁해결에 하나의 좋은 先例를 만들어 둔다는 역사적 의미가 더 큰것으로 自評하기도 한다.

문제는 한국의 분담몫이다. 「적절한 수준」이 얼마인지 또 어떤 형식으로 분담해야 할 지 우리정부의 고민은 결코 가볍지가 않다. 원유도입선 다변화정책에 따라 근년들어 크게 줄어든 페르시아灣 원유도입 비중, 그리고 상대적으로 늘어난 이 지역 산유국과의 직간접 교역, 이라크와의 일부 무역지속관계등 우리쪽에서 몫을 줄이려 할 만한 요소도 없지 않다.

그러나 미국의 분담요구를 거역할 수 없게 만드는 현실적 제약 두가지가 다름아닌 駐韓美軍과 北韓의 존재다. 페르시아灣 파병으로 예비군 동원령을 내리는 판국에 4만3천여 美軍을 주둔시키고 있는 한국이 미국의 분담요구를 거부하기는 어렵다. 더욱이 북한이 언제 또 무슨 어떤 군사적 도발을 일으켜 우리가 어려운 처지에 빠지는 경우를 가상해서라도 미국의 요구에 박정하게 등을 돌릴 수는 없는 처지다. 어차피 돈을 내야할 입장이라면 駐韓美軍의 주둔비에 대한 국제적 공동대응 비용을 우리가 대신 더 떠맡는 우호적인 분담방법을 생각해 볼수도 있지만 페르시아灣이라는 현실을 고집한 미국입장에서 이 정도 수용이 가능할지는 의문이다.

직접 분담이든 간접분담이든 또 현금지원이든 물자지원이든 간에 한국의 부담은 그만큼 가중될 수 밖에 없으며 북한과의 군사대치가 계속되고 우리의 안보를 미국에 의존하는 한 이 지역 「민족주의적」산유국과의 원유직도입등 독자적 외교 또한 스스로 한계가 있다는데 우리의 고민이 있다.

〈워싱턴=卞相根특파원〉

주요國別 분담내용(案)

	基金납부	美軍작전비지원
日 本	13억달러	月6천만달러
西 獨	6억 〃	〃 4천만 〃
사 우 디	40억 〃	〃 5억 〃
U A E	10억 〃	〃 1억 〃
쿠웨이트 망명정부	30억 〃	〃 4억 〃
韓 國	미정	미정
총 계	최소한 100억달러	최소한 月11억달러

註: 워싱턴포스트紙 보도。 유럽국과는 협의예정

기금 지원대상국가및 지원 사유

국가	지원 사유
방글라데시	사우디에 대한 군사지원 제공보상
東 유 럽	이라크와의 무역중지에 따른 보상
이 집 트	美國의 군사차관상환면제등및 이라크취업 노동자귀국에 따른 어려움 보상
印 度	이라크 원유공급 중단에 따른 교역활동이익보상
요 르 단	이라크와의 교역중단 보상
모 로 코	사우디에 군사지원제공 보상
필 리 핀	이라크원유공급중단및 취업근로자 귀국사태
터 키	이라크와의 교역중지로 年20억달러 손해예상

면 담 요 록

1. 일 시 : 90.8.31(금) 15:35-15:50

2. 장 소 : 미주국장실

3. 면 담 자 :

아 측	미 측
반기문 미주국장	Mason Hendrickson 주한 미대사관 참사관
김규현 북미과 사무관	Jeffrey L. Goldstein 1등 서기관

4. 면담내용 :

(Brady 장관 및 Eagleburger 부장관 방한 문제)

미 주 국 장 : 언론에 보도된 Brady 재무장관과 Eagleburger 국무부 장관의 세부 방한 계획이 확정되었는지 ?

Hendrickson 참사관 : 세부 일정은 통보받지 못하였으나 Brady 장관과 Eagleburger 부장관 일행은 런던, 파리, 서울 및 동경을 방문 예정이며 한국은 9.5(수) 오후경 도착, 9.6(목) 한국정부의 주요인사와 면담을 가진후 이한할 것으로 예상됨.

미 주 국 장 : 알다시피 9.4-9.7간은 서울에서 남.북 총리회담이 개최될 예정이며 아국 정부는 동 회담으로 매우 분주할 것으로 예상됨. 따라서 가능하면 Brady 장관 일행이 다른 국가를 먼저 방문한후 내주말경 방한하는 것이 좋을 것 같다는 것이 본인의 생각임.

0211

Hendrickson 참사관 : 잘 알겠음. 한국측의 특별한 사정을 고려, Brady 장관 일행의 방한 일정을 조정하도록 국무부에 강력히 건의하겠음.

미 주 국 장 : Brady 장관 일행의 체한 기간은 ?

Hendrickson 참사관 : 체한 기간은 그리 길지 않을 것임.

Brady 장관은 의회와의 예산 심의 문제를 다뤄야 하고 Eagleburger 부장관은 금번 쿠웨이트 사태에 깊이 관여하고 있으므로 바로 워싱톤으로 귀환해야 하는 상황임.

한편 Brady 장관의 보좌관의 말에 의하면 동 장관은 방한시 노 대통령, 부총리 및 재무장관 예방을 원하고 있으며 외무장관은 대통령을 예방하는 자리 등에서 적절히 뵙기를 희망하고 있다함.

미 주 국 장 : Brady 장관이 금번 방한시 부총리나 재무장관을 별도 면담을 희망하는 것은 알려진 방한 목적외에 무슨 특별한 의제가 있어서인지 ?

Hendrickson 참사관 : 금번 방한의 촛점은 걸프만 사태 관련 한국 정부의 재정적 지원(financial contribution)을 요청하기 위한 것으로 한.미 양국간 현안은 거론하지 않을 것으로 알고 있으나 부총리 및 재무장관 면담 희망 이유는 현 시점에서 모르겠음.

미 주 국 장 : Eagleburger 부장관은 방한시 Brady 장관과는 별도로 아국 정부 인사와 면담을 희망하고 있는지 ?

Hendrickson 참사관 : 아직은 모르겠음. Bush 대통령이 걸프만 사태 관련 Baker 장관과 Brady 장관을 우방국에 파견, 재정적 지원을 요청하겠다고 발표함에 따라 순방일정 등 구체적인 사항에 관해 준비를 하고 있는 것으로 알고 있는바 본부로 부터 관련 추가 사항이 통보되어 오는 대로 귀측에 알려 주겠음.

0212

(아국의 대이라크 제재 지원 내용 언론보도 문제)

미 주 국 장 : 금일 아국의 화물 수송기 지원 사실이 일부 언론에 보도 되었음. 외무장관은 지난번 당부 출입기자단에게 아국이 이라크 제재를 위한 국제적 노력을 수송 분야에서 지원하고 있다는 정도로 개략적인 설명을 하신바 있으나, 아국 정부는 금번 보도에도 불구하고 동 지원 내용이 현 시점에서 전면 공개되어 큰 뉴스거리가 되는 것을 원하지 않고 있는 바, 이와 관련한 미측의 협조를 당부함.

Hendrickson 참사관 : 적극 협조하겠음. 그렇지 않아도 금일 Korea Times에 실린 동 기사를 보고 즉각 주한미군 당국과 워싱톤 D.C.의 군 당국에 한국 정부의 지원 내용 공개 문제 관련, 한국 정부보다 절대 앞서가지 말도록 조치를 취하였음.

(주 쿠웨이트 아국 대사관 폐쇄 문제)

미 주 국 장 : 아국은 유엔결의 및 미국의 입장을 전폭적으로 지지하고 이라크의 쿠웨이트 합병을 인정할 수 없다는 방침에 따라 이라크 정부의 주 쿠웨이트 아국대사관 폐쇄 요구를 거부하고 소병용 대사를 포함 4명의 공관원이 잔류하고 있음.
그러나 아국대사관은 수도, 전기등 공급이 끊기고 통신도 두절 되어 대사관원들이 더이상 견딜 수 없는 극한 상황에 처해 있음.
쿠웨이트 주재 외국공관의 폐쇄 문제 관련 David Mack 국무부 중근동 부차관보가 외교단 브리핑시 공관 폐쇄는 각국 정부가 상황을 고려 결정할 사항이라고 언급한 것으로 기억하고 있음.

0213

아국 정부는 현지의 사정이 급격히 악화됨에 따라 소병용
주 쿠웨이트 대사로 하여금 자신의 상황판단에 따라 필요할
경우 공관을 잠정 폐쇄하고 쿠웨이트를 떠나도록 훈령을 내릴
예정인바 미국 정부의 이해를 바람. 이는 어디까지나 잠정
폐쇄(suspension)인 바, 소 대사가 자신의 판단에 따라 공관을
잠정 폐쇄하고 쿠웨이트를 떠난후 아국 정부는 동 잠정 폐쇄
조치가 이라크 정부의 쿠웨이트 합병을 인정하는 것이 아니라는
요지의 성명을 발표할 예정임.

Hendrickson 참사관 : 언제쯤 쿠웨이트 한국 대사관을 잠정 폐쇄 할 예정인지 ?

미 주 국 장 : 잠정 폐쇄 시기는 전적으로 소 대사의 판단에 달린 문제이나
상황으로 보건대 대략 9월 초순경이 될 것으로 전망하고 있음.

Hendrickson 참사관 : 한국 정부가 Sadam Hussein 의 쿠웨이트 합병을 인정하지 않는
내용의 성명을 발표키로 한 결정을 환영하며 신속한 통보에
감사함.

미 주 국 장 : 동건 관련 미측의 특별한 의견이 있으면 통보바람. 끝.

0214

長 官 報 告 事 項

1990. 8. 31.
美 洲 局
安 保 課(32)

題 目 : 중동사태 관련 미특사 방한

주한미대사관 통보 내용(8.31)

(Christenson 1등서기관 → 김안기 서기관)

o 금 8.31. 아침 와싱톤(국무부)와 전화통화 한 바, Nicholas Brady 재무부 장관과 Eagleburger 국무부 부장관이 중동사태와 관련, 내주(sometime next week)중 방한키로 결정되었으며, 관련상세는 추후 통보 예정임.

* Bush 미 대통령은 8.30 기자회견을 통해 중동사태 비용분담을 위해 Baker 국무부 장관과 Brady 재무부 장관을 관계국에 순회 파견(on a multi-nation trip)할 예정임을 발표

- 끝 -

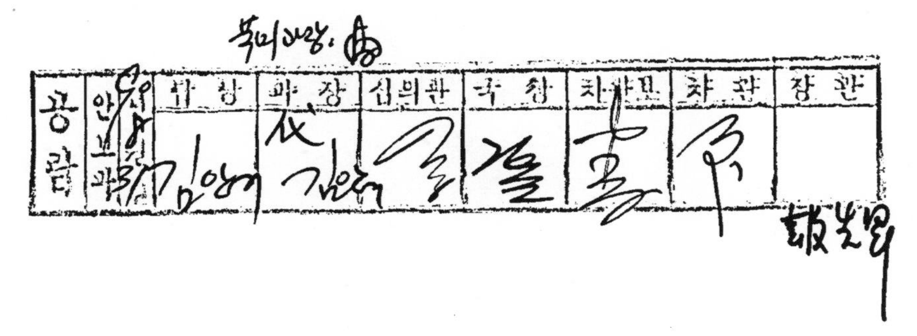

0215

長 官 報 告 事 項

報 告 畢

1990. 8. 31.
美 洲 局
安 保 課(32)

題 目 : 중동사태 관련 미특사 방한

주한미대사관 통보 내용(8.31)

(Christenson 1등서기관 → 김안기 서기관)

o 금 8.31. 아침 와싱톤(국무부)와 전화통화 한 바, Nicholas Brady 재무부 장관과 Eagleburger 국무부 부장관이 중동사태와 관련, 내주(sometime next week)중 방한키로 결정되었으며, 관련상세는 추후 통보 예정임.

* Bush 미 대통령은 8.30 기자회견을 통해 중동사태 비용분담을 위해 Baker 국무부 장관과 Brady 재무부 장관을 관계국에 순회 파견(on a multi-nation trip)할 계획이며, 이들 장관이 관계국에 도착하기에 앞서 자신이 직접 관계국 지도자들과 전화통화 할 예정임을 발표(관련부분 Text 별첨).

- 끝 -

0216

부시대통령 기자회견(8.30, 백악관) 관련 부분

At the same time, we will be asking other governments, including Japan, the Republic of Korea, Federal Republic of Germany, Saudi Arabia, the Emirates, free Kuwait, and others to join us in making available financial and, where appropriate, energy resources to countries that have been most affected by the current situation.

To facilitate this undertaking, I've asked Secretary of State Jim Baker and the Secretary of the Treasury Nick Brady to lead high-level delegations to the Persian Gulf, Europe and Asia. And I'll be getting directly in touch with the leaders of these countries before Secretaries Baker and Brady arrive to set forth, spell out our general objectives.

0217

재

관리번호	90-983

외 무 부

종 별 : 긴 급

번 호 : USW-3988 일 시 : 90 0831 1828

수 신 : 장관(미북,미안,중근동,통일,기협)

발 신 : 주 미 대사

제 목 : 중동 사태 관련 비용 분담

연 USW-3956

1. 금 8.31 국무부 동아태국 DESAIX ANDERSON 부차관보는 작일 부쉬 대통령기자 회견시 언급 내용과 관련, 당관 이승곤 공사를 국무부로 초치, 비공식으로 알려준다고 하면서, 미측은 BRADY 재무장관, 국무부 EAGLEBURGER 부장관 및 국방부 WOLFOWITZ 정책 차관등을 한국에 파견, 아측에 대해 금번 중동 사태를 설명하고 비용 분담을 위한 협력 방안을 협의코자 한다고 알려왔음(아측 유명환참사관, 미측 리챠드슨 한국과장 배석)

2. 미측은 전기 고위급 대표단이 9.6(목) 방한하는것으로 일정을 작성코자하였으나, 동 일자가 남북 고위급 회담 기간중인점을 감안, 방한 일자 변경을검토중이라 하며, 방한 기간중 대통령, 외무부 장관및 재무부 장관 면담등을 희망한다함(BRADY 재무부장관 일행은 우선 구주 순방후 한일 양국을 방문 예정이고, BAKER 국무장관 일행은 구주에 이어 중동 방문 예정이라함)

3. 또한 동 차관보는 금번 방한시 아측와 협의할 비용 분담 문제는 사우디 주둔 미군의 군사 주둔 비용 관련 직접 지원 방안및 대이락 경제 제재로 인해 피해를 입고 있는 국가들(터키, 요르단, 이집트, 필리핀, 방글라데쉬, 인도등)에대한 지원 방안으로 양분하여 생각할수 있을것이라고 언급함.

(특히 이들 국가중 일부는 금번 사태로 인해 국내 정치적인 위기 상황에 처해 있는바, 이들 국가가 대이락 경제 조치에 동참함으로서 부담하게 되는 COST는 (1)이락으로부터 원유 수입이 불가능해 짐으로 인한 COST, (2)일반 상품의 대이락수출입이 불가능해짐으로 인한 COST 및 (3)이락과 쿠웨이트로 부터의 자국민 퇴거로 인해 발생한 난민 문제 관련 COST 로 구분할수 있다함)

4. 각국에 대한 구체적 협조 요청액은 상금 미정이나 미측으로서는 단기

미주국 장관 차관 1차보 2차보 미주국 중아국 경제국 통상국
청와대 안기부 대책반

PAGE 1 90.09.01 09:38
외신 2과 통제관 BN

0218

요청액(금년 12 월까지 해당)과 중기 요청액(내년도 해당)으로 구별할 생각이며,가능한 내주초 까지는 구체적 액수에 관한 미측 구상을 제시할 방침임.미군 물자 수송을 위해 아측이 신속히 화물기를 부입해준데 대해서는 재삼 사의를 표하며, 여사한 한국의 기여는 구체적 액수 산정시 고려될것임.

5. 이에 대해, 아측은 비용 분담의 구체적 방법과 형식에 대해 문의한바, ANDERSON 부차관보는 반드시 재정적 지원에 한정할 필요는 없으며(즉, 물자 지원도 가능), 필요시는 미국을 경우 하지 않는 양자 채널간의 지원(예: 이집트에 대한 한국의 직접 지원)도 가능할것으로 본다고 언급하고, 여사한 문제에 대한 미측의 구상이 확정된바 없으므로 계속 검토가 필요하것으로 본다는 반응을 보임.

(대사 박동진-장관)

예고:90.12.31 일반

08/31/90 14:06 ☎202 797 0595 EMBASSY OF KOREA →→→ WOI 001/0

호 : USW(F)- 2004

신 : 장 관 (중근동, 미북, 미안) 발신 : 주미대사

목 : 이락 사태 관련 비용 분담 문제 (3 매)

A PLEA FOR BILLIONS

President Plans to Send Top Aides to Mideast, Tokyo and Bonn

By R. W. APPLE Jr.

Special to The New York Times

WASHINGTON, Aug. 30 — Asserting that the "shape of the post-cold-war world" was at issue in the Persian Gulf crisis, President Bush said today that he was asking other countries to help pay the multibillion-dollar cost of military operations and economic sanctions in the region.

As the emergency entered its fifth week and Secretary General Javier Pérez de Cuéllar of the United Nations arrived in Jordan for a mediation effort, Mr. Bush again said he was pessimistic about the search for a diplomatic solution. Mr. Pérez de Cuéllar, who is to meet on Friday with Iraq's Foreign Minister, Tariq Aziz, described the situation in the Middle East as explosive.

Hostage Release Delayed

In Iraq and Kuwait, American and other Western women and children, whom President Saddam Hussein had promised on Tuesday to release at once, encountered further delays. But late tonight, the Foreign Office in London said Iraq was arranging to fly some British women and children directly to London, and Virgin Atlantic Airways said it had been given permission to fly to Baghdad to pick up others.

Soviet officials, after three weeks of quietly tolerating the buildup of United States military forces in the Persian Gulf, sharply challenged the American presence and questioned whether it might be intended as a permanent foothold in the region. [Page A13.]

American missions led by Treasury Secretary Nicholas F. Brady and Secretary of State James A. Baker 3d are to be sent soon to West Germany, Saudi Arabia, the United Arab Emirates, Japan, South Korea and the Kuwaiti exile Government to "twist their arms a bit," a ranking official said, for contributions of as much as $25 billion to defray part of the expense of American troop deployments and naval patrols and to aid Middle Eastern nations that are suffering hardships from the United Nations embargo against Iraq.

Bearing 'Their Fair Share'

Turkey, Egypt and Jordan are the principal nations that will benefit from the aid program, American officials said. The plan to solicit contributions has been put together rapidly, under strong Congressional pressure to set up some form of burden-sharing, and it remains somewhat nebulous.

"The United States has large interests in the balance and has undertaken commitments commensurate with them," Mr. Bush said at a news conference here today before returning to his vacation home at Kennebunkport, Me. "We're more than willing to bear our fair share of the burden, but we also expect others to bear their fair share."

At a dinner at the White House on

Continued on Page A10, Column 1

Continued From Page A1

Wednesday night for a group of 11 Senators and Representatives, all old friends of the President's, several pressed him to adopt a more aggressive policy, including the removal of President Saddam Hussein as the leader of Iraq, several dinner guests said.

Representative John D. Dingell, Democrat of Michigan, said there was "a clear appreciation that further goals have to be established." Senator William V. Roth, Republican of Delaware, commented: "There were some who spoke quite strongly that we ought to go beyond the goals we have set, that the aggressor ought to be removed." Senator Richard G. Lugar, Republican of Indiana, who attended the dinner, has recently expressed that view in public and in private.

But Mr. Bush said today that he had "stopped short of adding" the expulsion of the Iraqi leader from power to the list of aims of the United States.

New Conditions for Release

The roughly 1,000 American women and children in Iraq and Kuwait have been told that they must submit letters asking permission to leave, accompanied by Arabic translations and bearing official stamps attesting that all local taxes have been paid, according to Margaret D. Tutwiler, the State Department spokeswoman.

"Once again, Iraqi promises have been followed by new restrictions on foreigners and burdensome procedures," Miss Tutwiler said. "This emotional roller coaster is inhumane and disgraceful."

The Foreign Office in London said that even as Mr. Hussein was talking about letting people go, he was detaining more. A spokesman said Iraqi troops had taken 32 Britons from their homes in Kuwait on Wednesday, grouped them with seven others and took all 39 to Baghdad under armed guard.

At his news conference, Mr. Bush said he was worried about the hostages but declined to say that their vulnerability would deter him from launching any attack on Iraq.

"We cannot permit hostage taking to shape the foreign policy of this country," he declared. "I will not change the policy of the United States to pay homage or to give credibility to this brutal move of staking out citizens and a brutal move of holding people against their will."

Mr. Pérez de Cuéllar had been expected to begin his meeting with Mr. Aziz this evening, but the session was postponed until Friday morning. He said he thought the Iraqi Government was "as eager as we all are to find a just and lasting solution of the problem."

But he also emphasized that he had no choice but to push Baghdad to accept Security Council resolutions demanding Iraqi withdrawal from Kuwait and release of all hostages.

"These are not my resolutions," the United Nations leader said. "They are Security Council resolutions. I cannot make any concessions on these. I am not a merchant to negotiate."

Arab Leaders Meet in Cairo

In Cairo, officials of 13 countries of the Arab League gathered for an emergency meeting that is given little chance of finding a solution. The deep divisions within the group, which split when 12 countries voted on Aug. 10 to send troops to help defend Saudi Arabia, were reflected by the absence of eight member countries.

As the diplomatic activity continued,

NYT 8/31/90

0220

2004-1

08/31/90 14:07 ☎202 797 0595 EMBASSY OF KOREA →→→ WOI 002/

수 : USW(F)-

신 : 장 관

발신 : 주미대사

목 :

(매)

so did the military buildup. A unit normally based at Torrejón in Spain, the 401st Tactical Fighter Wing, which flies F-16's, arrived in Qatar on the Persian Gulf. Army aviation units flying Apache, Blackhawk, Huey, Chinook and Kiowa helicopters were dispatched from West Germany to the gulf region.

The Pentagon reported that it had intercepted about 250 ships since the naval blockade of Iraq begun. Most of those were simple radio contacts, but about 10 ships have been boarded, none of them flying the Iraqi or the Kuwaiti flag.

Baker and Brady will visit allies to 'twist their arms a bit.'

Pete Williams, the Pentagon spokesman, said that in the last 48 hours, three ships (Sri Lankan, Panamanian and Liberian) had been searched in the Gulf of Aqaba and then allowed to proceed. A fourth ship, a Sri Lankan freighter called the Kota Wirama, was searched and prevented from proceeding toward Jordan. Lloyd's List International, the shipping newspaper, said the vessel had been suspected of carry chemicals bound for Iraq.

At his news conference, President Bush said that Iraqi commerce through Jordan, which reports from the scene have described as quite bustling, "has come down to a bit of a trickle." In a speech at the National Press Club this morning, the Jordanian Ambassador, Hussein Hammami, said that no ship with goods bound for Iraq had entered Aqaba harbor since Aug. 19, but that Jordan would continue to allow food and other basic commodities into Iraq until told not to by the United Nations.

Support for Kuwaiti Resistance

Mr. Bush refused to comment directly on reports that the United States was aiding the Kuwaiti underground with weapons, equipment, intelligence and training, but he added: "I support the Kuwaiti underground. I support anybody that can have a hand in restoring legitimacy there in Kuwait."

Intelligence officials who spoke on condition of anonymity said Mr. Bush had been asked to sign a document authorizing formal cooperation but had so far declined to do so. Nonetheless, they said, numerous kinds of de facto aid is reaching guerrilla forces.

In discussing his plan to raise money to help Middle Eastern and other countries and to help defray American operational expenses, the President said he did not want American soldiers to appear to be mercenaries.

He said that he would send Mr. Baker and Mr. Brady, two of his closest Cabinet colleagues, to talk to the countries from which he hopes to raise most of the money. Mr. Brady is expected to leave next week for London, Paris, Tokyo and Seoul; Mr. Baker will travel to the Middle East, to Moscow and then to Europe.

Although Mr. Bush denied that he was dissatisfied with what anyone had contributed to the multinational effort so far, the fact that he felt obliged to send emissaries indicated otherwise. Senior officials made no secret of the fact that they had what one called "a real selling campaign" ahead of them. They said, for example, that Japan's promised $1 billion was not enough.

Asked about the chances of war, Mr. Bush said: "It's so hard to answer that question, "because of the unpredictable nature of Saddam Hussein himself." The American buildup in the region, he said, "would be a deterrent to anybody with any degree of rationhality. Having said that, I don't know what is on this man's mind."

Brady
런던→파리→동경
→서울

Baker
중동→모스크바
→유럽

일본의
10억弗의
충분치 못함

NYT
8/31/90

2004-2 0221

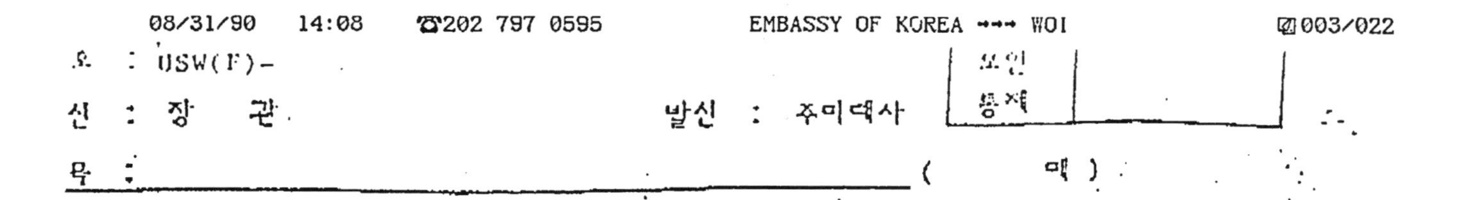
08/31/90 14:08 ☎202 797 0595 EMBASSY OF KOREA →→→ WOI 003/022
수 : USW(F)-
신 : 장 관
발신 : 주미대사
무 :
(매)

In Tallying Gulf Costs, U.S. Counts Impatience

By CLIFFORD KRAUSS
Special to The New York Times

WASHINGTON, Aug. 30 — In drawing up the burden-sharing plan announced today by President Bush to help sustain United States forces in the Persian Gulf, the Administration was mindful that the American people and Congress might become impatient with a drawn-out crisis, State Department officials said.

The officials said that political pressure is likely to grow as the American public starts taking notice of the expanding costs of the operation, especially when many economists say a recession is imminent. The plan is intended to bolster the argument that the sacrifices required to stop Iraqi aggression are truly international.

The Pentagon said this week that American operations in the Persian Gulf will have cost $2.5 billion beyond normal military operating expenditures by Sept. 30.

The political ramifications have been driven home in recent days by members of Congress, who have argued that Japan and other allies should contribute more to the enforcement of the United Nations trade sanctions against Iraq.

Concern for Mideast Allies

The officials said another element of the plan, aid to nations suffering economic hardships, was motivated by the Administration's belief that Turkey, Egypt and Jordan, need financial assistance to make up for the more than $3 billion in annual trade they will lose collectively as sanctions against Iraq take hold.

The State Department officials said that as the crisis deepens, the Administration hopes to assure the political stability of these nations, which are among those most affected by the Iraqi invasion of Kuwait. All three countries face a rise in unemployment and a wave of business failures linked to Iraqi commerce.

Drafts of policy papers prepared by the State and Treasury Departments over the last week have differed in their breakdowns of the needs of the poorer Middle East countries and of the contributions that should be sought from the Administration's wealthier allies.

But officials said the Administration hopes eventually to gain commitments of $2 billion a month or more, including military and economic aid, with the largest amounts coming from Saudi Arabia and Kuwait's exiled Government.

Measuring Jordan's Compliance

The officials suggested that the amount of aid allotted to Jordan would depend on how it fulfills its pledge to observe the embargo against Iraqi trade. President Bush said King Hussein of Jordan had promised to support United Nations sanctions. But there have been continued reports of food and other shipments leaving the port of Aqaba or crossing the Jordanian border into Iraq.

The State Department officials said Bangladesh, Morocco, the Philippines, India and some countries in Eastern Europe would also receive assistance. The Administration does not believe that Bangladesh and Morocco should have to pay for sending several thousand troops to Saudi Arabia when wealthier countries are sending no troops at all, they said.

They noted that the Philippines, India and Eastern European nations are expected to lose vital oil supplies and trade as long as they support the embargo against Iraq and occupied Kuwait.

The Administration's primary goal, a State Department official said, "is to sustain the worldwide support for effective pressure on Iraq. At the same time, we have an important stake in helping countries to respond to the adverse economic affects of the Gulf crisis."

He added, "The idea is not to hit up countries for specific sums, but to build on the consensus we have already achieved and insure an appropriate sharing of the burden."

Nations to Be Pressured

The Administration particularly wants long-term commitments of economic aid from West Germany, Japan, South Korea, Saudi Arabia, the United Arab Emirates and the exiled Government of Kuwait. Officials greeted Japan's announcement that it would commit $1 billion in financing, transportation and medical aid to the effort, but said that much more would be needed from Tokyo in the months to come.

Announcing the program at the White House, President Bush said: "We are more than ready to bear our fair share of the burden, and we also expect others to bear their fair share." He added, "We're trying to take the lead here in helping sort out who should help who."

Mr. Bush said he was sending separate delegations led by Secretary of State James A. Baker 3d and Treasury Secretary Nicholas F. Brady to Europe, Asia and the gulf to solicit contributions.

o 터키. 이집트. 요르단의 대이라크 경제
년 30억$ 무역손상

o 미국의 군사작전
9.30. 25억$ 추가소요

NYT
8/31/90

0222

2004-3

정 리 보 존 문 서 목 록					
기록물종류	일반공문서철	등록번호	32332	등록일자	2009-02-05
분류번호	721.1	국가코드	US	보존기간	영구
명 칭	걸프사태 : 한.미국 간의 협조, 1990-91. 전9권				
생 산 과	북미1과/중동1과	생산년도	1990~1991	담당그룹	
권 차 명	V.2 1990.9월				
내용목차	9.6 미국 국방부 한국과장, 미국의 지원 요청 내용 통보 - 제3국 경제원조 지원, 미국에 대한 매월 직접 지원 Bush 대통령, 노태우 대통령 앞 메시지 송부(페르시아만 사태 관련 지원 요청 등) 9.20 한국의 지원액 총 2억불 결정내용 통보 9.21 주한미국대사, 추가지원 요청 9.24 외무부, 지원방안 발표 -총2억2천불 지원 및 의료단 파견 긍정 검토 9.27 주미국대사, Bush 대통령 친서 전달 * 미국의 대이라크 제재조치 비용 분담 요구에 대한 대응방안, 1990.9., 페르시아만 사태 관련 아국의 대미 지원 현황, 1990.9.10, 페르시아만 사태 전망과 비용 분담문제, 1990.9.12, 미국의 대이라크 제재조치 비용분담 요구와 관련한 관계부처 대책회의 결과, 1990.9.15, 페르시아만 사태 관련 경비분담문제 관계부처 장관 회의 결과, 1990.9.18, 페르시아만 사태 관련 지원 방안(경제기획원 문서, 1990.9.20 대통령 재가), 페르시아만 사태 관련 지원방안(추가)(9.21 대통령 구두재가문) 등 포함					

0001

社說

페灣지원, 넘어선 안될 限界

미국 주도의 對이라크 군사봉쇄작전이 이렇다 할 外交的 돌파구를 마련하지 못하고 있는 가운데 美國은 이해당사국들에 대해 장비지원과 비용분담을 강력히 요구하고 있다. 이와같은 미국측 요구는 적어도 원칙적으로는 부당하다고 외면하기 어려운 논리에서 나오고 있다.

이라크의 쿠웨이트 병탄이 기정사실로 용인될 경우 세계 도처에 잠재해 있는 국가·민족간 분쟁요소들을 무력으로 해결하려는 小英雄들이 발호할 위험이 커지는 것이다. 따라서 이를 막기 위해서도 쿠웨이트 침공이 원상회복되는 것은 모든 평화애호국가들의 절실한 요청이다.

그리고 이라크 사태가 본질적으로는 석유의 공급원을 위협하고 가격체계를 교란시킬 가능성을 안고 있기 때문에 거의 모든 나라의 경제적 이익과도 직결되어 있다. 따라서 이라크 사태의 평화적 해결을 유도하는데 목적을 둔 무력시위라면 모든 이해 당사국들이 이에 助力해야 된다는 주장은 무리가 없다. 또 우리 나라도 그러한 이해 당사국중의 하나에 포함되고 있음은 부인할 수 없다.

그러나 그러한 助力에는 어느 나라건 분명한 한계가 있을 것이다. 특히 우리의 경우 그 한계는 다른 西方國들에 비해 극히 좁다는 점을 미리부터 확인하고 정부는 미국에 대해 우리가 할 수있는 것과 없는 것 사이에 명백한 線을 그어야 할 것이다.

이 선을 그음에 있어서 첫번째 고려는 우리의 능력이다. 겨우 4년간의 경상수지 흑자를 기록한 이래 우리의 무역수지는 적자로 돌아섰고 그중 가장 큰 원인은 미국 자체가 강요해온 급속한 시장개방 조치에서 비롯됐다. 시장개방은 그 불가피성에도 불구하고 우리 정치·경제가 民主化와 산업구조 개편이라는 내부적 변화와 일치되는 시기에 몰려왔기 때문에 우리 경제의 進路를 위협할 정도로 심각한 결과를 가져오고 있다. 따라서 우리에게는 一助를 할 수 있는 餘力이 없다.

둘째 이라크 사태의 핵심부분에 있어서는 우리의 國益과 美國의 國益사이에 차이가 없다. 그러나 그것을 풀어 나가는 방법이 軍事一邊倒여야 하느냐는 문제, 장기적으로 對이라크, 넓게는 對아랍권 외교에 임하는 자세에 있어서는 차이가 있을 수 있다. 우리는 앞으로 사태가 악화되어 中東사태가 지금과 같은 이라크對 汎세계의 구도에서 아랍세계 對 美國 또는 西方과의 대결구도로 바뀌질 경우 美國이 갖고 있는 세계전략적 정책을 그대로 따를 수는 없을 것이다.

이 두 가지 고려 때문에 우리가 할 수 있는 助力의 한계는 유엔의 決議에 따른 집단봉쇄조치에 적극 협조하고 미국에 제공할 것으로 알려진 수송수단과 일부 非殺傷用 장비 제공까지는 어쩔 수 없더라도 어떤 용도에도 전용될 수 있는 「분담금」 제공은 못한다는 점을 분명히 하고자 한다.

브래디 美재무장관이 페르시아灣 주둔군의 작전비용 분담금을 요구하기 위해 곧 韓國을 방문하리라고 한다. 우리는 정부가 이 기회에 이상과 같은 韓國의 입장을 분명히 전달하기 바란다. 정부의 어려운 입장은 십분 이해가 간다. 그러나 과거 권위주의 시대처럼 여론을 도외시하고 압력에 굴해 장기적 國益에 손상을 주는 일이 있어서는 안된다는 점을 지적해둔다.

〈중앙〉

0002

우리에게 닥쳐온 페灣波高

美費用분담요구 배경과 전망

油價상승등 「3重부담」 고민

駐韓美軍문제로 거절名分찾기 어려워

해설

페르시아灣 사태로 韓國은 2중3중의 경제적 부담을 도리없이 안게됐다. 사태발발 이후 배럴당 30달러를 넘어선 국제원유값 상승에 따른 원유도입 추가부담이 그 첫째이고 이라크에 대한 유엔의 경제제재로 이라크와 쿠웨이트의 건설공사및 교역중지에 따른 경제적 손실이 그 둘째다. 여기에다 사우디와 페르시아灣 원유수송로를 美國이 지켜주고 있는 보답으로 미국의 페르시아灣 개입에 따른 군사비, 즉 미국의 페르시아灣 작전비의 일부를 어떤 형태로든 부담하지 않으면 안되게 됐다.

30일 부시美國대통령은 특별기자회견을 갖고 사우디방어와 이라크에 대한 유엔의 제재를 집행하는데는 국제적으로 일치된 노력이 절대 필요하며 이에 따르는 막대한 비용은 「보호를 받는 당사국들과 원활한 원유수송으로 혜택을 받고있는 나라들이 적절하고도 공평한 몫을 분담해야 한다」고 강조했다. 부시대통령은 비용분담 대상국가로 日本과 韓國 西獨 사우디아라비아 쿠웨이트망명정부 아랍 에미리트연합을 지칭하고 미국은 곧 베이커국무장관과 브래디재무장관등으로 구성되는 행정부고위사절을 이들국가에 파견, 협의를 가질것이며, 이들 사절이 현지에 도착하기전에 자기가 해당국가 대통령등 최고지도자들과 전화로 직접 접촉을 갖겠다고 계획을 밝혔다.

현재 美국방부가 추산한 페르시아灣 작전비는 하루에 4천6백만달러(3백22억원), 한달 11억달러 정도며 사태발생이후 9월말까지 우선 두달동안에만 25억달러가 소요될 전망이다. 여기에다 이라크에 대한 경제제재 동참으로 경제적 어려움을 당하고 있는 이집트와 터키 요르단 東유럽국가등에 대한 경제원조도 해주지 않을 수 없게 되어 있다.

부시대통령이 이날 서명발표한 「경제행동계획」이란 이름의 이 비용분담계획은 우선 첫 한해동안 모금액을 2백30억달러로 잡고 이중 절반은 미국이 페르시아灣 작전비에 보태어 쓰고 나머지 절반은 경제원조로 해당국가에 제공키로 돼있다. 부시대통령은 미국 또한 이 지역의 안정에 중대한 이해관계를 갖고있기 때문에 군대파견으로 개입한것이라고 강조하고 다만 미국은 개입에 상응하는 「공평한 몫」을 기꺼이 부담하겠다고 밝혔다.

백악관의 공식발표에 앞서 이날아침 이 계획내용을 특종보도한 워싱턴 포스트는 일본과 서독 사우디 아랍에미리트연합 쿠웨이트 망명정부등 5개국의 분담할 금액을 圖表로 설명하면서(별표참조) 한국의 분담액欄은 「未定」으로 표시해 놓았으며 기타 유럽국가들의 분담문제는 현재 협의중이라고 註를 달았다.

부시행정부의 이같은 비용분담계획은 의회지도자들로부터의 강력한 요청에 더욱 자극받은 것으로 알려졌다. 각 선거구에서 여름휴가를 보내고 워싱턴으로 속속 돌아오고 있는 의회의원들은 페르시아灣 작전비용을 페르시아灣 원유에 의존도가 큰 유럽이나 일본등에 분담시키지 않으면 부시행정부의 개입정책은 국민들의 지지를 끝 잃게 될 것이라고 강력히 경고하고 있다. 지난 28일 의회인사들을 대상으로 한 백악관의 설명회에서 많은 의원들은 「유럽과 일부 아시아국가에 치명적인 원유수송로를 보호하기위해 미국의 젊은이들이 사막에서 죽음을 무릅써야 하느냐」며 행정부의 이 지역 개입정책의 장래에 대한 의회의 지지에 留保를 달았었다.

미국이 군대를 보내고 그 비용을 우방국가들이 댄다면 이지역 주둔美軍은 영락없는 「傭兵」신세가 된다. 부시행정부가 아랍국가와 우방국들에 군대파견을 통해 「多國籍」 방어전선구축을 고집하는 이유도 여기에 있다. 따라서 행정부의 고위관리들은 이 비용분담은 단순한 돈문제를 넘어 앞으로 지역분쟁의 해결에 중요한 利害당사국들이 각기 상응하는 책임을 분담한다는 의미에서 冷戰이후시대의 국제분쟁해결에 하나의 좋은 先例를 만들어 둔다는 역사적 의미가 더 큰것으로 自評하기도 한다.

워싱턴=卞相根특파원

주요國別 분담내용(案)

	基金납부	美軍작전비지원
日本	13억달러	월6천만달러
西獨	6억 〃	〃 4천만 〃
사우디	40억 〃	〃 5억 〃
UAE	10억 〃	〃 1억 〃
쿠웨이트 망명정부	30억 〃	〃 4억 〃
韓國	미정	미정
총계	최소한 100억달러	최소한月11억달러

註 : 워싱턴포스트紙 보도。 유럽국과는 협의예정

기금 지원대상국가및 지원 사유

국가	지원 사유
방글라데시	사우디에 대한 군사지원 제공보상
東유럽	이라크와의 무역중지에 따른 보상
이집트	美國의 군사차관상환불능및 이라크취업 노동자귀국에 따른 어려움 보상
印度	이라크 원유공급 중단에 따른 교역불이익보상
요르단	이라크와의 교역중단 보상
모로코	사우디에 군사지원제공 보상
필리핀	이라크원유공급중단및 취업근로자 귀국사태
터키	이라크와의 교역중지로 年20억달러 손해예상

문제는 한국의 분담 몫이다. 「적절한」 수준이 얼마가될지, 또 어떤 형식으로 분담에 동참해야 할지 우리정부의 고민은 결코 가볍지가 않다. 원유도입선 다변화정책에 따라 근년들어 크게 줄어든 페르시아灣 원유도입 비중, 그리고 상대적으로 늘어난 이 지역 산유국과의 직도입과 이라크와의 일부 독자적 관계등 우리쪽에서 몸을 움츠려 볼 만한 요소도 없지는 않다.

그러나 미국의 분담요구를 거역할수없게 만드는 현실적 제약 두가지가 다름아닌 駐韓美軍과 北韓의 존재다. 페르시아灣 파병으로 예비군동원령을 내리는 판국에 4만3천여 美軍을 주둔시키고 있는 한국이 미국의 분담요구를 거부하기는 어렵다. 더구나 북한이 만에 하나라도 어떤 군사적 도발을 일으켜 우리가 어려운 처지에 빠지는 경우를 가상해서라도 미국의 요구에 박절하게 등을 돌릴수는 없는 처지다. 어차피 돈을 내놓아야할 입장이라면 駐韓美軍의 주둔비용을 우리가 대신 더 맡는 우회적인 분담방법을 생각해 볼수도 있지만 페르시아灣 개입에 대한 국제적 공동대응이라는 형식을 고집하는 미국입장에서 어느정도 수용이 가능할지는 의문이다.

직접 분담이든 간접분담이든, 또 현금지급이든 물자지원이든 간에 한국의 부담은 그만큼 가중될 수 밖에 없으며 북한과의 군사대치가 계속되고 우리의 안보를 미국에 의존하는 한 이지역 강경 「민족주의적」산유국과의 원유직도입등 독자적 외교 또한 스스로 한계가 있다는데 우리의 고민이 있다.

0003

中央日報 1990년9월1일 土曜日 (8)

"派兵경비 분담" 목청높이는 美國

友邦에 떠넘기려는 부시의 속사정

議會등 국내여론비판 "돌파구"

이라크사태 各國 공동인식 촉구

사우디아라비아 파병 美 82공정사단병력이 이라크의 화학무기 사용가능성에 대비, 방독면을 쓰고 훈련하고 있다. 美國은 中東파병 美軍의 경비부담을 우방들에 요구하고 있다.

부시대통령은 30일 기자회견에서 中東파견 美軍경비를 분담해야 할 나라를 제시하며 韓國을 日本다음으로 두번째로 꼽았다.

美國은 그동안 직·간접으로 韓國을 위시하여 서방의 여러나라에 무력지원및 재정지원 요구, 압력을 행사해 왔다.

이러한 압력에 대해 「韓國이 다」「日本은 여러사정을 들어가며 무력지원이 불가능함을 설명하면서 체면치레 정도의 지원만을 염두에 두고 있었다.

그러나 부시대통령의 발표에서나 美언론들의 보도로 보아 이러한 美國의 요구가 결코 체면치레정도로 끝날 상황이 아님이 분명해졌다.

부시美대통령은 회견에서 「美國은 사우디아라비아에 군대를 파병하는등 이번 사태에 대해 적절한 부담을 지고있는 만큼 다른나라들도 각자가 져야할 부담을 공평하게 나누어 가져야 한다」며 이제의 당위성을 설명했다.

부시대통령은 막후의 中東파병으로 보호를 받는 나라와 아자역 원유덕을 보는 나라로 韓國·日本·西獨·사우디아라비아·아랍에미리트·쿠웨이트망명정부등을 꼽았다.

아직 분담규모나 모금방법등은 밝혀지지 않고 있으나 美國은 이들 나라로부터 최소한 기금 1백억달러에 매월 주둔경비중 1억달러를 각출토록 할 계획을 세워놓은 것으로 알려졌다.

美國의 中東사태로 인한 경비부담을 우방에 떠넘기려 하는데는 나름대로의 이유가 있다.

우선 美國은 사우디아라비아 파병 이후 매일 4천6백만달러씩 경비를 지출하고 있으며 이 비용이 9월30일까지 25억달러에 달할 것으로 추계하고 있다.

그러지 않아도 재정적자에 시달리는 美國으로서는 이같은 대규모경비는 감당하기 어려운 것이다.

부시대통령은 이같은 경제적 문제외에도 이번 파병에 대한 국내여론의 비판등 정치적 어려움을 함께 안고있다.

美國내의 가장 비판적인 견해는 「걸프지역의 원유 덕을 가장 많이 보는 나라들은 뒤로 빠져있고 이지역 원유가 없어도 버틸수 있는 美國이 왜 앞장서서 싸워야 하느냐」는 것이었다.

따라서 부시대통령으로서는 의회의 지지를 얻기 위해서라도 부담분산을 모색하지 않을수 없는 입장이다.

美國은 우방국들이 이러한 경비부담에 참여함으로써 이라크사태에 대한 각국의 공동인식도 넓힐수 있다고 강조하고있다.

美國은 아직도 이라크와 무역을 계속하고있는 요르단을 포함, 이라크와 긴밀한 관계를 가졌던 東歐국가들은 물론 사우디에 파병한 이집트나 美軍등에 기지를 제공하고 있는 터키등을 경제적으로 지원함으로써 사실상 이라크를 완전히 국제사회에서 고립시키겠다는 의도도 함께 노리고 있는것이다.

이같은 美國의 경비분담 주문을 상대국들이 어떻게 받아들일지는 아직 미지수다.

美國의 이같은 경비분담요구가 美國의 對中東파견 결정이전에 마련된 것이 아니고 우방들과 어떤 사전협의도 없이 이루어진 것이라면 中東사태해결에서 美國이 모든 것을 독단적으로 결정, 이를 나중에 우방에 떠넘기는 것이 될수 밖에 없다. 〈워싱턴=文昌克특파원〉

0004

Brady 美 財務長官 一行 訪韓 關聯 參考事項

90. 9. 1. 現在

1. 訪韓日程

9.6(목) 20:00 金浦 到着(특별기편)

9.7(금) 10:00 大統領 禮訪
-11:00

12:00 東京 向發

2. 訪韓團 名單

o Nicholas Brady 財務長官

o Lawrence Eagleburger 國務部 副長官

o Paul Wolfowitz 國防部 政策擔當 次官

o David Mulford 財務部 國際 問題擔當 次官

o 訪韓團 規模 : 上記 人士 包含 總 27名(隨行 記者團 包含)

3. 大統領 禮訪時 陪席者

o 我側 : 副總理, 外務 및 財務 長官

o 美側 : Eagleburger 副長官

Wolfowitz 次官

Mulford 次官

Gregg 大使. 끝.

0005

관리 번호	P0-18P3

	분류번호	보존기간

발 신 전 보

번 호 : WUS-2920 900901 2317 EZ 종별 : 지 급

수 신 : 주 미 대사. ~~총영사~~ (친전)

발 신 : 장 관 (미북)

제 목 : 제2차 화물수송기 지원 일정

연 : WUS-2849

미측과 협의를 거쳐 제2차 화물수송기(B-747F) 지원 일정을 다음과 같이 확정하였으니 참고 바람.

9.3(월)	06:30	서울 출발 (KE-096)
	08:50	뉴욕 도착
	11:50	뉴욕 출발
	12:50	Dover 도착 (Delaware주)
	17:30	Dover 출발
9.4(화)	06:50	Frankfurt 도착
	07:50	Frankfurt 출발
	14:30	사우디 Daran 도착
	18:30	사우디 Daran 출발

/계 속....

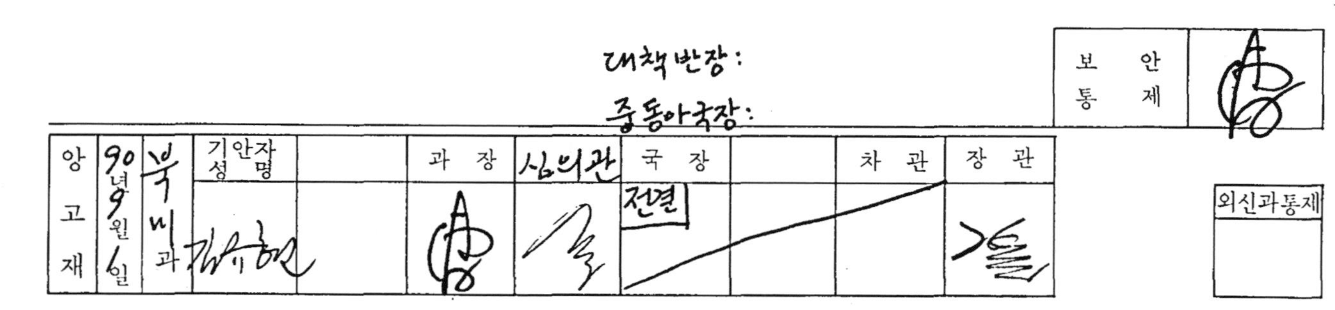

대책반장:
중동아국장:

앙고재	90년 9월 6일	북미과	기안자 성명	과 장	심의관	국 장	차 관	장 관
			(서명)	(서명)	(서명)	전결		(서명)

보안통제 (서명)

외신과통제

0006

9.5 (수)	07:10	Singapore 도착
	09:10	Singapore 출발
	16:10	서울 도착

(미주국장 반기문)

예고 : 91.6.30.일반

0007

제2차 화물수송기(B-747F, KE-096) 지원 일정

9. 1. 현재

9.3 (월)	06:30	서울 출발
	08:50	뉴욕 도착
	11:50	뉴욕 출발
	12:50	Dover 도착 (Delaware주)
	17:30	Dover 출발
9.4 (화)	06:50	Frankfurt 도착
	07:50	Frankfurt 출발
	14:30	사우디 Daran 도착
	18:30	사우디 Daran 출발
9.5 (수)	07:10	Singapore 도착
	09:10	Singapore 출발
	16:10	서울 도착

0008

머릿

〈資 料〉

=================

1) 船舶傭船料

o 撒物船 (Bulr,Carrier)

- 基 準 : 60,000G/T
- 傭船料 : 7,500$/1日

  225,000$/月

  (1억 5,750만원)

o 自動車 運搬船

- 基 準 : 42,000G/T
- 傭船料 : 15,000$/1日

  456,000$/月

  (3억 1,920만원)

o 세미 콘테이너船

- 基 準 : 20,000G/T
- 傭船料 : 11,000$/1日

  334,000$/月

  (2억 3,380만원)

0009

2) 航空機

- o 旅客機 (16)台 예비 1 1個月 2-3回
  - 基 準 : B 747
  - 貸機料 : 550萬$/月
- o 貨物機 (8)台 예비 1 1個月 2-3回 3회사
  - 基 準 : B 747 F
  - 貸機料 : 500萬$/月 (35億원)

0010

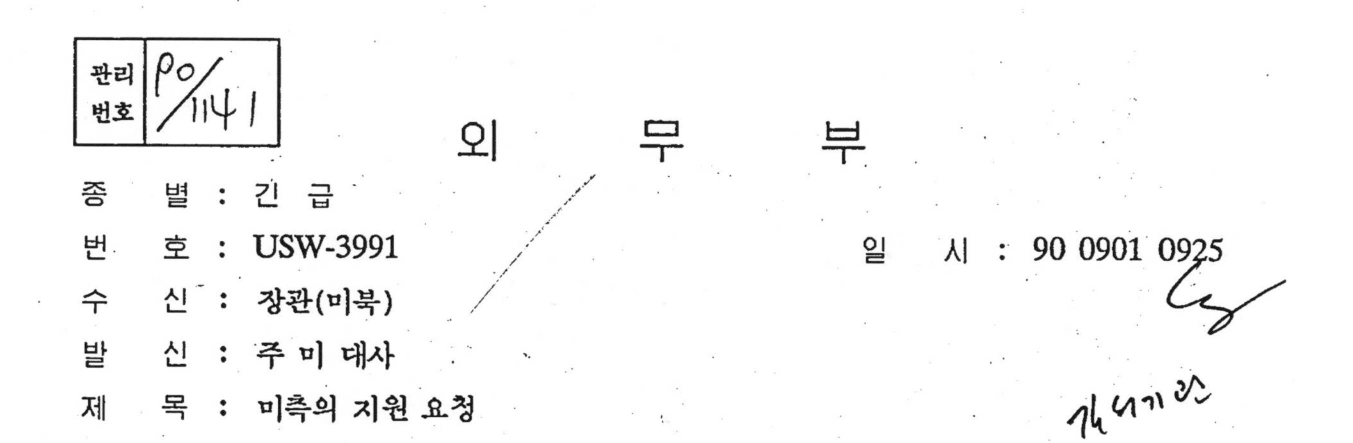

관리 번호 90/1141

외 무 부

종 별 : 긴 급

번 호 : USW-3991 일 시 : 90 0901 0925

수 신 : 장관(미북)

발 신 : 주 미 대사

제 목 : 미측의 지원 요청

연: USW-3988

1. 연호 관련 ANDERSON 부차관보는 8.31 당관 이승곤 공사에게 백악관측은 BRADY 특사의 방한 임무를 설명하고 한국측의 협조를 요청하는 BUSH 대통령의 친특사의 방한 임무를 설명하고 한국측의 협조를 요청하는 BUSH 대통령의 친서(전문)를 주한 미대사관을 통해 아측에 전달키로 하였다고 알려왔음.

2. 동 친서의 전체 내용에 관해서는 동아태국으로서는 상금 알고 있지 못하다고 하여, 부쉬 대통령이 언론 보도와 같이 노 대통령에게 전화를 할 가능성에 대해서도 파악된바 없다고 함. BRADY 특사는 9.6 서울 도착 예정인바, 일정 상세는 주한 미대사관측이 아측과 상세 협의 예정이라고함. 친서 접수시 특이 내용 있으면 당관에도 알려주기 바람.

(대사 박동진-국장)

예고:90.12.31. 일반예고문에 의거 일반문서로 재 분류됨.

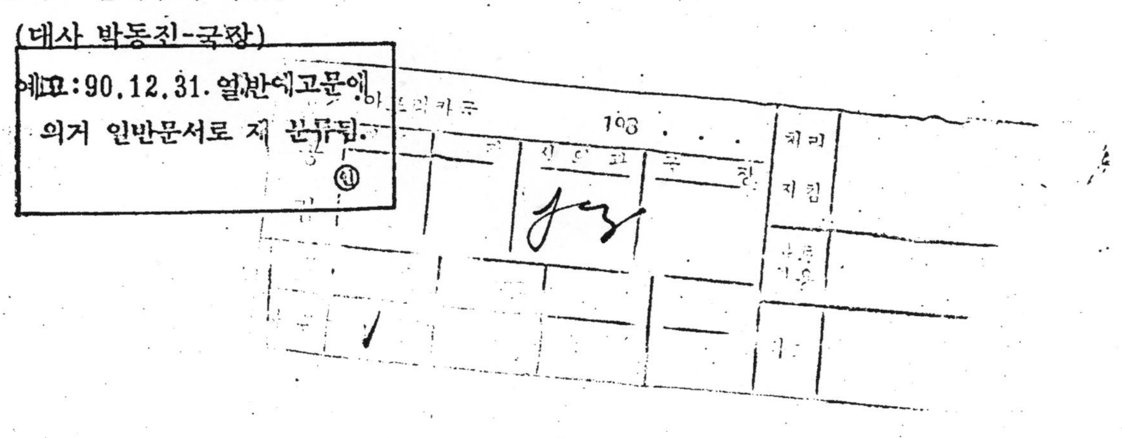

미주국 장관 차관 청와대 중아국 대책반

PAGE 1

90.09.01 23:01

외신 2과 통제관 EZ

0011

「中東」지원, 우리 형편에 맞게

니콜라스 브래디 美 재무장관이 페르시아灣사태에 따른 美軍費 분담을 협의하기 위해서 우리 나라에 온다. 이라크의 쿠웨이트 侵攻이후 사우디에 派兵한 美国정부가 우방국들에 軍費 분담을 요청할 것이라는 예측이 현실화되고 있는 것이다. 이에 앞서 조지 부시 美国 대통령도 기자회견을 통해서 中東지역에서 原油를 수입하는 주요국가들이 美軍費의 일부를 분담해야 한다면서 日本 및 西独과 함께 韓国을 대표적인 국가로 거명했다. 中東지역에서의 原油수입이 중요한 몫을 차지하고 있는 나라들은 미국의 군사작전을 지원함으로써 이 지역의 평화를 유지하고 原油의 안정적 확보를 기대할수 있다는 것이 미국정부의 주장이다. 우리 스스로가 국가적 위기에 처했던 6·25전쟁때 미국을 위시한 참전국들의 국제협력에 의해서 침략을 저지할 수 있었던 입장에서 미국의 軍費분담은 이해할 수 있는 일이다.

더구나 中東지역에서 原油를 수입하는데 그치지 않고 70년대부터 건설진출과 교역확대 등으로 아랍세계와 밀접한 관계를 맺어온 우리로서는 中東의 평화유지는 국가 이익과 직결되는 사항이기도 하다. 또한 오늘날에도 미국과 군사동맹을 맺고 있고 제1의 수출대상국인 동맹국의 협조 요청을 진지하고 긍정적으로 수용해야만 하는 것이 우리의 현실적 입장이기도 하다.

이같은 이유때문에 정부는 이미 우리나라 항공사로 하여금 美軍의 수송업무에 협조하도록 조치하고 있는 것으로 알려지고 있다. 그러나 페르시아灣사태로 인한 미국의 군사작전에 대한 軍費분담은 재정적인 문제뿐 아니라 외교적인 측면에서도 우리의 능력과 국가 이익에 부합되는 선에서 결정되어야 할것이다.

우리 나라가 中東지역의 原油에 크게 의존하고 있는 것은 사실이지만, 경제규모는 日本의 20분의 1정도 밖에 되지 않으며, 국제수지나 외화보유고는 그 보다도 못하다. 더구나 韓半島의 군사대치상황 때문에 국민총생산의 4%전후를 국방비로 지출하면서 지역안보에 크게 기여하고 있는 우리의 입장에서 미국의 中東지역 軍費분담에는 무리가 따르는 것이다.

외교적으로도 미국의 対中東외교정책 및 군사작전과 우리의 국가이익이 항상 일치될수는 없을 것이다. 北韓의 존재에 크게 신경을 쓰지 않는다 할지라도, 페르시아灣사태 해결의 방법과 앞으로의 中東의 정치판도에 대한 견해는 다를수도 있기 때문이다. 따라서 美軍費 분담문제는 현금지원방법이 아니라, 정부가 이미 발표한대로 특수 물자와 용역지원 등으로 제한되어야 할 것이다. 서방 세계의 일원으로서, 또한 우리 스스로가 국제협력의 혜택을 입은 입장에서 中東에서의 미국의 역할을 평가하고 협력하는 것은 있을 수 있는 일이다. 그러나 그 협력은 우리의 능력과 수준에 걸맞는 것이 되어야 할것이다.

(조선, 9.2)

0012

社説

과도한 분담금은 곤란하다

―브래디美재무장관의 來韓을보는 視角

니콜라스·브래디 美재무장관이 미군의중동파병과 관련하여 한국의 경비분담을 요청하기위해 빠르면 금주초 서울을 방문 할것이라는 소식에 접하면서 우리는「우리의 입장」을 정리해 본다.

명분상으로 볼때 우리는 미국의 어려운사정을 도와주어야 할 처지에 있음을 부인 하지 않는다.

우리가 어려웠을때 도와준 전통우방에 대해「나몰라라」하고 외면하기도 어렵겠거니와 駐韓미군을 주둔시켜 가면서 對北전쟁억지력을 유지해 주고 있는 현실에 비추어 볼때도 미국의 요구에 인색할수도 없을 것이기 때문이다.

그러나 감당해내기 어려운 과도한 요구라면 다부지게 따져야할것은 따져야한다고 생각한다.

부시 대통령이 中東분담금을 거론하면서 日本, 西獨과 함께「한국」을 지칭했을때 느낀 심정은 솔직하게말해 불안하다는 것이었다.

日本에 13억달러, 西獨에 6억달러를 요구했으니 우리에게 할당되는분담요구액도 만만치않을것이라는추산이 가능했기때문이었다.

우리의 재정형편은 지금 막대한 자체방위비를 지출하는데도 허덕이고 있는게 현실이다. 또 주한미군에 대해 인력지원비, 운영유지 관련비용등 직간접 비용으로 지난해에만도 22억1천9백50만달러(약 1조6천억원상당)를 부담했고 이런 부담액은 앞으로 계속 늘어날 추세에 있어 짐이 무거워지고있다.

아직도 純外債가 2백억달러이상 남아있는데다가 수출부진등 경제침체까지 겹쳐있는 상황이다.

더구나 각국의 경비부담액중 상당부분은 현지에 다국적군의 일부를 파견했거나 對이라크 경제재재조치에 협력함으로써 교역및 자원관리상 손해를 보고있는 이집트, 모로코, 요르단, 인도, 필리핀등 국가들에 지급될것이라는데 대해서는 아연해지지 않을 수가 없다. 우리가 지원받을 나라의 대열에서 겨우 빠져나왔는지는 모르나 아직 그들 국가들을 지원해줄만큼 여유가 있는것이 아니기 때문이다.

미국의 과도한 분담요구 가능성은 우리 스스로가 자초한 함정일수도 있음을 自戒해야 한다고 믿는다.

5共이래 우리경제의 실력을 실체이상으로 대외홍보해온것이나, 東歐등 북방외교를 추진하는 과정에서 경제적 선심을 앞세운 외교적 短見등이 부시대통령에게까지 日本, 西獨에 다음가는 여유국가로 과대평가 하게 했었는지 모르기 때문이다.

中東원유에 전적으로 의존해야 하는 우리나라의 對中東외교적 立地도 國益을 중심으로 냉정히 검토해야할 부분이다.

브래디 재무장관이 내한하면 분담금의 내역에 대한 구체적인 협의가 진행되겠지만 과도한 요구에 대해서는 분명하고 합리적인 우리측의 입장을 반영해야 할것이고, 어느 경우이더라도 모든국민들이 알고 납득할수 있게끔 협의를 공개적으로 진행시켜줄것을 촉구하고 싶다.

〈한국. 9.3〉

0013

공보관실 요청(장관님 9.3 기자회견시)

중동사태 관련, 미국의 군사비용 부담제의 여부?

o 중동사태의 해결을 위한 국제적 노력과 관련, 우리는 유엔의 관련 결의안을 적극 지지하며 경제제재 조치를 성실히 준수하고 있음. 국제사회에서 아국의 신장된 국위에 상응하는 책임과 역할의 수행이 중요하다는 인식하에 우리는 미국을 비롯한 관계국들과 사태해결을 위해 우리가 우리의 능력범위내에서 어떻게 도움을 줄 수 있을지에 관해 계속적인 협의를 진행중에 있음.

o 미국은 사태해결 노력에 수반되는 비용을 관련국들과 분담할 필요성을 피력한 바 있으나, 아직 우리정부에 대해 구체적으로 군사비용 부담을 요청해온 바는 없음.

0014

대처방안

o 기본적으로 미국의 요청에 가능한 최대 성의 표시

- 국제사회에서 아국의 신장된 국위에 상응하는 책임과 역할의 수행이 장기적으로 아국의 국익에 부합

o 비군사분야 지원을 통한 적극적 협조 의사 표명

- 한반도 안보상황의 특수성에 비추어 직접적인 군사지원은 곤란
- 미측의 구체적 요구 사항 청취
  . 해상운송 민간선박등 수송지원
  . 항공운송 민간항공기등 수송지원
  . 의약품, 의료장비 지원

o 우리의 능력범위내에서 적극 협조

- 일본, 서독과 동일한 수준에서 비교할 수 없는 현실 지적
  . 남북한 군사적 대치로 인한 과중한 국방비 지출
  . 일본의 분담액과 산술적인 비교는 곤란

0015

대미 방위비 분담 현황

대미 방위비 지원 현황

o 현　재 : 아측은 약26억불(이중 대부분이 토지등 간접 지원)이라고 계산하고 있으나 미측은 이중 3억불만이 실질적인 아측 부담으로 계산

o 91년　: 아측이 1.5억불을 증액키로 최근 합의함에 따라 총 지원액수는 3.8억불(미측계산)이 됨

0016

1990年 9月4日 火曜日 세계일보 【2】

정부, 美페灣 비용분담 요구 수용

非군사부문 1억弗안팎

부시特使맞아 본격협상할듯

정부는 페르시아灣사태와 관련한 美國의 對韓방위비분담요구를 일단 긍정적으로 받아들여 다각적인 비용분담방안을 마련키로 했다。

3일 관계당국에 따르면 정부는 미국의 페灣사태관련 비용분담요구를 적극 수용、비군사적인 비용분담방안을 마련중이다。

비군사적 비용분담은 주로 터키 이집트 요르단등 미국의 對이라크경제봉쇄조치로 피해를 보고 있는 주변국가들에 대한 경제원조형태가 유력시되고 있다。

구체적인 경제원조규모등은 이번주중 부시 美대통령의 특사자격으로 방한하는 니콜러스 브래디 美재무부장관과의 협의후 결정할 계획인데 1억달러 안팎에 이를 것으로 보인다。

소요재원은 대외경제협력기금의 여유분 2천만달러를 우선 사용하고 부족분은 중동지역의 군사비행장건설 등에 우리 민간건설인력과 장비를 제공하는 방안등이 검토되고 있다。

그러나 정부관계자들은 미국이 美군사력에 의한 중동산油價인하와 이로 인한 한국의 혜택 등을 이유로 군사적인 분담을 고집할 경우 우리의 분담몫은 커질 수밖에 없으며 이렇게 되면 국방예산의 전용등도 불가피할 것이라고 밝혔다。

0017

Embassy of the United States of America

Seoul, Korea

September 4, 1990

Dear Mr. Minister:

Since the Iraqi invasion of Kuwait at the beginning of last month, our governments have worked together with the international community to prevent further aggression and restore stability in the Gulf region. Your government's offer of air and sealift support is a vital and welcome contribution. The air cargo mission of August 23 was the first allied contribution of its type, and I would like to convey my appreciation, especially to those in your ministry whose personal efforts were instrumental in such a positive and rapid response.

Many other nations are joining in the effort. The United States airlifted some 50,000 troops and 36,000 tons of high priority combat equipment by the end of August. The impressive pace of the supply effort must be increased because we started with almost nothing in place and if fighting should break out, our positions would be vulnerable to serious damage.

For our part, in addition to concerted diplomatic actions, the United States is undertaking the fastest movement of Navy fleets, Army divisions, Air Force wings, and Marine Corps expeditionary brigades ever. We have activated the U.S. Civil Reserve Air Fleet, and President Bush used special power to call up reserve component forces for the first time in 20 years.

Many nations have moved forces into the region, and many more are assisting in the Gulf operation. NATO member nations, for example, are being called on to provide 60 air missions and 80 ships by mid-September, and Japan is being asked for an air and sealift contribution commensurate with its resources.

My government hopes the Republic of Korea will sustain the momentum and expand on its valuable initial contribution. My government firmly believes that your government will continue to provide assistance commensurate with Korea's growing resources. In this connection, I have been instructed to request two dedicated wide-body airliners for use until our crucial mission is accomplished.

0018

In addition to deterring further aggression and restoring stability, our actions are designed to create the conditions necessary to induce an Iraqi withdrawal and see the legitimate government of Kuwait restored.

Later this week a Presidential delegation lead by Treasury Secretary Nicholas Brady, Deputy Secretary of State Lawrence Eagleburger, and Under Secretary of Defense Paul Wolfowitz will visit Korea for further discussions on how we can expand cooperation in meeting aggression in the Persian Gulf, a region vital to Korea's and America's national interests. I look forward to seeing you later this week and to discussing this important issue in greater detail.

Sincerely yours,

Donald P. Gregg

Donald P. Gregg
Ambassador

His Excellency
Ho-Joong Choi,
Minister of Foreign Affairs
of the Republic of Korea,
Seoul.

0019

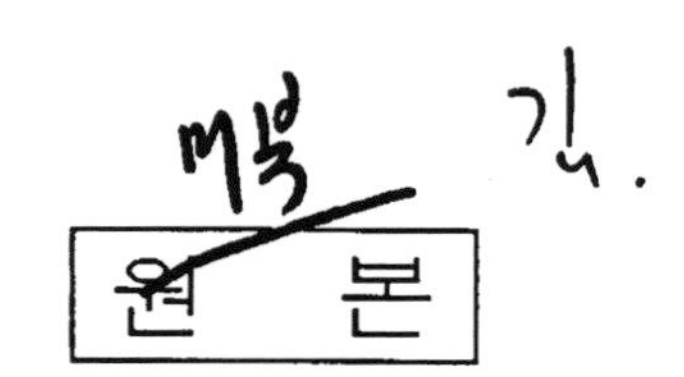

관리번호	P0-1P33

원 본

외 무 부

종 별 : 긴 급

번 호 : USW-4058 　　　　일 시 : 90 0906 2025

수 신 : 장관(미북,중근동,기정)

발 신 : 주 미 대사

제 목 : 이락 사태 관련 비용 분담

1. 금 미 국방부 한국 담당관에게 확인한바에 의하면 실무선에서 검토된 아측에 대한 분담 희망 액수는 다음임.

가. 금년도 현금 5 천만불, 물자 및 써비스 1 억불, 합계 1 억 5 천만불

나. 명년도 매월 현금 5 백만불, 물자및 써비스 2 천만불, 합계 월 2 천 5백만불

2. 한편 당관 유참사관이 금일 국무성 리챠드슨 한국과장에게 금번 재무장관의 방한시 논의될 미측 입장을 문의한바(상기 내용은 언급치 않고)자신은 세부요청 금액등은 알고 있지 못하다고 하면서 금번 특사 파견은 갑자기 결정되어시행 되었기 때문에 각 부서간에 협조 없이 국방부, 재무부 및 국무부가 각각소관 사항만 보고서를 제출하였다고함. 따라서 국방부가 구체적으로 어느정도의요청을 건의했는지 모르지만 국무부 와의 충분한 사전 협의는 없었다고 말함.

3. 참고로 우방국의 비용 분담 관련 백악관 NSC 의 PAAL 보좌관은, 서독의경우 금일(9.6) 워싱턴 포스트지는 서독의회가 현금 지원을 거부하기로 결정한것으로 보도하고 있으나 이미 콜 수상이 상당한 정도의 지원을 약속하였기 때문에 결국 적극 협조하게 될것이라고 말함.

4. 또한 동 보좌관은 금번 이락 사태가 군사적 해결 보다는 경제적 제재 조치가 실효를 거둘수 있도록 하기 위해서 주요 서방국가가 사태의 장기화에도 단결하여 대비할수 있다는 자세가 필요하며 이점에서 비용 분담 요청에 많은 국가가 참여하는것이 매우 중요하다고 말함.

(대사 박동진-국장)

90.12.31 일반

예고문에 의거 일반문서로 재분류19 90.12.31 서명

미주국 장관 차관 1차보 2차보 중아국 청와대 안기부 대책반 (경제국 통상국)

PAGE 1 　　　　90.09.07 10:02

외신 2과 통제관 BN

0020

미국의 지원 요청 내용

(9.6. 미 국방부 한국과장이 주미 해군무관에게 통보해 온 내용)

1. 제3국 경제원조 지원액

o 현금 : 5천만불

o 물자 및 용역 등 : 1억불

2. 미국에 대한 매월 직접 지원액

o 현금 : 5백만불

o 물자 및 용역 등 : 2천만불

* 화물 수송기는 매주 2-3회, 선박은 수송물자 있을시 지원
  (동 비용은 용역비에 계상)

* 물자의 경우 민간 건설장비, 텐트, 식량, 방독면 등 한국이 지원할 수
  있는 품목 환영

0021

9.86.

對이라크 制裁措置 參加 및 費用分擔 要求 對應問題

1. 美國의 支援 要請 內容

가. 第3國 經濟援助 支援額 : 總1億5千万弗(第1次年度)

o 現金 : 5千万弗

o 物資 및 用役 等 : 1億弗

나. 美國에 대한 每月 直接 支援額 : 總2千5百万弗

o 現金 : 5百万弗

o 物資 및 用役 等 : 2千万弗

* 貨物 輸送機는 每週 2-3回, 船舶은 輸送 物資 있을시 支援 (同 費用은 用役費에 計上)

* 物資의 境遇 民間 建設裝備, 텐트, 식량, 防毒面 等 韓國이 支援할 수 있는 品目 歡迎

다. 駐韓 美大使, 美國 政府 訓令에 의거 輸送用 大型 航空機(B747) 2대를 無期限 提供해 줄 것을 要請

* B-747 月 賃借料 : 約 550万弗

0022

2. 我國 政府의 旣支援 內容 : 總350万拂 相當

ㅇ 航空機 3回 輸送支援(約150万弗)

ㅇ 船舶 1回 輸送支援(約200万弗)

* 第3國에 대한 經濟 또는 物資 援助를 檢討中

- 방글라데쉬 等에 대한 剩餘 쌀 無償 援助

- 이집트에 대한 防毒面(5,000着 程度)支援 等

- 필리핀人 送還을 위한 輸送 支援 問題 檢討

3. 考慮事項

(肯定的인 面)

ㅇ 韓.美 基本 安保協力關係

ㅇ 앞으로 韓半島 有事時에 對峙, 美國의 要請을 肯定的으로 受容한다는 姿勢

ㅇ 我國의 對 中東 原油 依存度에 따른 道義上 問題

* 75.4% (64만 B/D)

0023

(否定的인 面)

o 我國의 現 經濟 事情

o 이라크 殘留 我國 僑民 安全(9.6. 現在 : 340名) 및 對이라크 建設 貸金 回收上의 問題

o 國內 輿論上의 問題

o 이라크 事態가 長期化 될 境遇 費用 增大 可能性

o 韓國이 두드러지게 親美的이라는 印象을 아랍 世界에 줄 憂慮

0024

청와대 대변인 브리핑

(90.9.7. 금, 10:00)

길서기관

부쉬 미대통령은 9.6. 그레그 주한미대사를 통해 노태우 대통령에게 아래 내용의 메세지를 보내옴.

먼저 남.북 고위급회담의 개최를 축하하고, 이 회담이 평화 통일을 향한 중요한 발걸음이 된다고 인사함.

이어 페르시아만 사태에 관한 유엔 안보리의 결의에 따라 취하고 있는 대이라크 제재 조치에 한국이 참여, 지원하고 있는데 대해 사의를 표함. 유엔 제재 조치를 실행하는 것은 세계 평화를 위해 필요하며, 세계 여러나라의 경제적 안정을 위해서도 불가결한 것임.

미국은 페르시아만 지역에 군사력을 배치하여 매월 20-25억불이 소요되고 있음. 또 운송 수단등의 지원도 필요함. 페르시아만 사태로 피해를 받고 있는 아랍 주변국이나 경제적 타격을 입고 있는 국가들에 대한 지원도 필요함.

브래디 특사를 만나 주시는데 대해 고맙고, 특사의 설명을 듣고 한국측의 지원을 요청함.

오늘 있을 대통령과 브래디 특사의 면담 내용은 면담후 설명 예정임.

0025

청와대 대변인 브리핑

(90.9.7. 금, 11:50)

김서기관

o 금일 대통령의 "브래디" 미특사 면담에는 미국측에서 "이글버거" 국무부 부장관과 "월포비츠" 국방차관등이 배석하였음.

o 금일 면담에서 "브래디" 특사는 페르시아만 사태와 관련, 아래와 같이 대통령께 설명하였음.

유엔 결의에 따라 서방국가 뿐만 아니라 소련까지 이라크의 침략행위를 응징하고 있으며, 현재의 대이라크 경제 제재 조치는 석유의 자유로운 공급 및 유가 안정을 위해 불가피한 것임.

미국의 기본입장은 군사 제재 조치 이전에 경제 제재 조치가 실효를 발휘하여 소기의 목적을 달성해야 한다는 것임. 그러나 군사적 응징 가능성을 배제하지는 않음. 미국은 현재 약 10만여명의 군대를 현지에 투입하였으며, 이를 위해 월 25-30억불 정도가 소요되고 있음.

경제 제재 조치가 실효를 거두기 위해서는 이라크를 둘러싸고 있는 터어키, 요르단, 이집트등이 강하게 버티어 주어야 하며, 따라서 이들 국가를 경제적으로 지원해야됨. 한국의 경제 규모에 비추어, 또한 유가가 앙등할 경우 한국 경제에 심대한 영향을 줄 것등을 고려, 한국의 지원을 요망함.

o 대통령께서는 이에 대해 아래와 같이 말씀하셨음.

우리 경제와 안보 상황에 비추어 가능한 지원을 하겠음. 구체적 지원 방안에 관해서는 외교경로를 통해 관계장관들간에 협의해 나가도록 하겠음. 끝.

0026

TO: Forign Ministry, North America Div., Kim Kyu-hyun
(Fax No. 720-2686)

FROM: USIS-Information Office, Seoul

Transcript of Secretary Brady's Press Conference, Sept. 7, 1990

Secretary Brady will make a comment or two and then take your questions. I'd also like to introduce Deputy Secretary of State Lawrence Eagleburger, Under Secretary of Defense Paul Wolfowitz, of course, Ambassador Gregg, and Under Secretary of the Treasury David Mulford. Mr. Secretary, would you care to make a remark?

Secretary Brady: Thank you. We had a very successful meeting this morning with President Roh and his associates. We outlined President Bush's plan. And I would say that President Roh said quite clearly that he thought the plan was right on target and that Korea would be supportive of the plan and, of course, he applauded the President's quick and decisive action. So, we couldn't have expected a more positive response out of the Koreans than we got out of President Roh this morning. I'll be glad to answer any questions.

Q. Mr. Secretary, sir, did President Roh put any numbers on Korea's contribution to the U.S. net effort?

A. No, he did not. The plan, as I am sure you are well aware, has two parts to it, which is the defense part, sharing the burden with regard to defense costs, and the second part being the buttressing of the front-line states -- Egypt, Turkey and Jordan. We went through that. We put ballpark numbers on what those two pieces would cost. But he did not do more than reply to the fact that he thought the plan was the right one, and that Korea supported it.

Q. Did you go into at all what you had hoped that South Korea's contribution would be, ballpark numbers for that country individually?

A. Yes, we did. But those figures as you can well imagine should remain between this delegation and President Roh.

0027

- 2 -

Q. Did you make a specific request to the South Korean government?

A. Yes, we did.

Q. What were those, please.

A. As I said, that is to remain between ourselves and the President. It is up to the President to comment on this.

Q. Did you expect a response on those numbers today?

A. No, we certainly did not. That's a good point. We did not expect a response. The purpose of the exercise was to lay out the strategy behind the plan, which is to add to the diplomatic and military leg an economic leg. That proves the sustainability of the first two legs and puts to rest any idea that the sanctions and embargoes won't be successful. That was the purpose of the plan.

Q. Did you ask for Korean assistance on both aspects of the effort?

A. We asked for Korean assistance on both aspects of the plan.

Q. Was he equally supportive of both?

A. He was equally supportive of both.

Q. Did he say anything about how South Korea, as he has in the past, is a bit preoccupied militarily and cannot afford to do much militarily?

A. Well, without accepting the question the way you phrased it, he certainly did talk about the North-South problem, and that is a problem that the United States understands fully and with which we sympathize.

Q. Have you been disappointed at all in the European response? There was a story today saying that West Germany has refused the American request for help in offsetting the military cost in Saudi Arabia.

A. Well, I don't know how anybody would know that because Jim Baker hasn't been to Germany yet. He will be on his trip and I can't imagine that West Germany won't be supportive of this plan. It's beyond any concept that anybody could have that they wouldn't be part of the plan.

Q. What about overall European response so far? Have you been ...

A. Well, we've been to England and France, so our sample is restricted to those two countries, and I would say again that

0028

the response to the outlines of the plan that we put forth in both France and England was extremely heartening.

Q. Did the South Koreans make any kind of commitment about in-kind military aid on their transports or medical or anything like that at all?

A. No, because we didn't get into that level of details, but obviously support can come in the form of cash or in-kind contributions. Either one is acceptable.

Q. Mr. Secretary, the South Koreans have already done some things, I understand, in terms of a wide-body jet and some in-kind support. Are they paying for those things or are they presenting a bill to the U.S. for them?

A. My understanding, Paul, with regard to the wide-body jet, do you have an answer to that question?

(Response from Paul Wolfowitz) It's a donation.

Q. Can you clarify what that donation was? Was it wide-body jets?

A. (Amb. Gregg) There have been two round-trip flights by a wide-body jet from the United States to Saudi Arabia and one or more additional ones.

Q. Did you put forward any type of timetable in which the South Koreans will have to respond?

A. Not with respect to the response, but we did outline in our plan the fact that, with regard to the front-line states, their needs are immediate. And that the plan contemplates a short-term response which we would hope would be forthcoming by the end of September, and a longer term response for 1991. Again, both of these elements are very important to demonstrate the sustainability of the diplomatic and military efforts. So, we want to make sure that nobody, particularly Saddam Hussein, gets the idea that this is going to be short-lived, if it needs to be longer.

Q. Are you satisfied with the Japanese response so far and how are you going to get them to honor the pledges they have made that go beyond that?

A. Well, we're going to Japan this afternoon and we will have a "full and frank discussion," as the phrase goes, with Prime Minister Kaifu and some of his associates. So, let's wait till that takes place.

Q. Can you clarify, the Japanese have said that the one billion dollar package that's been announced is the only thing they can possibly offer until next year. The United States

0029

seems to be saying that this is a useful first step. Can you clarify, does that mean that the United States would like something more than that package this year? Will you be telling that to Prime Minister Kaifu?

A. First of all, I don't think the Japanese said this is the only thing that they are going to come forward with. I had some of those conversations personally and that is not what they said. However, we expect to put before the Japanese the same plan that we put before the British, the French and the Koreans. And I would expect that they would have the same reaction that the three countries have, that is, positive.

I'm sorry, we're out of time. I can just take one last question.

Q. The Koreans seem concerned about their potential loss of construction business and other trade and business that they have in Iraq and Kuwait and, in particular, abstained in a recent vote to expel Iraq as a nation in sports organizations. Did President Roh raise the concerns about loss of Korean business in Iraq and Kuwait and the difficulty that that puts him in?

A. Only in a very, very tangential way. President Roh understands, as does everyone that we've met with, the effects on each of our economies of an increase in the price of oil. For instance, every ten dollar per barrel increase in the price of oil, some analysts say, means two and a half billion dollars on an annual basis to the Korean economy. So, the idea that a dictator is going to come in and take over Kuwait and maybe go further and produce a barrel price for oil many multiples of what it has been has an effect on each of our economies -- the United States, Japan and Korea -- that is very, very important. And the President understood this. And again, as I've said, we were heartened by the positive response that he had to our whole presentation.

Did you have another question?

Q. Yes.

This is the last question, I'm sorry.

Q. In addition to Roh, while you're positive, we keep getting these reports after you leave these countries that, for various negative reasons, they can't do more, they have domestic problems inside that will prevent them from doing more. Were these concerns raised at all in the meetings with the French and the British?

A. Well, there are particular problems that every country has. But the logic behind our plan, and I say our -- it is a

0030

plan for all of the nations that back the U.N. sanctions -- is compelling. We want to make sure the sanctions and embargo work because that is the preferred option to deal with Saddam Hussein, and having an economic leg to the diplomatic and military leg is very important. All world leaders understand that. Equally so, all world leaders understand the peril of having one person in charge of the world price of oil and what that would mean to each of our economies. So, when both of those things are taken into consideration, the response is exactly what you think it would be, and that's positive.

공 란

공 란

공 란

공 란

공 란

공　　　　란

공 란

공 란

공 란

공 란

관리 번호	90-1941

	분류번호	보존기간

발 신 전 보

번 호 : WUS-2982 900908 1218 FC 종별 :

수 신 : 주 미 대사. ~~총영사~~ (친전)

발 신 : 장 관 (미북)

제 목 : 대미 수송 수단 지원

연 : WUS-2920

1. 미측의 수송 수단 지원 요청에 따른 화물 수송기(3차) 및 화물 수송선(최초) 지원 일정이 미측과 협의를 거쳐 다음과 같이 확정되었음을 참고 바람.

가. 수송기(대한항공 B-747F)

- 9.10(월) 16:20 버지니아주 Langley 기지 발
- 9.11(화) 19:40 사우디 Dhahran 도착

나. 화물 수송선(2만톤급 삼선 Honor호)

- 9.13(목) 캘리포니아주 Long Beach항 출항
- 10.27(토) 사우디 Jubail항 입항

2. 한편, 상기 화물 수송선은 bulk carrier로서 크레인, 불도저등 장비를 수송하게 될 것임. 끝.

검 토 필 (1990.12.31.)

(미주국장 반기문)

예고 : 91.6.30. 일반

예고문에 의거 일반문서로 재분류 1991.6.30. 서명

대책반장:
중동아국장:

	보안 통제	

앙고재	90년 9월 8일	북미과	기안자 성명	김규현	과 장	심의관	국 장		차 관	장 관
					(서명)	(서명)	전결			(서명)

외신과통제

0042

長官님 말씀資料

(페灣 事態 特別委員會用)

1990. 9. 8 10:00

外 務 部

0043

오늘 特別委員會 外務部 所管 討議事項으로서 페르시아灣 情勢現況과 展望에 關하여는, 이미 잘아시는 사항이므로 時間上 지금 配布해 드린 資料로서 대신코자 함을 諒解해 주시기 바람.

먼저 브래디 財務長官이 어제 靑瓦台 禮訪時 說明한 要旨를 보고드리겠음.
同 長官에 의하면, 지금 現地 狀況은 이라크가, 10個 師團 십육만명을 쿠웨이트 南部 사우디와의 國境地帶에 配置하고, 전차 등 機動部隊는 좀 뒤로 뺌으면서 防禦 態勢를 취하고 있으나, 24時間 내지 48時間内에 攻擊 態勢로의 轉換이 可能한 狀態여서, 早期 警報의 時間的 餘裕가 짧은 狀況이라 함.

한편, 美國은 地上軍 4個 師團 5만명, 해공군 10만6천명, 戰鬪機 6백대, 海軍艦艇 50여척을 動員하였음. 여기에 濠洲等 여러 나라가 多國籍軍에 參加하고 있으나, 美國 英國 佛蘭西軍이 주축을 이루고 있다함.

이런 狀況下에서, 美國이나 多國籍軍 參加國의 立場은 이번의 페르샤灣 問題를 經濟的 制裁措置로서 解決하기를 원하지만, 그렇다고 軍事作戰에 의한 解決도, 그 可能性은 극히 적지만 完全히 排除할 수 없는 狀況이라 함.

0044

이번 中東問題의 解決을 위하여는, 많은 나라의 經濟的인 協調가 重要하고, 특히 經濟 制裁措置에 參與하여 많은 어려움을 겪고 있는, 터어키, 이집트, 요르단에 대한 經濟支援이 時急한 狀況이라 함.

한편 美國은 現地 動員 兵力을 維持하는데 總體的으로 매월 30億弗이 소요되고, 5천마일 떨어진 현지 兵力 維持에, 追加的인 負擔만도 每月 10億弗이 소요된다 함.

터어키. 이집트. 요르단을 支援하는데 금년말까지 35億弗이 所要되고, 來年에는 70-80億弗이 따로 必要하다 함.

以上과 같은 狀況下에서 많은 나라가 經濟的 財政的 짐을 分擔하는 것이 절실히 필요하다고 說明했음.

다음으로 이라크의 쿠웨이트에 있는 우리 僑民 撤收 問題에 關하여 報告드리겠음.

當初 쿠웨이트에는 6백5명이 있었으나, 殘留를 希望하는 9名의 僑民 以外에는, 596名이 쿠웨이트에서 撤收함으로서 事實上 全員이 安全하게 撤收를 完了 하였음.

0045

이라크에는 當初 722名中 436名이 撤收하고 286명이 殘留하고 있으나, 이들은 主로 現代, 三星, 한양건설 等 勤勞者들이며 9.10까지는 殘留者가 200名 以下로 될 것으로 豫想됨.

殘留僑民은 所屬業體와 緊密히 協調, 公館長 指揮 아래 段階的으로 撤收할 計劃이나, 그 시기는 僑民의 保護와 未收金 問題等 諸般事項을 勘案, 伸縮性있게 實施할 것임.

또한 無依托 撤收僑民 250名의 撤收經費 約 82萬弗 支援이 必要하여, 預備費 使用을 申請하는 等 事後對策을 講究中에 있음.

마지막으로, 쿠웨이트駐在 우리 大使館의 活動中斷 問題에 關하여는, 이라크 外務省으로부터 8.24限 폐쇄토록 要求를 받았지만, 우리는 유엔 決議를 尊重하여 폐쇄 時限에 一但 不應하였음.
그러나 8.27以來, 大使館은 斷電, 斷水 및 通信 杜絶等 不可避한 狀況下에, 大使 및 職員 모두가 9.2字로 일단 바그다드로 待避하고, 大使館 活動을 一時的으로 中斷하였음.

소대사 一行은 이라크에서 出國을 許容치 않아 바그다드에 머물고 있는 狀態임.

(以上)

0046

페르시아만 事態 關聯 我國의 對美 支援 現況

90. 9. 10

外 務 部

0047

政府는 8.20. 大統領 閣下의 裁可에 따라 美國에 대해 貨物 輸送機 1대를 3回에 걸쳐 旣提供 하였으며 貨物 輸送船 1隻도 支援中인바, 9.10(月) 現在 對美 支援 措置 現況을 報告 드립니다.

支援 措置 內容

o 大韓航空 貨物 輸送機(B-747F)에 의한 航空 輸送 支援 3回

- 第1次(8.28) : 美國 캘리포니아州 엘 토로 基地로부터 사우디 다란까지 物資 輸送(60톤, 品目 未詳)
- 第2次(9. 3) : 美國 델라웨어州 도버 基地로부터 사우디 다란까지 物資 輸送(60톤, 食品)
- 第3次(9.10) : 美國 버지니아州 랭글리 基地로부터 사우디 다란까지 物資 輸送 豫定(輸送量 및 品目 未詳)

o 撒物船(Bulk Carrier) 1隻 傭船, 海上 輸送 支援中

- 航海 日程 : 9.18(火) 美國 캘리포니아州 롱 비치港 出港,
  10.27(土) 사우디 주바일港 入港

0048

- 輸送 對象 貨物 : 펌프, 크레인, 불도저 等 重裝備

* 上記 撒物船은 約 2万톤級임.

美側 反應

o 美國 政府는 我國이 友邦國中 最初로 輸送 手段을 支援 해준데 대해 謝意 表明

o 루가 美 上院 議員은 我國의 輸送 手段 支援 措置에 대해 我國이 美國의 眞正한 同盟國이며 必要時 서로 도울수 있는 友邦國이라는 確信 表明

* 루가 上院議員은 8.23-8.25間 訪韓

參考 事項

o 所要 豫算 : 總 350万弗 程度

- 航空 輸送 支援 : 約 150万弗(每回 50万弗, 3回)
- 海上 輸送 支援 : 約 200万弗

o 上記 豫算은 今年度 政府 豫備費에서 支出 豫定

끝.

0049

페르시아만 사태 관련 미국의 비용 분담 요청에 대한 각국 반응

9.10

1. 서독(9.6. 현재)

   o 서독은 기본적으로 미국의 지원 요청을 적극 수용한다는 방침
     - 항공기 또는 선박 등 운송 수단 지원 고려
     - 이집트, 요르단, 터키 등에 대한 경제 원조 고려
     * 기지원 내용 : 요르단에 20회 정도 긴급 물자 항공 수송 지원

   o 또한 서독 정부는 HERMES(수출 보험 공사)를 통해 금번 대이라크 금수 조치로 손해를 본 수출업자에 10억 마르크 손해 보전 조치 예정

2. 일본(9.3. 현재)

   o 일본 정부는 미국의 요청에 최대한 협력한다는 자세
     - 8.29. 카이후 수상 "일본의 공헌책" 발표
     - 8.30. 일본 각의, 다국적군 활동 지원 자금 10억불(약1,500억)을 금년도 예비비에서 지출키로 결정
       * 일본은 제반 국내 사정으로 상기 10억불 이외 금년도에 추가 부담은 어렵다는 입장. 또한 10억불도 미국에 대한 직접 지원 대신 UN 및 IMF 등 국제기구를 통한 다국적군 지원 선호

   o 대이라크 경제 제재 조치 참여로 피해를 보고 있는 국가에 대한 경제 원조는 별도 검토 예정
     * 브래디 특사 요청 내용에 대한 반응은 상금 미 파악
       (보도에 의하면 미국은 약 20억불의 지원을 추가 요청)

0050

3. EC 제국(9.7. 현재)

o 아랍 국가(이집트, 터키, 요르단) 및 난민 수용국가에 우선 긴급 원조 및 중장기 재정 지원 병행 계획

o EC 제국은 EC 외상 회의에서 군사적인 지원을 제공하지 않고 약 20억불의 긴급 경제원조를 제공할 것이라 함.

4. 사우디 아라비아(9.6. 현재)

o 사우디, Baker 미 국무장관에게 미군 주둔 비용 및 소위 전선국가 등의 경제 원조 비용으로 수십억불 부담 용의 표명 (상세 액수 미파악)

5. 쿠웨이트 망명 정부 및 U.A.E.

o 상금 공식 반응 미파악

o 보도에 의하면 쿠웨이트 망명 정부는약 50억불을 지원할 예정이라 함.

0051

경제 규모 대비표

(1988년 기준)

	한 국	일 본	서 독
GNP (억$)	1,728	28,589	12,882
1인당 GNP($)	4,127	23,317	19,741
인구 (만명)	4,000	12,325 (89.10)	6,108
교역규모(억$)	1,239 (89년)	4,940 (89년)	6,112 (89년)
무역흑자(억$)	9 (89년)	564 (89년)	716 (89년)
외환보유(억$)	152 (89년)	851 (89.9.1)	533 (88년)
외채(억$)	294 (89년)		

0052

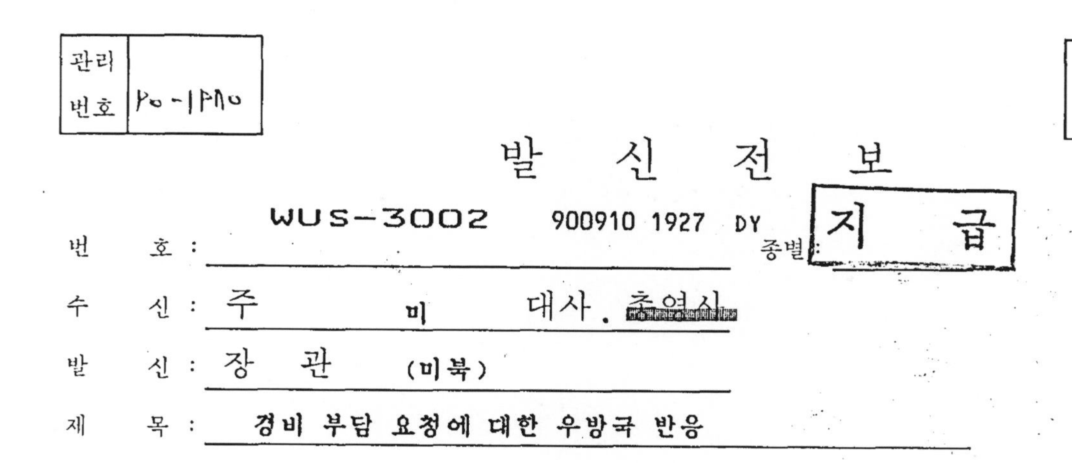

관리
번호 90-1890
분류번호 보존기간
발 신 전 보
번 호 : WUS-3002 900910 1927 DY
종별 : 지 급
수 신 : 주 미 대사. 총영사
발 신 : 장 관 (미북)
제 목 : 경비 부담 요청에 대한 우방국 반응

연 : WUS-2981(1), 2993(2)

1. 본부는 미측 요청에 대한 정부 방침 수립에 참고코자 베이커 국무장관 및 브래디 재무장관이 부쉬 대통령의 특사로 우방국 순방시 각국에 대해 요청한 내용 및 이에 대한 우방국 반응 등을 지급 파악 보고토록 연호(2)와 같이 훈령한 바 있음.

2. 이와 관련 미 국무부 등 관계 당국은 각국에 대한 요청 내용 및 각국의 반응 등을 종합 파악하고 있을 것인바, 주재국 관계기관을 접촉, 금번 부쉬 대통령 특사 순방시 각 우방국에 대한 요청 내용 및 이에 대한 각국 반응 등을 지급 파악 보고 바람. 끝.

(미주국장 반기문)

예고 91.6.30. 일반

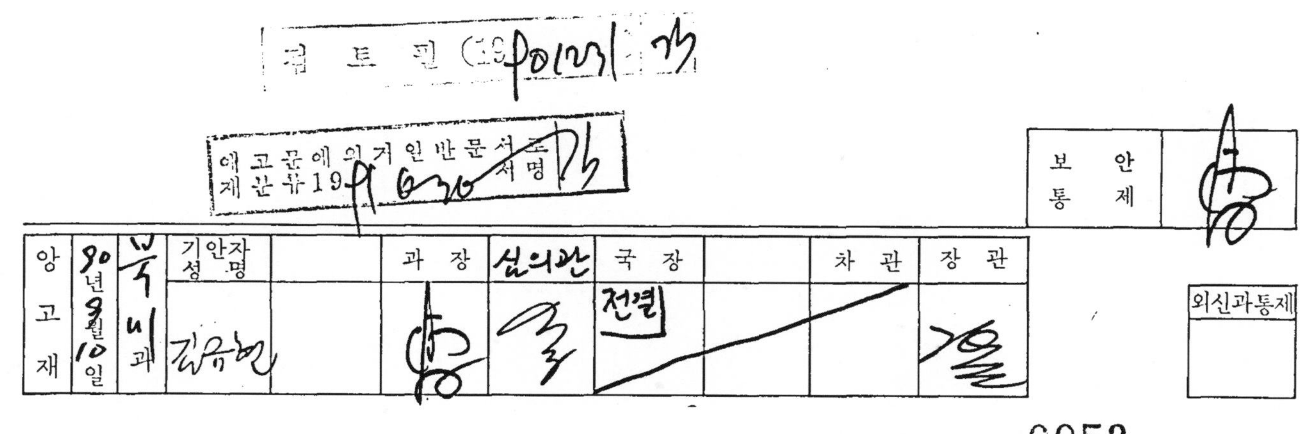

0053

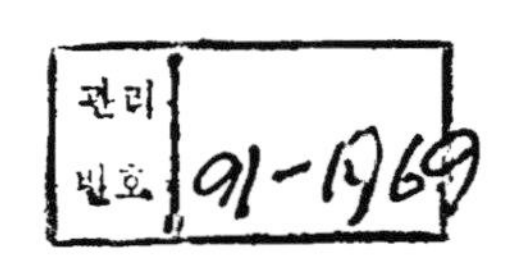

면 담 요 록

1. 일 시 : 1990.9.11(화) 10:30-11:20

2. 장 소 : 미주국장실

3. 면담인사 : 반기문 미주국장, 오갑렬 북미과 서기관(배석)
   Hendrickson 주한 미대사관 참사관

4. 면담내용 :

미 참사관

- 부쉬 대통령의 지시에 따라 Brady 재무장관이 짧은 기간 방한하였는 바, 면담 주선 등 협조에 감사함.
- 금번 대표단은 재무부, 국무부, 국방부 등 여러 부처의 대표로 구성되었으며, 특히 재무부 직원들은 국무부와 달리 텔렉스 보다는 전화와 fax로 대사관과 교신하여 보안상 어려움이 있음. Brady 장관의 방한 사실도 경제과 직원인 처에게 워싱턴에서 전화가 와서 처음 알게 되었음.

미주국장

- 우리도 재외공관에서는 유사한 상황인 바, 외무부 이외 부처 직원들은 보안 의식이 적어서 텔렉스 보다 국제 전화로 본부와 교신하면서 업무를 처리하는 경향이 있음.

미 참사관

- Brady 장관의 방한 이후 한국의 지원 조치 내용을 검토한 결과가 나왔는지 ?

공람	북미	90. 9. 12. 담당	과장	심의관	국장	차관보	차관	장관
		오갑렬						

0054

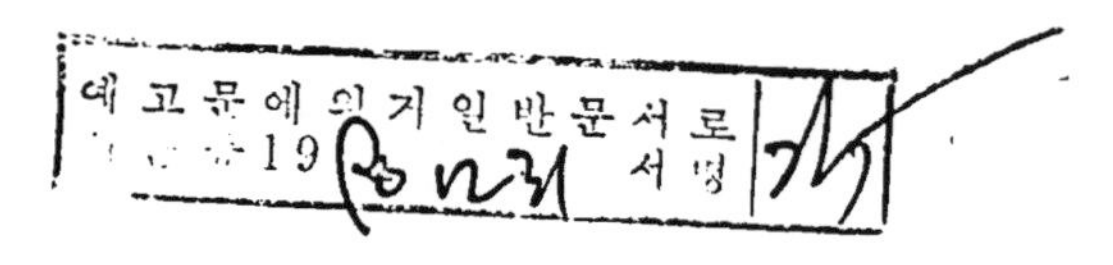

미주국장

- Brady 장관 방한이후 구체적인 진전은 없는 상황인 바, 우리의 능력 범위내에서 어떻게 그리고 얼마만큼 지원할 것인지 관계부처와 협의중임.

미 참사관

- 한국측이 실무 레벨에서 재정, 건설, 수송 등 지원 가능한 내용들을 작성한 후, 정책 결정자들의 결정이 뒤따라야 할 것으로 생각됨.

미주국장

- 미측에 가장 우선적으로 필요한 분야는 무엇인지 ?

미 참사관

- 넓은 분야보다도 구체적인 지원 방안을 제시해 주면 미측 입장의 결정이 용이하겠음.
- 현재 지원이 필요한 것은 첫째 전선국가들(요르단, 이집트, 터키 등 3개국)에 대한 지원과 둘째 미 군사 작전을 지원하기 위한 재정 지원임.
- 한국측은 지원이 가능한 자원을 조사하고, 미측은 지원이 필요한 자원을 조사해야 할 것임.
- 지난번 Brady 장관의 노 대통령 예방시 지원 요청 규모에 대하여 수송기 한두번 더 보내 주면 된다는 식으로 오해하지 않기를 바라며, 미측은 한국측이 지원을 상당한 정도로 하는 것으로 이해하고 있음.

미주국장

- 아측의 지원 방안을 마련하는데 시간이 필요하며, 일괄 지원책을 마련하여야 할 것으로 생각함.

미 참사관

- 현재 진행중인 수송건은 중요하므로 전체적인 지원 방안 검토중에도 중단하지 말고 계속 진행시켜 주기를 요망함.
- 한국이 수송기를 최초로 지원해 주어 다시 감사를 표함.

0055

미주국장

- Skelton 의원도 한국의 수송기 지원 문제에 대하여 사의를 표명한 바 있음.
- 아측 정책 결정에 참고하기 위하여 주미 대사관에 국무부를 접촉, 지원 요청 대상국들의 반응을 알아보도록 지시하였는 바, 주한 미 대사관도 워싱턴에 같은 메세지를 보내어 협조토록 요청하여 주기 바람.
- 최근 필리핀 정부의 요청으로 우리 정부는 쌀 차관 제공 문제를 검토 하였으나 미측의 반대에 부딪힌바 있는바, 금번에는 쌀 무상원조 방안을 검토코저 하니 미측 입장을 알려주기 바람.

미 참사관

- 이론적으로는 쌀의 무상원조 경우 반대할 이유가 없다고 생각되나 본부의 입장을 확인, 통보하여 주겠음.

미주국장

- 의약품도 제공할 필요가 있는지 ?
- EDCF 자금을 지원하는 방안도 검토할 수 있을 것임.
- 방독면의 대이집트 지원을 긍정적으로 검토중이며, 수송기 및 선박도 지원 가능한 분야임.
- 미국의 지원 요청 규모가 매우 크므로 한국이 여기에 어떻게 부응할 수 있을지 모르겠음.

0056

미 참사관

- Jackson NSC 보좌관, Anderson 국무부 동아.태 부차관보, Ford 국방부 동아.태 부차관보가 내주 방한 예정임. 9.17(월) 오후 국장께서 Anderson 부차관보와의 면담 및 만찬 주최를 예정대로 해 주기 바람.
- Anderson 부차관보의 미주국장 면담시는 구주국에서도 동석토록 조치해 주기 바람.

0057

미주국장

- Anderson 부차관보 면담은 9.17(월) 오후 3시 구주국 심의관과 함께 하고, 만찬 주최 예정임. 끝.

예고: 90.12.31 일반

0058

페만 분담않는 우방 관계악화 경고 결의

미상원, 한국 파병도 거론

【워싱턴=AP AFP 연합】 미국 상원은 10일 우방국들이 페르시아만 사태와 관련해 미국과 분담하고 있는 군사·재정적 부담 내역을 상세히 제출할 것을 부시 행정부에 요구하고, 서독과 일본 등이 재정적 군사적 추가 부담에 적극적으로 나서지 않을 경우 미국과의 관계가 악화될 것임을 경고하는 결의문을 만장일치로 채택했다.

상원 토의과정에서 특히 데니스 데콘시니 상원의원은 한국에 대해 페르시아만 파병을 촉구했다.

미 상원은 이날 채택한 결의문에서 부시 대통령에 대해 페르시아만 사태를 해결하기 위한 군사적 경제적 제재조처와 관련, 우방국들이 부담하고 있는 분담 내역을 11월30일까지 의회에 제출하도록 요구해, 페르시아만 사태 발발 뒤 문제 해결을 위한 부담을 미국이 떠맡고 있다는 의회와 일부 국민들의 비판적 여론을 반영하는 조처를 처음으로 취하고 나섰다.

미 상원은 이번 결의에서 "부시 대통령은 각국 지도자들과의 협의과정에서 어떤 국가도 적절한 기여를 하지 않을 경우 미국과의 쌍무관계가 나빠질 것임을 강조하는 것을 고려해야 할 것"이라고 권고, 정부쪽에 대해 페르시아만 전비 및 군사력 동원 문제와 관련, 우방국들에 대해 강력한 요구자세를 보일 것을 촉구했다.

한겨레 (90. 9. 12)

0059

페르시아만 사태 전망과

비용 분담 문제

90. 9.

미 주 국

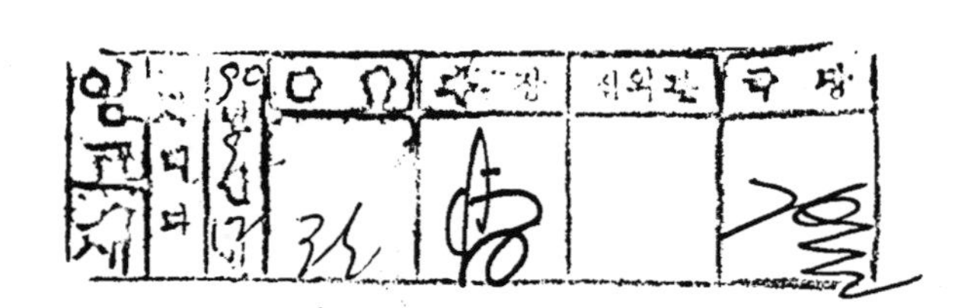

0060

I . 페르시아만 사태 전망

1. 미국의 기본 전략

o 외교적 압력, 경제 제재, 군사적 힘의 과시 등 집단적 대응을 통한 이라크의 쿠웨이트로 부터의 궁극적인 철수 목표

- 미쏘간 헬싱키 정상회담(9.9.) 및 외무장관 회담(8.3. 및 9.13.) 개최를 동한 협조 체재 구축

o 금번 사태를 통하여 중동지역 미군의 장기적 존재 명분 구축

o 금번 사태에 소요되는 제반 경비를 우방국과 책임 분담

2. 종합적 전망

o 미국을 비롯한 다국적군과 이라크군간 군사적 충돌 위협의 고비가 넘어감에 따라 교착상태 장기화 가능성이 높음

o 그러나 평화적인 사태 해결의 전망이 어둡고 이라크에 의한 서방 인질 위해 위협이 증가하는 경우 미국이 군사적 조치에 의한 사태 해결을 도모할 가능성도 불무함.

3. 예상되는 상황별 전망

가. 미국과 이라크와의 무력 충돌 가능성

o 미국은 이라크의 도발이 없는 상태에서 선제 공격을 감행하기는 어려움.

- 아랍권내의 반서방 감정 및 반시오니즘 대두 가능성

- 선제 공격을 위한 군사태세 미비 등 공격 작전 수행의 현실적 어려움 및 중동 전지역으로의 확전 위험성 등

0061

o 아울러, 이라크에 의한 군사적 도발 가능성도 적다고 판단됨.

- 중동지역 및 세계 여론 불리
- 도발시 다국적군에 의한 보복 예상
- 군사적으로도 공군력의 절대 열세
  (최악의 경우, 이스라엘에 대해 공격을 감행할 가능성)

o 그러나 군사적 긴장이 가속화 될 경우, 무력 충돌이 발생할 가능성을 완전히 배제할 수 없음.

- 이라크군의 쿠웨이트 철수, 사담 후세인 제거, 이라크의 화학전 및 핵전 능력 제거 등의 목표를 달성하기 위해서는 결국 페르시아만 사태를 군사적으로 해결할 수 밖에 없다는 입장 (Quayle 부통령, Cheney 국방장관, Kissinger 전 국무장관 등 강경파 의견)
- 영국 정부 고위 관리(Thatcher 수상 등)들도 다른 대안이 없을 경우 결국 무력 충돌이 불가피할 것임을 공개적으로 언급.

나. 정치적 해결 가능성

o 양측이 수용 가능한 타협안 마련될 가능성 희박
(예컨대 이라크군의 쿠웨이트 철수 및 이라크의 Gulf만 지역 access 확보, 쿠웨이트의 UN 감시하 자유 선거를 통한 정부 수립 등)

- 미국은 유엔 안보리 결의 660호의 완전한 실현 입장 강력 견지
- 이라크는 쿠웨이트를 자국 영토화하고 포기하지 않겠다는 입장 견지

다. 고착상태 장기화 가능성

o 대 이라크 경제 제재 조치의 실질적 효과를 거두기 위해서는 최소한 3-4개월 소요

0062

o 이라크군은 이미 참호 구축 등 장기 태세에 대비

- 8년간에 걸친 이.이전 경험

o 다만, 이라크 국민의 불만에 의한 내부 쿠데타 발생 가능성 있음.

4. 페르시아만 사태가 향후 동 지역 정세에 미칠 영향

가. 중동지역 정세에 대한 영향

o 금번 사태의 수습 향방이 향후 중동지역 정세에 다대한 영향

- 쿠웨이트 왕가의 복귀 여부는 여타 왕정 아랍국가에게도 매우 중대한 문제

- 특히 금번 사태가 전반적으로 이라크에 유리하게 타결되는 인상을 줄 경우, 사담 후세인은 아랍민중의 상징적인 지도자가 되고, 왕정 아랍국가의 불안은 더욱 증폭 예상

  · 이 경우 왕정 아랍국가의 친서방 경향 강화

  · 왕가와 아랍민중 사이의 괴리 현상 가속화 예상

o 아랍연맹, OPEC 등의 결속력은 다양해진 회원국간 이해 관계로 인해 종전에 비해 약화될 가능성

나. 지역 안보체제 및 주사우디 미군의 장래

o 베이커 장관, 9.4 의회 증언을 통해 지역안보 체제(regional security structure) 필요성 강조

- 미측으로서는 상금 구체적 복안은 없는 것으로 파악

- 아랍 각국이 스스로 구체적 제안을 마련함이 바람직하다는 입장 견지

0063

o 사태 종료후 소수의 미 지상군 잔류

- 기존의 해군력과 공군력을 강화하는 선에서 미국의 presence를 유지할 것으로 예상
  (단, Helsinki 미.쏘 정상회담시 부쉬 대통령은 사태 해결후 미군이 완전히 철수할 것임을 고르바쵸프에게 약속)

* 베이커 구상의 단기 목표

- 이라크에 대항하는 세력의 주축인 이집트-사우디 관계 강화
- 이라크의 군사력을 상쇄하기 위한 미군의 장기적인 걸프만 주둔 확보

0064

Ⅱ. 아국의 비용 분담 문제

1. 미국의 요청 내용

가. 브래디 미 재무장관 방한시 상황 설명 및 요청내용(9.7. 대통령 예방시)

ㅇ 금번 페르시아만 사태와 관련 미측의 정치, 외교적 목적과 군사 전략을 설명

ㅇ 페만 군사 작전에 소요되는 경비 일부와 이라크에 대한 경제 제재 조치 참여로 경제적 피해를 입고 있는 소위 전선국가(front-line states)(이집트, 터키 및 요르단 거명)에 대한 아국의 경제 원조 제공 요청

ㅇ 아국의 수송지원 계속 요청

2. 정부 입장

ㅇ 전통적인 한미 우호 관계를 감안, 미측의 요청을 적극적으로 수용
- 우리의 경제와 안보 상황에 비추어 능력 범위내에서 가능한 지원을 할 것임. (대통령 언급 요지)

ㅇ 아국의 지원 규모, 가용 재원 등에 관한 정부간 협조 체제 유지
- 관계 부처 실무 국장급 회의(9.14. 외무부)
- 고위 관계 장관 회의 개최, 정부 입장 결정 필요성

0065

페르시아만 사태 전망과
비용 분담 문제

90. 9.

미 주 국

0066

I. 페르시아만 사태 전망

1. 미국의 기본 전략

o 외교적 압력, 경제 제재, 군사적 힘의 과시 등 집단적 대응을 통한 이라크의 쿠웨이트로 부터의 궁극적인 철수 목표

- 미쏘간 헬싱키 정상회담(9.9.) 및 외무장관 회담(8.3. 및 9.13.) 개최를 통한 협조 체재 구축

o 금번 사태를 통하여 중동지역 미군의 장기적 존재 명분 구축

o 금번 사태에 소요되는 제반 경비를 우방국과 책임 분담

2. 종합적 전망

o 미국을 비롯한 다국적군과 이라크군간 군사적 충돌 위협의 고비가 넘어감에 따라 교착상태 장기화 가능성이 높음

o 그러나 평화적인 사태 해결의 전망이 어둡고 이라크에 의한 서방 인질 위해 위협이 증가하는 경우 미국이 군사적 조치에 의한 사태 해결을 도모할 가능성도 불무함.

3. 예상되는 상황별 전망

가. 미국과 이라크와의 무력 충돌 가능성

o 미국은 이라크의 도발이 없는 상태에서 선제 공격을 감행하기는 어려움.

- 아랍권내의 반서방 감정 및 반시오니즘 대두 가능성

- 선제 공격을 위한 군사태세 미비 등 공격 작전 수행의 현실적 어려움 및 중동 전지역으로의 확전 위협성 등

0067

o 아울러, 이라크에 의한 군사적 도발 가능성도 적다고 판담됨.
- 중동지역 및 세계 여론 불리
- 도발시 다국적군에 의한 보복 예상
- 군사적으로도 공군력의 절대 열세
(최악의 경우, 이스라엘에 대해 공격을 감행할 가능성)

o 그러나 군사적 긴장이 가속화 될 경우 무력 충돌이 발생할 가능성을 완전히 배제할 수 없음.
- 이라크군의 쿠웨이트 철수, 사담 후세인 제거, 이라크의 화학전 및 핵전 능력 제거 등의 목표를 달성하기 위해서는 결국 페르시아만 사태를 군사적으로 해결할 수 밖에 없다는 입장 (Quayle 부통령, Cheney 국방장관, Kissinger 전 국무장관 등 강경파 의견)
- 영국 정부 고위 관리(Thatcher 수상 등) 들도 다른 대안이 없을 경우 결국 무력 충돌이 불가피할 것임을 공개적으로 언급.

나. 정치적 해결 가능성

o 양측이 수용 가능한 타협안 마련될 가능성 희박
(예컨대 이라크군의 쿠웨이트 철수 및 이라크의 Gulf만 지역 access 확보, 쿠웨이트의 UN 감시하 자유 선거를 통한 정부 수립 등)
- 미국은 유엔 안보리 결의 660호의 완전한 실현 입장 강력 견지
- 이라크는 쿠웨이트를 자국 영토화하고 포기하지 않겠다는 입장 견지

다. 고착상태 장기화 가능성

o 대 이라크 경제 제재 조치의 실질적 효과를 거두기 위해서는 최소한 3-4개월 소요

0068

o 이라크군은 이미 참호 구축 등 장기 태세에 대비

- 8년간에 걸친 이.이전 경험

o 다만, 이라크 국민의 불만에 의한 내부 쿠데타 발생 가능성 있음.

4. 페르시아만 사태가 향후 동 지역 정세에 미칠 영향

가. 중동지역 정세에 대한 영향

o 금번 사태의 수습 향방이 향후 중동지역 정세에 다대한 영향

- 쿠웨이트 왕가의 복귀 여부는 여타 왕정 아랍국가에게도 매우 중대한 문제
- 특히 금번 사태가 전반적으로 이라크에 유리하게 타결되는 인상을 줄 경우, 사담 후세인은 아랍민중의 상징적인 지도자가 되고, 왕정 아랍국가의 불안은 더욱 증폭 예상
  - · 이 경우 왕정 아랍국가의 친서방 경향 강화
  - · 왕가와 아랍민중 사이의 괴리 현상 가속화 예상

o 아랍연맹, OPEC 등의 결속력은 다양해진 회원국간 이해 관계로 인해 종전에 비해 약화될 가능성

나. 지역 안보체제 및 주사우디 미군의 장래

o 베이커 장관, 9.4 의회 증언을 통해 지역안보 체제(regional security structure) 필요성 강조

- 미측으로서는 상금 구체적 복안은 없는 것으로 파악
- 아랍 각국이 스스로 구체적 제안을 마련함이 바람직하다는 입장 견지

0069

o 사태 종료후 소수의 미 지상군 잔류

- 기존의 해군력과 공군력을 강화하는 선에서 미국의 presence를 유지할 것으로 예상

  (단, Helsinki 미.쏘 정상회담시 부쉬 대통령은 사태 해결후 미군이 완전히 철수할 것임을 고르바쵸프에게 약속)

* 베이커 구상의 단기 목표

- 이라크에 대항하는 세력의 주축인 이집트-사우디 관계 강화
- 이라크의 군사력을 상쇄하기 위한 미군의 장기적인 걸프만 주둔 확보

0070

-

Ⅱ. 아국의 비용 분담 문제

1. 미국의 요청 내용

가. 브래디 미 재무장관 방한시 상황 설명 및 요청내용(9.7. 대통령 예방시)

o 금번 페르시아만 사태와 관련 미측의 정치, 외교적 목적과 군사 전략을 설명

o 폐만 군사 작전에 소요되는 경비 일부와 이라크에 대한 경제 제재 조치 참여로 경제적 피해를 입고 있는 소위 전선국가(front-line states)(이집트, 터키 및 요르단 거명)에 대한 아국의 경제 원조 제공 요청

o 아국의 수송지원 계속 요청

2. 정부 입장

o 전통적인 한미 우호 관계를 감안, 미측의 요청을 적극적으로 수용
- 우리의 경제와 안보 상황에 비추어 능력 범위내에서 가능한 지원을 할 것임. (대통령 언급 요지)

o 아국의 지원 규모, 가용 재원 등에 관한 정부간 협조 체제 유지
- 관계 부처 실무 국장급 회의(9.14. 외무부)
- 고위 관계 장관 회의 개최, 정부 입장 결정 필요성

0071

(첨 부)

이라크-쿠웨이트 사태 관련 각국의 주요 군사조치 현황

90.9.11. 현재

I. 사우디 파병국 및 걸프지역 해군 파견국 현황

1. 지상군 파병국 : 13개국

o 미, 영, 프랑스, 이집트, 모로코, 오만, UAE, 카타르, 바레인, 쿠웨이트, 방글라데쉬, 파키스탄, 시리아

2. 걸프지역 해군 파견국 : 17개국

o 미, 영, 불, 쏘, 사우디, 오만, UAE, 카타르, 바레인, 쿠웨이트, 호주, 화란, 서독, 스페인, 이태리, 카나다, 벨기에

II. 각국의 군사조치 현황

1. 미 국

* 페르시아만 파견 미군 총병력 : 11만

가. 해군 배치 상황

o 페르샤만 :

- Lasalle 전함.순양함 2척, 구축함, 프리깃 5척, 병원선 2척

o 지 중 해 :

- 항모 Saratoga호 배치

. Wisconsin호등 전함 5척이 호위, Tomahawk 크루즈 미사일 32개, 상륙정 5척등 장비

0072

- 항모 Kennedy 항진중
  . 전함 5척 및 보조선 2척

o 홍 해 :
- 항모 Eisenhower호 및 함대 배치(지중해로 귀항)
  . 구축함 2척등 전함 5척이 호위

o 아라비아해 :
- 항모 independence호 호르무즈 입구에 배치
  . 전함 6척 호위

o 제7함대 기함 블루릿지호 페만향진(8.29)
- 일본정박중
- 대이락 해상봉쇄 참가

o 제7함대 소속 수륙양용함 5척(상륙특공대 4,440명 탑승) 사우디 해역에 파견

* 4개 항모 선단의 해군병력 : 3만5천

나. 대사우디 파병 내역

o 총 파병 병력수 : 약7만5천명
- 지상군 3만명
- 해병대 4만5천명

o 파병 내역
- 제1해병 사단(캘리포니아)
- 제5해병 여단(오끼나와 주둔) 2,200명 사우디착
- 제7해병 여단
- 제3해병 비행단

0073

- 101 공정사단(켄터키) 중 일부
  . 공격용, 대전차 헬리콥터 등 장비
- 24기계화 보병사단(죠지아) 중 일부
  . 탱크, 전차, 155mm포, 연발 로켓트포 등 장비
- 82 공정사단(노스 캐롤라이나) 중 일부
  . TOW 대전차 미사일 등 장비
- 11 방공여단(텍사스) 중 일부
- 최신예 F-15F전투기(노스 캐롤라이나)
- F-15 전투기(버지니아) 48대 이상
- F-16 공격용 전투기 및 A-10 전차 공격기(사우드 캐롤라이나) 72대
- Stealth 전폭기 22대 파견
- AWACS 5대 추가 파견(기존 5대와 합류)
- 기타 C-130 수송기, 급유기 등
- MI탱크 100대
- 영국 주둔 111F 폭격기 사우디 이동

o 유럽주둔 미군 중동으로 이동 개시
  - 서독주둔 제7의료사령부 소속 군인 폐만 이동

o 병력 수송을 위해 Eastern Airlines 등 민간 항공사에 동원령

o 40,000 예비군 동원령 발동(8.22)

다. U.A.E 파병 내역

o C130기 5대로 바틴 공군기지에 수송개시(8.20)

라. 대사우디 무기 판매

o F15 전투기 40대(개전초 인도)

o M60 탱크 150대

o 스팅어 미사일 200기(발사대 50기)

※ 91년 F15 전투기 24대 추가판매 예정

0074

마. 기 타

- o F-111 전폭기 14대 터키 인시르리크에 배치
  - 이라크 국경에서 680Km
- o B-52 폭격기 50대, 인도양 디에고 가르시아에 배치

2. NATO 국가

가. 영국

- o Tornado F-3 전투기 12대 사우디 파견
- o Jaguar 공격용 전투기 12대 파견
- o 전투기 호위 SAM 미사일 파견
- o 구축함 1척, 프리킷 2척, 지원선박 걸프로 파견
  - NIMROD(조기 경보기), 급유기등이 지원 출동
- o 소해정 3척 동지중해로 항진중
- o 지원병력 1,000명(지상군 없음)
- * 구축함 1척, 소해정 척 추가 파병 예정(8.30)

나. 프랑스(다국적군 불참)

- o 항모 Clemenceau 파견(순양함등 6척이 호위)
  - 지원병력 3,200명, 전투기 40대
- o UAE에 약 180여명의 공정대원 파견
- o 사우디에 교관요원 파견
  - * 미테랑 대통령, 자국함대에 발포 허가(8.22)

다. 터키(다국적군 불참)

- o F-16, 병력, Rapier 대공 미사일등 전진 배치

0075

라. 기타 NATO 국가

o 이태리 : 함정 3척 파견(다국적 군가담)

o 카나다 : 함정 3척 파견

o 서 독 : 소해정 4-5척 동지중해 파견

o 덴마크 : 여타국의 걸프 파병으로 인한 NATO 지역 방위 부담 인수.
상업선박이 다국적군의 보급선으로 사용되는 것 허가

o 벨지움 : 함대 파견 예정

o 화 란 : 프리킷 2척 파견

o 그리스 : 미군에 기지 제공

o 스페인 : 군함 4척 페르시아만에 파견

o 포르투갈 : 수송선 3척 제공

3. 기타 국가

가. 아랍 연합군

o 파병국 : 이집트, 모로코, 오만, 시리아(파키스탄 파병 결정)

- 총병력 10,000명 예상

. 이집트군 5,000명 파병 예정(3천명 기파병)

나. 쏘련(다국적군 불참)

o 전함 1척, 대잠함 1척 걸프 파견

다. 이스라엘

o 공군에 경계령. 대공미사일등 요르단 접경지로 이동

o 이라크군이 요르단 진입하면 이라크 공격(8.7. 국방장관 발표)

라. 기타

o 일 본 : 비군사 물자 수송을 위한 민간항공기.선박 지원.
의료단(100명규모) 파견. 분쟁주변국 원조(터키,
요르단, 이집트)

* 총지원 규모 : 10억불

0076

o 호　　주 : 프리깃 2척, 유조선 1척 파견

o 파키스탄 : 사우디 파병 결정

o 이　　란 : 이라크의 즉각.무조건 철수 요구(8.11. 국가안보회의 성명)

o 인도네시아 : UN 요청시 사우디에 파병 용의 표명(8.18)

* 불란서, 중국, 이란, 인도, 브라질, 대이라크 식량, 의료품등 인도적 물자의 제공 용의 표명

Ⅲ. 이라크 군사력 현황

o 정규군 총병력 : 100만명

o 육　군 : 955,000명
- 탱크 5,500대
- 경탱크 100대
- 포 및 미사일 3,700문
- 무장 헬리콥터 160대

o 공　군 : 40,000명
- 전투.폭격기 510대

o 해　군 : 5,000명
- 프리깃함 5척
- 미사일 적재함 8척

※ 참 고

o 쿠웨이트내 이라크군
- 현재 약 14만 추정

o 60개사단(80만) 병력 및 다량의 화학무기 사우디.이라크 국경지역에 배치

0077

Ⅳ. 한국 지원 현황

o KAL기 미군 수송작전 참가보도(8.31 한국)

- 점보 화물기(캘리포니아 오렌지타운 → 중동)
- 댓수.계약조건 미상

※ 미의회 페만 사태 진상 조사단 파견(8.31-9.3)

- 하원의원 25명(게파트 원내총무)
- 상원의원 10명(펠 상원 외무위장)
- 사우디, 바레인, 이집트

0078

War Powers Resolution

(1973. 11. 7 발효)

미 주 국
안 보 과
90. 9. 12.

立法 背景

o 2차 세계대전후 의회의 승인을 받지 않은 대외 군사개입 사례가 증가하자 의회로부터 '미국민의 안전과 이익에 영향을 미치는 결정에 대한 의회의 참여권 침해'라는 비판 증대

o 특히 닉슨 대통령 당시 대통령의 군사력 사용에 대한 재량권 확대 및 대의회 협의 소홀사례가 빈번해지자 의회는 War Powers Resolution을 통과시켜 군사력 사용에 대한 의회의 통제 증대 도모

War Powers Resolution 要旨

(大統領의 對議會 協議 및 報告義務)

o 대통령은 가능한한 군사력 사용전 의회와 협의해야 하며 군사력 사용후에는 종료시까지 의회와 정기적으로 협의해야 함

0079

o 대통령은 미군이 선전포고 없이 ① 적대행위 또는 입박한 적대행위 돌입 ② 전투태세로 타국 영내에 투입 ③ 전투태세로 타국 영내에 파견된 군사력 증강의 경우, 군사력 사용을 필요케 한 상황, 군사력 사용의 법적 근거 및 군사력 사용 범위와 시기에 대해 의회에 서면 보고

(軍事力 使用中止)

o 의회가 군사력 사용보고 접수후 60일 이내에 ① 선전포고 ② 군사력 사용을 허가하는 특별한 법적조치 ③ 위60일 시한의 연장, 또는 ④ 미 영토에 대한 공격으로 의회의 소집이 물리적으로 불가능한 경우가 아니면 대통령은 군사력 사용을 중단하여야 함. 단, 대통령이 불가피한 사유를 의회에 서면 통보하면 위60일 시한을 30일 연장 가능

o 의회의 선전포고나 군사력 사용을 허가하는 특별한 법적조치 없이 미군이 영토밖에서 발생한 적대행위에 개입된 경우, 상하원이 공동 결의(Concurrent Resolution)로 철수를 요구하면 대통령은 군대를 철수하여야 함

(이라크事態 關聯)

o 현재로서는 의회와 여론이 부시대통령의 제반 대응조치에 전반적인 지지를 표명하고 있으나, 사태의 양상이 변하거나 현재의 대치상황이 장기화 될 경우 War Powers Reslution 에 대한 논의재개 가능성이 큼 끝.

0080

페灣군비분담 決議案 채택

美上院 韓國·西獨등에 地上軍파견 요청

美요구 거부땐 관계惡化" 경고

【워싱턴AP AFP연합】美상원은 10일 우방국들이 페르시아灣사태와 관련해 美國과 분담하고 있는 군사·재정적부담내역을 상세히 제출할 것을 부시행정부에 요구하고, 西獨과 日本등이 재정적·군사적 추가부담에 적극적으로 나서지 않을 경우 미국과의 관계가 악화될 것임을 경고하는 결의문을 만장일치로 채택했다.

한편 상원 토의과정에서 특히 데니스 데콘치니 상원의원은 韓國에 대해 페르시아灣 파병을 촉구했다.

美상원은 이날 채택한 결의에서 부시 대통령에 대해 페르시아만 사태를 해결하기 위한 군사적·경제적 제재조치와 관련 우방국들이 부담하고 있는 분담내역을 11월30일까지 의회에 제출하도록 요구, 페르시아만 사태 발발후 문제 해결을 위한 부담을 미국이 떠맡고 있다는 의회와 일부 국민들의 비판적 여론을 반영하는 조치를 처음으로 취하고 나섰다.

美상원은 이번 결의에서 「각국 지도자들과의 협의과정에서 어떤 국가도 적절한 기여를 하지 않을 경우 미국과의 쌍무관계가 저해될 것임을 강조하는 것을 고려해야할 것」이라고 부시대통령에게 권고하며 페르시아灣 戰費및 군사력 동원문제와 관련, 우방국들에 대해 강력한 요구자세를 보일 것을 촉구했다.

데콘치니 상원의원은 이와 관련, 다른 나라들이 페르시아灣 사태 해결을 위해 좀더 많은 것을 내놓을 능력이 있다면서 한국의 병력 파병과 서독의 함대 추가 파견을 촉구했다.

또 존 매케인 상원의원은 「전쟁이 터질 경우 목숨을 걸어야하는 것은 일본 청년이 아니라 미국 청년들」이라면서 페르시아灣 사태와 관련한 돈 내놓는 식의 일본정부 자세는 단지 전세계의 경멸과 미국의 적대감정만 사게 될 것이라고 일본을 신랄하게 비난했다.

90. 9. 12. 서울신문

페만 분담않는 우방 관계악화 경고 결의

미상원, 한국 파병도 거론

【워싱턴=AP AFP 연합】 미국 상원은 10일 우방국들이 페르시아만 사태와 관련해 미국과 분담하고 있는 군사·재정적 부담 내역을 상세히 제출할 것을 부시 행정부에 요구하고, 서독과 일본 등이 재정적 군사적 추가 부담에 적극적으로 나서지 않을 경우 미국과의 관계가 악화될 것임을 경고하는 결의문을 만장일치로 채택했다.

상원 토의과정에서 특히 데니스 데콘시니 상원의원은 한국에 대해 페르시아만 파병을 촉구했다.

미 상원은 이날 채택한 결의문에서 부시 대통령에 대해 페르시아만 사태를 해결하기 위한 군사적 경제적 제재조치와 관련, 우방국들이 부담하고 있는 분담 내역을 11월30일까지 의회에 제출하도록 요구해, 페르시아만 사태 발발 뒤 문제 해결을 위한 부담을 미국이 떠맡고 있다는 의회와 일부 국민들의 비판적 여론을 반영하는 조처를 처음으로 취하고 나섰다.

미 상원은 이번 결의에서 "부시 대통령은 각국 지도자들과의 협의과정에서 어떤 국가도 적절한 기여를 하지 않을 경우 미국과의 쌍무관계가 나빠질 것임을 강조하는 것을 고려해야 할 것"이라고 권고, 정부쪽에 대해 페르시아만 전비 및 군사력 동원 문제와 관련, 우방국들에 대해 강력한 요구자세를 보일 것을 촉구했다.

90. 9. 12. 한겨레

0081

원 본

관리 번호	90-1875

외 무 부

종 별 : 지 급

번 호 : USW-4112 일 시 : 90 0911 1550

수 신 : 장관(미북)

발 신 : 주 미 대사

제 목 : 경비 부담 요청에 대한 우방국 반응

대:WUS-3002

1. 당관 유명환 참사관은 9.10(화)대호 관련 백악관 NSC PAAL 보좌관과 접촉, 미측의 여타 우방국에 대한 요청 내용 및 이에 대한 각국의 반응을 알려줄경우 아측이 본건을 검토하는데 있어 도움이 될것이라고 말함.

2. 이에 대해 동보좌관은 구체적인 교섭 내용을 상호 통보하는것은 경우에 따라서는 불필요한 압력수단으로 오해될 소지가 있음을 지적하면서, 그러나 금주중 백악관에서 중동사태를 담당하는 보좌관과 직접 면담을 주선하도록 하겠다고 말함.

3. 한편 국무성 중동 담당부서는 주로 시급한 OPERATION 을 담당하고 있어 실무 레벨에서는 아직 파악안된 상태라고함.

4. 본건 파악되는 대로 추보 위계임.(대사 박동진-국장)

예고:91.6.30 일반

검 토 필 (1990.12.27)

예고문에의거일반문서로 재분류19 91.6.30 서명

미주국

PAGE 1

90.09.12 06:19

외신 2과 통제관 EZ

0082

中東軍費분담 싸고 갈등심화

美 강요에 떨떠름한 西유럽

한달반을 맞고 있는 페르시아灣사태의 장기화조짐이 짙어지고 있는 가운데 美國의 막대한 군사비 분담문제를 둘러싼 美國과 西유럽우방간의 미묘한 갈등이 점점 심화되고 있다.

美軍이 페르시아灣지역에서 수행하고 있는「사막의 방패」작전에 투입되는 막대한 군사비를 놓고 양측은「책임분담론」과「대표과세론」을 각각 내세우며 갈등을 빚어왔다. 이러한 가운데 최근 서유럽국 일각에서 美國이 주장하는 막대한 군사비의 타당성 자체에 대한 의문마저 제기되고 있다.

美國은 냉전시대 서구 우방들과 방위비분담문제를 논의할때 사용하던「책임분담」이란 용어를 다시 거론하며 페灣지역에 대한 美軍파병및 유지에 들어가는 막대한 돈을 혼자 부담할수 없다는 주장을 계속하고 있다.

10일 브뤼셀에서 나토(북대서양조약기구)외무장관들과 만난 베이커 美국무장관은 책임분담을 다시 강조하며 서유럽우방들의 직접적인 군사비분담을 재차 촉구했다.

이 자리에서 베이커장관은 망명쿠웨이트 정부가 50억달러를 부담하는 것을 비롯, 사우디아라비아와 쿠웨이트·아랍에미리트등 페灣 3개 당사국이 총1백20억달러를 분담키로 했다고 밝히면서 서유럽국들도 이에 상응하는 '재정적' 지원을 해야한다는 뜻을 비쳤다.

1백20억달러중 절반은 美軍의「사막의 방패」작전에 쓰고, 나머지 절반은 요르단·이집트·터키등 이번 사태로 경제적 손실이 큰 中東國들에 대한 경제지원에 쓴다는게 그의 설명이었다.

그러나 이에 대한 서유럽국들의 반응은 매우 신중하다못해 다소 냉소적이라는 느낌마저 들게하고 있다. 서유럽국들은「대표없이 課稅없다」는 의회민주주의의 고전적 명제를 인용하면서 美國의 부담이 큰것은 이해하지만 美軍파병에 따른 부담은 어디까지나 美國이 져야할 문제지 다른 나라가 그 부담을 대신해줄수 있는 성질의 문제가 아니라고 주장하고 있다.

계산근거 제시안해 의혹

美측 요구액도 百億弗 넘게 "오락가락"

지난7일 로마에서 열렸던 EC(유럽공동체)12개회원국 외무장관회의에서도 이들은「대표과세론」의 원칙을 재확인하고 美國의 군사비분담요구를 사실상 거부했다. 다만 對이라크경제봉쇄조치로 심각한 타격을 받고있는 요르단·이집트·터키등 3개국에 약20억달러의 경제지원을 결정했을 뿐이다.

「사막의 방패」작전에 쏟아부어야하는 美國의 부담규모가 시시각각 변하고 있는 것도 西유럽국들이 美國의 책임분담요구를 회의적 시선으로 바라보게하는 한 요인이 되고있다. 당초 美국방부는 이달 말로 끝나는 90회계연도에만 25억달러가 소요되고, 내년회계연도에는 총1백13억달러가 소요될 것으로 추산했었다.

얼마후 美행정부는 새로운 소요추정액을 내놓았는데 美軍파병·유지비로 1백80억달러, 요르단등 3개국경제지원비로 1백억달러등 모두 2백80억달러로 부담규모가 늘어났다. 그러나 이것도 또다시 수정돼 美국방부의 최신보고는 순수하게「사막의 방패」작전·수행경비로만 한달에 약 10억달러가 들것으로 추정하고 있다.

아무런 계산근거도 제시하지 않은채 그숫자가 왔다 갔다하는 것도 문제지만 만일 美국방부의 최신 전망대로라면 이미 사우디등 3개당사국으로부터 지원받기로한 1백20억달러(그중 절반이 美軍파병·유지비)만으로도 금년소요경비는 충분히 보상받을수 있는게 아니냐는 것이 서유럽국들의 의혹어린 시각이다.

美國이 세계의 경찰을 자처하며 자기부담아래 스스로 세계질서를 유지하던 시대는 끝났다고 美國은 주장하고 있다. 더이상 공짜점심은 없으며 각자 먹은 점심값은 스스로 부담하란 것이다.

이런 맥락에서 美國은 브래디재무장관을 우리나라에까지 보내 美國의 군사비 분담을 요구했다. 브래디장관의 순방국으로 美國이 무슨 기준으로 프랑스·英國·日本과 함께 우리나라를 택했는지는 알길이 없지만 美國의 노력을 이해는 하되 지원액수를 구체적으로 제시할수는 없다는게 우리정부의 입장이었던 것으로 알려지고 있다.

中東평화를 통한 세계에너지공급원의 안정적 유지를 내세우며 서방국들에 군사비분담을 요구하는 한편으로 美國은 이집트같은 새로 확인된 우방에 대해 70억달러의 군사차관 탕감을 추진하고 있다.

위기의 한가운데서도 들어올 돈과 쓸돈을 냉정하게 따지는「위기의 경제학」을 부시행정부는 유감없이 실천하고 있는 셈이다.

東西냉전의 종식과 함께「平和배당금」을 호기있게 논의하던 세계는 또다시「平和분담금」을 걱정해야하는 우울한 시대를 맞이한 것이다.

【파리=裵明福특파원】

對이라크 군사제재 협력을 위해 紅海의 지부티로 발진한 프랑스 항공모함 클레망소號 갑판에 퓨마헬리콥터들이 착륙하고 있다.【外紙】

90.9.13. 중앙일보

0083

관리 번호	90-2002

원 본

외 무 부

종 별 : 긴 급

번 호 : USW-4144 　　　　일 시 : 99 00912 1739

수 신 : 장 관 (친전)

발 신 : 주미 대사

제 목 :

1. 9.11. 미국 의회에서 행한 부쉬 대통령의 중동사태에 관한 정책 연설과이에 대한 민주당의 공식 반응에서는, 이라크의 침략 행위에 대한 응징과 원유공급 안전 확보등에 대한 미국의 결연한 입장이 천명되고 있으며, 미국민의 여론도 대부분 정부의 강경한 입장을 지지하고 있는 가운데 중동 원유에 크게 의존하는 우방의 재정 지원을 호소하는 목소로도 점차 강도를 높이고 있음

2. 최근 방한 BRADY 미국 특사 일행의 재정 지원 요청은 가능한 범위내에서협조한다는 원칙에 따라 우리 정부에서 현재 구체적인 검토가 진행중인것으로 추측되나, 결과적으로 미국요구 수준에는 크게 미흡할 것이므로, COMMITTMENT 표시의 시기를 조기 선택하는것이 효과적일 것으로 사료됨. 지원 규모는 현금 지원과 물자및 서비스 지원을 종합한 숫자가 표시되리라고 기대되는바, 정부 방침이 결정되는대로 참고로 통보바람

90.12.31.일반

예고문에의거일반문서로 재분류19 90 12.31 서명

장관

PAGE 1

90.09.13. 07:40

외신 2과 통제관

0084

관리번호	90-571

외 무 부

종 별 :

번 호 : USW-4146 일 시 : 90 0912 1755

수 신 : 장관(미북,미안,중근동,기정)

발 신 : 주 미 대사

제 목 : 이락 사태-의회 반응(9)

1. 이락의 쿠웨이트 침공 이래 6 주일이 지난 현재 상. 하 양원 외무위및 상원 군사위가 청문회를 개최하여 금번 사태에 관한 의회의 입장을 개진하였으며, 한편 9.11 부쉬 대통령도 양원 합동회의에서의 대 국민 연설을 통해 미 행정부의 입장을 종합적으로 밝혔는바, 현시점에서 당지 언론및 여론 조사, 특히 의회 인사들의 발언 내용에 나타난 미 우방국의 책임 분담 논의(BURDEN-SHARING)에대한 당관 관찰과 분석을 하기 보고함.

2. 페르시아만 사태 관련 책임 분담 논의

가. 배경

1)이락 사태의 장기화

페르시아만 주둔 미군의 장기화 조짐과 미 행정부의 동지역 안정을 위한 장기적 개입 공언에 따라 엄청난 전비 확보 방안의 일환으로서 방위 비용 분담 논의가 활발하게 거론되기 시작함.

2)국제 사회의 지지 확보 조치

이락 사태에 개입하는 미국의 정치적 명분을 제고하기 위한 방안으로서 우방국의 참여 강조의 필요성

3)산적된 미 국내 경제적 문제

재정적자와 경제 침체등 국내 경제적 어려움을 겪고 있는 미국으로서, 이락사태로 인한 추가 비용 부담에 대한 예산상의 경감책 강구

4)주요 우방국 기여도에 대한 불만

그간 미국의 활발한 외교로 상당수의 우방국이 책임 분담을 약속 하고는 있으나, 해외 주둔 미군 병력이 대규모로 배치되어 있으며, 대미 주요 무역 흑자국인 독일, 일본등이 중동 석유에 대한 의존도가 높은데도 불구하고 이락 사태에 대한 기여도가

미주국 차관 1차보 2차보 미주국 중아국 청와대 안기부

90.09.13 08:11

외신 2과 통제관 BT

0085

기대에 미치지 못하고 있다는 인식

5)책임 분담 논의와 관련 한국이 거론되는 소이 — 사유?

0 중동 석유 자원에 대한 의존도가 높은 국가

0 과거 3-4 년간 대미 무역 흑자를 기록한 국가라는 인식과 최근 남북한 총리 회담 및 한국의 북방 정책의 성공적 추진등이 미 주요 언론의 보도 (사설 및 OP-ED 기사등)를 통해 한반도 긴장완화가 다소 과장되게 미국 여론에 투영되고 있는점.

0 한국은 독일, 일본 다음으로 다수의 미군 병력이 주둔하고 있는 국가이며한미 상호간에 전통 우방임을 강조하여온 관계

0 아울러, 이락에 대한 아국의 경제, 통상면에서의 이해 관계(건설 수주등)가 동 사태에 임하는 아국 정부의 입장을 미온화 시키고 있다는 미 정책 결정자들의 인식

나. 아국 관계 논의 현황및 전망

1)책임 분담 논의 계속

현재까지의 우방국 책임 분담과 관련한 아국에 대한 언급은 주로 독일, 일본의 기여도에 대한불만의 연장 선상에서 이해될수 있으나, 금 9.12 하원 본회의에서의 주 일본 미군 유지 비용에 대한 일본 정부의 추가 부담을 골자로 하는 BONIOR 수정안이나, 9.10 상원 본회의에서 채택된 DECONCINI 결의안등의 논의 과정에서 감지될수 있듯이 미군이 주둔하고 있는 국가에 대한 이락 사태와 관련한 방위비 분담 논의는 산발적으로 계속될것으로 사료됨.

2) 우방국과의 교섭에 대한 의회의 강력한 지지

금후에도 사태의 장기화와 사태의 악화 여하에 따라 대 우방국 방위 분담 요구는 미 의회의 초당적 지지를 바탕으로 점차 고조될것으로 전망됨.

3. 상기 언급한 DECONCINI 결의안은 별전 보고함.

(대사 박동진-국장)

90.12.31 까지

PAGE 2

0086

관리번호	90-532

원 본

외 무 부

종 별 :

번 호 : USW-4147 일 시 : 90 0912 1755

수 신 : 장관(미북,미안,중근동,기정)

발 신 : 주 미 대사

제 목 : 이락사태-의회 반응(10)

연 USW-4146

1. 연호 2 항 관련, 미 상원은 9.10 본회의 재무, 우정및 행정 지출 법안 논의시 DENNIS CDCONCINI(민주-아리조나), ALFONSE D'AMATO(공-뉴욕)및 JESSE HELMS(공-노스캐롤라이나)의원이 제안한 페르시아만 사태 관련한 우방국 책임 분담에 관한 수정안을 만장일치로 통과 시켰음.

2. 동 결의안의 골자는 아래임.

가. 책임 분담 논의 의회 보고 의무화

페르시아만 지역에 얽힌 국제적인 이 해 관계를 공동으로 방위하기 위하여, 미 대통령은 우방국들의 적절한 책임 분담을 진지하게 논의해야하며, 동 논의과정의 상세 진전 상황을 90.11.31 까지 의회에 보고해야함.

나. 책임 분담 논의 비 협조국에 대한 제재 조치 경고

적절한 책임 역할 논의에 비 협조적인 국가에 대해서는 미국과의 쌍무 관계에 지대한 악영향을 초래할것을 경고해야하며, 법적인 지원 조치가 필요시 의회에 요청할것.

3. 수정안 제안 추지를 설명하는 가운데, DECONCINI 의원은 독일과 일본의 책임 분담에 대한 기여가 미진함에 강한 불만을 표명하고 파키스탄, 방글라데시등 후진국들도 지상 병력을 파견하는 만큼, 페르시아만의 석유에 다분히 의존하고 있는 한국도 병력 파견, 운송 수단 제공등의 조치등을 통해 책임 분담에 참여할수 있을것이라고 언급함.

4. 동 수정안은 법적인 구속력이 없는 SENSE OF SENOTE 의 형식으로 채택된바, 참고 바라며, 전문 FAX 송부함.

첨부 USW(F)-2188

미주국 차관 1차보 2차보 미주국 중아국 청와대 안기부

PAGE 1

90.09.13 08:06

외신 2과 통제관 BT

0087

(대사 박동진-국장)
90.12.31 까지

PAGE 2

0088

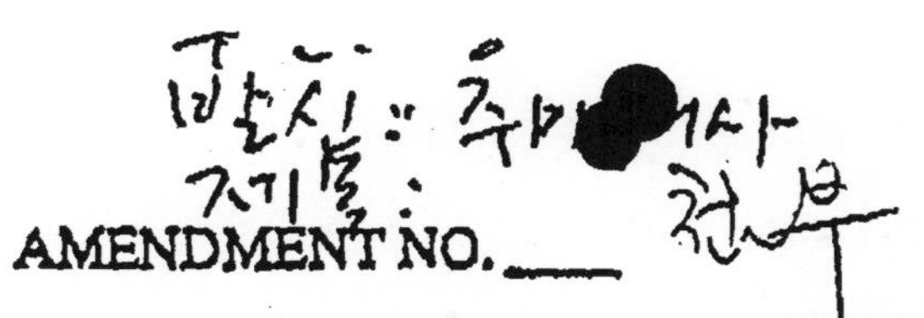

AMENDMENT NO. ____ Calendar No. ____

Purpose: To express the sense of the Senate regarding burden-sharing in the Persian Gulf.

IN THE SENATE OF THE UNITED STATES—101st Cong., 2d Sess.

H.R. 5241

Making appropriations for the Treasury Department, the United States Postal Service, the Executive Office of the President, and certain Independent Agencies, for the fiscal year ending September 30, 1991, and for other purposes.

Referred to the Committee on ____________________ and ordered to be printed

Ordered to lie on the table and to be printed

AMENDMENT intended to be proposed by Mr. DECONCINI, D'Amato, + Helms

Viz:

1 On page 114, after line 22, add the following new
2 section:
3 SEC. ___. (a) The Senate finds that—
4 (1) democracy and freedom of the independent
5 Arab nations have been threatened by the invasion
6 and illegal annexation of Kuwait by the Government
7 of the Republic of Iraq;
8 (2) the safety of American citizens and those of
9 other countries have been directly threatened by the

2/88-1

0089

1 decision of the Government of Iraq to move them
2 and use them as "human shields" at strategic de-
3 fense and industrial installations;
4 (3) the stability of world oil production and
5 marketing has been threatened by the illegal Iraqi
6 seizure of Kuwaiti ports and oil production facilities;
7 (4) the United Nations has condemned Iraq's in-
8 vasion of Kuwait, has voted to impose an economic
9 embargo on Iraq, and has declared null and void the
10 annexation of Kuwait;
11 (5) the United Nations Security Council has ap-
12 proved the use of appropriate military force by indi-
13 vidual nations to enforce United Nations sanctions;
14 (6) the President of the United States has taken
15 the lead in unifying world opinion and directing
16 international efforts against the Iraqi aggression and
17 in defense of Saudi Arabia and the other Gulf states;
18 (7) a majority of Arab nations have condemned
19 Iraq's actions and have supported Arab military and
20 diplomatic efforts to defend the Gulf states and to
21 ensure Iraq's withdrawal from Kuwait;
22 (8) the United States is deploying tens of thou-
23 sands of American troops and military hardware to
24 the Persian Gulf in defense of the strategic interests
25 of the United States in the region

2/88-2

0090

1 ~~defense forces ... considerable risk of attack and at~~
2 costs estimated to be in excess of $[illegible] million a day, 40
3 during a time of an increasing budget deficit;
4 (9) a principle position of the United States and
5 its NATO and major non-NATO allies is one of bur-
6 densharing in the collective defense of the Western
7 alliance;
8 (10) the Senate and the American people are
9 deeply concerned about the need for a reduced
10 budget deficit and improved economic growth; and
11 (11) President George Bush has announced his
12 intention to develop an economic action plan under
13 which nations benefitting from the economic embar-
14 go and the military actions in the Persian Gulf assist
15 those nations which are committing their military
16 personnel and materiel to support these United Na-
17 tions actions.
18 (b) It is the sense of the Senate that—
19 (1) the President of the United States ~~be~~ should con-
20 gratulated for taking the diplomatic initiative to en-
21 courage other nations to share the international fi-
22 nancial burden of the defense of Saudi Arabia; and
23 (2) the President of the United States—

2188 - 3

0091

1 (A) in consultation with the allies of the
2 United States in the Persian Gulf defense oper-
3 ation, should—
4 (i) take steps to ensure that United
5 States allies are sharing an appropriate por-
6 tion of the collective defense of their inter-
7 ests in the Gulf;
8 (ii) take steps to ensure that those
9 allies who are precluded from any overt
10 military participation in the Gulf, or who
11 decide against participating in these defen-
12 sive actions, or who only provide minimal
13 participation are assuming an appropriate
14 financial share of the collective defense
15 commensurate with their national means;
16 and
17 (iii) take steps to ensure that those oil
18 producing nations which may benefit from
19 increased individual oil production and
20 world oil prices as a result of the embargo
21 of Iraqi and Kuwaiti oil proportionally
22 share the burden of the costs of the embar-
23 go, either directly with those nations pro-
24 viding the defense, or by equivalent "in-
25 kind" payments, or by assuming some of

2188-4

0092

1 the other international financial burdens of
2 the major defense-providing nations;
3 (B) in concert with the Secretary of State,
4 the Secretary of Defense, the Secretary of the
5 Treasury, and the Director of the Office of
6 Management and Budget, shall consult with
7 Congress on the steps the President is taking to
8 meet the goals enumerated in subparagraph (A)
9 and shall provide a report to the ~~congressional~~ Congress
10 ~~leadership~~ no later than November 30, 1990, de-
11 tailing the progress of such steps to date;
12 (C) during his consultations with other
13 international leaders, should consider stressing,
14 among other points, that failure by any country
15 to actively contribute in the most appropriate
16 manner for that country could have a detrimen-
17 tal impact on its bilateral relationship with the
18 United States; and
19 (D) should also inform Congress of any
20 legislative initiatives which need to be taken to
21 meet the goals enumerated in subparagraphs (A)
22 through (C).

2188-5

0093

수신 : 장관 (미북, 기획 …)
발신 : 주미대사

Storm Over German and Japanese Contributions

Germany and Japan Draw Harsh Attacks On Gulf Crisis Costs

R. W. APPLE Jr.

Special to The New York Times

WASHINGTON, Sept. 12 — A storm of animosity, extraordinary in its extent and intensity, has burst out on Capitol Hill and in the country at large over what critics are portraying as paltry contributions by Japan and West Germany to the international effort to confront Iraqi aggression in Kuwait.

An anti-Japanese amendment to the military spending bill, which would probably have died if not for resentments generated by the Middle East crisis, sailed through the House of Representatives this afternoon by a vote of 370 to 53. The measure is unlikely to survive in its present form.

President Bush's effort to spread the burden of financing the American effort in the Persian Gulf, which was intended to reassure Congress and the public, has failed to do so. Large numbers of Republicans and Democrats, conservatives and liberals, have attacked Tokyo and Bonn this week for what Senator John McCain, Republican of Arizona, described as "contemptible tokenism" and Senator John Kerry, Democrat of Massachusetts, called "almost an insult."

As the debate over the cost of the Persian Gulf operation continues, the United States finds itself in the somewhat embarrassing position of being in substantial debt to the United Nations, although President Bush has asked Congress to approve a major contribution to the organization.

On the burden-sharing issue, the legislators are using startlingly abrasive language on the floor, in television and newspaper interviews and in speeches to their constituents. To a considerable degree, that reflects the views of newspaper editorialists and of the general public, as reflected in recent opinion surveys.

"The most negative question you hear is why our allies aren't doing more," said Senator Trent Lott, a conservative Republican from Mississippi.

Representative Carroll Hubbard, Democrat of Kentucky, said that "the Japanese have been acting totally the way they usually do: if there's no profit in it for Japan, forget it."

In a speech on Tuesday night, Speaker Thomas S. Foley sought to quiet the rebellion, arguing that "Japan has done more to respond to requests for assistance, arguably, than any other nation, yet finds itself more singled out" for attack more than other countries.

The Bush Administration is also trying to limit the damage; Mr. Bush treaded lightly on the issue in his speech Tuesday night, and Marlin Fitzwater, the White House spokesman, observed today that "generally, we think that the response has been good," while conceding that "in some cases, we think countries can do more."

But the potential for damage to relations with two important political and economic allies is great, and Senator Malcom Wallop, Republican of Wyoming, warned today that "these people who are talking this way run the risk of eroding the political support for the President's policy by focusing attention on arguments over money instead of on defeating Saddam Hussein."

Burden-sharing dominated the debate in the House today on the military spending bill. The amendment, proposed by Representative David Bonior, Democrat of Michigan, would require Japan to pay the full cost of stationing United States armed forces in that country, including their salaries, which Mr. Bonior estimated at more than $4.5 billion a year.

If the amendment became law and Japan refused to pay the costs, the United States would be obliged to begin withdrawing 5,000 of the 50,000 troops now based in Japan every year.

Representative Les Aspin, Democrat of Wisconsin, who heads the House Armed Services Committee, opposes the measure, as does his counterpart in the Senate, Sam Nunn, Democrat of Georgia. That makes it highly improbable that the amendment will ever reach the law books, but the vote nonetheless sent a powerful political signal, which might ultimately oblige Bonn and Tokyo to reassess their positions.

Mr. Aspin said that "if you're picking on one country, it should be Germany, which is doing even less than Japan." Mr. Nunn said the Japanese response to any such legislation would be to say to the American troops, which defend United States regional interests as well as Japan, "adios, amigo."

But both said they shared the general feeling that the two countries, which have the world's largest trade surpluses, two of the world's most productive economies and considerably more dependence on Middle East oil than the United States, have done too little.

Both countries are sending equipment to the international force, but Bonn has pledged no money yet and Japan has pledged only $1 billion.

The two nations have constitutional prohibitions against the use of their troops except in self-defense. But Chancellor Helmut Kohl of West Germany has said he will seek to remove that prohibition from the constitution of the new, unified Germany, which is to come into being in three weeks.

Hideaki Ueda, the counselor for public affairs at the Japanese Embassy here, confirmed tonight that Japan would announce this weekend a grant of $2 billion to Turkey, Egypt and Jordan, the three countries other than Iraq that have been hardest hit by the United Nations trade sanctions. He said, "This is not a small amount."

"We find this criticism disturbing," Mr. Ueda said. "We need to show unity. We are not fighting against each other, and we hope that reasonable men in the Senate and the House of Representatives will come to see that."

A senior German official, who insisted on anonymity, said: "We are astonished. We said we would bear our fair share, and we are ready to."

Mr. Kohl is expected to present to Secretary of State James A. Baker 3d, who is scheduled to arrive in Bonn on Friday or Saturday, a plan for West German underwriting of American air- and sea-lift expenses in the Persian Gulf.

1990.9.13

New York Times

0094

관리번호	90-1024

원 본

외 무 부

종 별 : 긴 급

번 호 : USW-4172 일 시 : 90 0913 2010

수 신 : 장관(미북,중근동,미안,동구일,기정)

발 신 : 주 미 대사

제 목 : 걸프 사태 현황

일반문서로 재분류(19)

연: USW-4112

1. 연호 2 항 관련 금 9.13 당관 유명환 참사관은 NSC PAAL 보좌관의 주선으로 SANDRA CHARLES 중근동 담당 보좌관을 면담하였는바, 표제 관련 동인 언급 요지 하기 보고함 (당관 임성남 서기관 배석)

가. 장기적 차원의 중동 지역 안보 장치 수립 문제

-금번 걸프 사태를 계기로 동 지역내 역학구조가 상당한 변화를 겪게 되었으며, 또한 아랍권 각국도 탈 냉전시대의 기본 성격이 과거 냉전 시대의 국제 환경과는 근본적으로 상이하다는점 및 역내 지역 분쟁이 항상 아랍권 자체의 역량에 의해서만 해결될수는 없다는점을 잘 인식하게 되었음.

-여사한 중동 지역내 여건의 변화는 미군의 동 지역내 계속 주둔이나 미국이 참여하는 SECURITY STRUCTURE 의 수립을 필요로 할지도 모른다는 것이 미국의 기본 인식임 (사견이기는 하나, 이러한 SECURITY STRUCTURE 는 아랍권을 중심으로 국제적 성격을 띄게 될것으로봄))

-특히 금번 사태 종료후에도 이락의 후세인 대통령이 정치적 생명력을 유지하고, 화학무기등의 UNCONVENTIONAL CAPABILITY 를 유지한다면 어떠한 형태로든 걸프 지역내에 INTERNATIONAL PRESENCE 를 유지하는것이 역내 안정 확보에 도움이 될것으로 봄.

- 이문제와 관련한 소련측 반응은, 헬싱키 미소 정상 회담 참석후 베이커 국무장관 일행이 현재 계속 외유중이므로 자세한 내용을 파악치 못하고 있는 형편이나, 소련이 중동 지역과 국경을 맞대고 있는점등을 감안할때 소련의 관심은 충분히 이해가 되며 또한 소련 자신도 중동 정세의 향방을 정확히 예측하기는 힘든 상황이므로 일종의 SOUND-OUT 자세를 취하고 있는것으로 보임.

미주국	장관	차관	1차보	2차보	미주국	구주국	중아국	청와대
안기부								

PAGE 1

90.09.14 10:13

외신 2과 통제관 BT

0095

나. 이란-이락간 관계 개선 조짐.

-이란-이락 간 관계 개선은 이락측의 주도로 추진되고 있는바, 이락측은 이란의 대이락 경제 조치 불참을 조건으로 샤트 알 아랍 수로등을 포함하는 영토적양보를 이란측에 제시하고 있음.

-한편 이란측은 이락과의 관계 개선으로 인한 이해 득실(경제 복구 문제, 대서방 관계 개선문제등 관련)을 철저히 계산하면서, 이락측의 관계 개선 제의에대응하고 있는바, 이란은 이락과 서방 양측을 일종의 이이제이 방식으로 이용하고 있음(PLAY BOTH SIDES AGAINST EACH OTHER).

즉 이락과의 관계 개선을 시사함으로서 서방측의 우려와 관심을 불러일의키고 이를 이용 대서방 관계 개선을 모색하고 있으며, 또한 이락의 쿠웨이트 침공을 공개적으로 규탄하는 한편, 실질적 반대 급부를 은밀히 내세우며 양국간 관계 개선을 추진하고 있음.

-미측으로서는 현재 이란과의 접촉 채널을 유지하면서, 이란이 미국의 대 사우디 파병 의도를 오해하지 않도록 관련 상황을 설명하고 있음.

다. 기타 문제

-현재 미국이 대이락 관계 에 있어서 가장큰 관심을 갖고 주시하는 문제는 이락내 인질의 안위 문제임.

-대이락 경제 제재의 주안점은 이락의 원유 수출 봉쇄를 통해 이락의 재정 상태를 악화시킴으로서 무기나 식량을 구입할 경제적 여력을 소진시키는데 있었는바, 여사한 관점에서 본다면 대이락 경제 제재는 매우 실효적임(현재 이락 정부 재정은 거의 고갈된 상태라 하며, 특히 이락및 쿠웨이트 재산 동결 조치도 큰효과를 거둔것으로 평가된다함)

-베이커 국무장관의 시리아 방문 관련, 시리아가 아직도 미국의 TERRORIST LIST 에 등재되어 있는것은 사실이나, 이것이 곧 양국간 관계를 가질수 없다는것을 의미하는것은 아님.

-중동 문제 협의를 위한 소련의 국제회의 개최 구상에 미국이 전적으로 반대하는것은 아닌바, 여사한 회의는 제반 여건이 성숙된후 적절한 순간에(AT THE RIGHT MOMENT)에 개최되어야 할것으로 봄.

-인도적 물자를 이락에 제공하는 경우는, 우선 ICRC 등과 같은 국제 기구가이락내의 조사 활동을 통해 필요 물자의 종류, 수량등 내역을 작성한후 이들

물자가 실수요자의 수중에 들어가도록 적절한 국체 감시 절차등을 마련해야할것으로 봄.

-이락 국민들 자신은 유엔의 대이락 경제 제재 결의등 국제적 분위기에 관해 거의 알지 못하고 있음.

2. 한편 상기 CHARLES 중근동 담당 보좌관은 미국의 지원 요청에 대한 각국의 반응을 아측에 알려주는것은 미국이 각 우방국을 상대로 PLAY 하는 인상을 줄수 있으므로 곤란하다는 반응을 보였는바, 동석했던 PAAL 보좌관의 의견으로는한국이 액수에 지나치게 구애받는것 보다는 TIMING 을 놓치지 않고 조속히 우방국과의 단합된 자세를 과시하는것이 보다 중요할것으로 본다는 견해를 표시함.

(대사 박동진-장관)

90.12.31 일반

관리 번호	90-2006

원 본

외 무 부

종 별 : 긴 급

번 호 : USW-4173 일 시 : 90 0913 2026

수 신 : 장관(미북,중근동,기정)

발 신 : 주 미 대사

제 목 : 경비 분담 요청

대 WUS-3002

1. 금 9.13 국무부 정무 차관실 KARTMAN 보좌관이 당관 유명환 참사관에게 알려온바에 의하면, 백악관및 국무부 고위층에서 미국의 경비 분담 요청에대한 각국의 반응을 주의깊게 직접 FOLLOW-UP 하고 있으며, 한국에 대해서도 큰 관심을 갖고 있다함.

2. 또한 동 보좌관은 주한 미 대사관의 전직 정무 참사관으로서 한국의 잘 아는 입장이기 때문에 귀뜀을 하고자 한다고 하면서 금명간 일본등 경비 지원을 요청 받은 각국이 나름의 지원 방안을 발표할것으로 보이는바, 한국이 TIMING 을놓치는 경우는 한국측이 미국의 어려운 사정과 상황의 시급함을 인식하지 못하고 있다는 인상을 줌으로서 나중에 이를 만회하기 어려운 입장에 처하게 될찌도 모른다는 우려를 표명함.

3. 동 보좌관에 의하면, 한국이 금번 사태 관련 미측에 제공한 3 회의 항공기 운항은 한국이 실제로 사용한 비용에 비해 그 상징적 효과가 훨씬 더큼으로서 미국측에 좋은 인상을 남겼는바, 이는 TIMING 을 놓치지 않음으로서 한국측이거둔 수확으로 생각된다함.

4. 또한 동 보좌관의 사견이기는 하나, 이번에도 한국측이 일종의 PACKAGE 지원 방안(예로서 화물기 1 대를 사우디 주둔 다국적군에 일정기간 배정하는방법등)을 제시한다면 그 효과는 동일한 금액을 현금으로 지원 하는것 보다 오히려 훨씬 더 클것으로 생각된다함.

즉, 한국이 제 3 자가 아닌 동맹국으로서 가능한한 조속히 미국의 입장을 실질적으로 지원하는것이 절실히 요청된다함.

(대사 박동진-장관)

미주국 장관 차관 1차보 2차보 중아국 청와대 안기부

PAGE 1 90.09.14 10:46

외신 2과 통제관 FE

0098

90.12.31 일반

PAGE 2

0099

관리번호	90-2027

원본

외 무 부

종 별 : 긴 급

번 호 : USW-4174　　　　일 시 : 90 0913 2026

수 신 : 장관(미북,중근동,기정)

발 신 : 주 미 대사

제 목 : 경비 분담 요청

대WUS-3002

연 USW-4112

1. 대호 관련, 금 9.13 당관 유명환 참사관은 표제 관련 업무를 담당하고 있는 국무부 근동국 지역 문제 담당과 ALLEN KEISWETTER 과장을 면담하였는바, 동 요지 하기 보고함(당관 임성남 서기관 배석)

가. 전부가 벌어지지 않고 사우디 주둔 미군의 추가 증원 필요성이 발생하지 않는다고 가정할때, 미국으로서는 사우디 주둔 비용으로 금년중 60 억불, 내년중에는 매년 10 억불이 소요될것으로 예상됨.

나. 또한 금번 사태로 인해 경제적으로 큰 타격을 받은 터키, 이집트, 요르단에 대한 원조 목적으로 금년중 30 억불, 명년중 70 억불의 소요 발생이 예상됨.(이들 국가중 요르단에 대해서는 대이락 경제 제재 조치에 완전 동참하는 경우에는 원조 제공)

다. 이와 관련, 사우디, 쿠웨이트, UAE 3 개국이 120 억불 지원 의사를 밝혔는바, 이중 쿠웨이트가 50 억불을 지원할것이라함(여타 국가의 구체적 반응을 밝히는것은 곤란하다함)

라. 미측으로서는 반드시 현금 지원으 강조하는것은 아닌바, 어떤 방법으로든지(IN ONE WAY OR ANOTHER) TIMING 을 놓치지 않고 SOLIDARITY 를 과시 하는것이 긴요하다고봄.한국측이 할수 있는 지원 내용을 PACKAGE 로 발표하는것이 효과적이며, FRONTLINE STATES 에 대한 원조를 중심으로 생각하는것도 좋을것임.

2. 한편, 당지 외교단 접촉등을 통해 파악된 아시아 일부 국가의 지원 계획은 다음과같음.

-일본 금일중 지원 내경을 발표할것인바, 이집트, 터키등 제 3 국 지원으로20 억불

미주국　장관　차관　1차보　2차보　중아국　청와대　안기부

PAGE 1　　　　90.09.14 10:47

외신 2과 통제관 FE

0100

정도로 추측

-호주 의료진 20 명 사우디 파견및 난민 구호 활동 비용 800 만불 제공 예정

-대만 금명간 약 2-3 억불 지원 발표 예상

3. 당관 관찰

-당관원 관찰로는 현금 지원도 미국이 희망한것이기도 하나 여하한 형식으로든 TIMING 을 놓치지 않고 아측이 지원 가능한것으로 종합하여 우선 발표하므로서 동맹국으로서의 유대를 표시하는것이 지원 액수의 과다보다 더욱 중요할것으로 사료되는바, 의료진 파견, 사우디 주둔 미군의 간이 부대 시설 건설 지원 및 아국의 쌀 잉여분 공여(난민 구호 및 이집트, 터키 지원용)등을 포함해서 융통성 있는 지원 방안을 조속 강구하는것이 바람직한것으로 보임.

(대사 박동진-장관)

90.12.31 일반

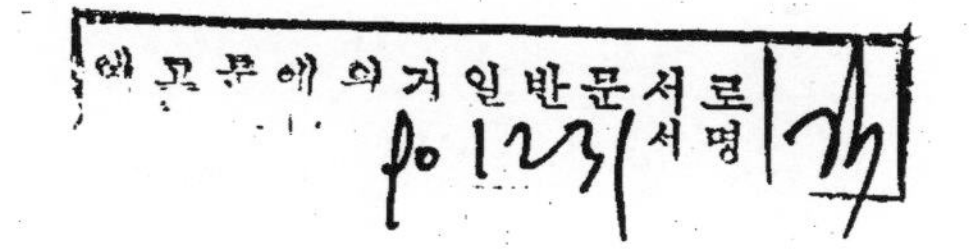

PAGE 2

0101

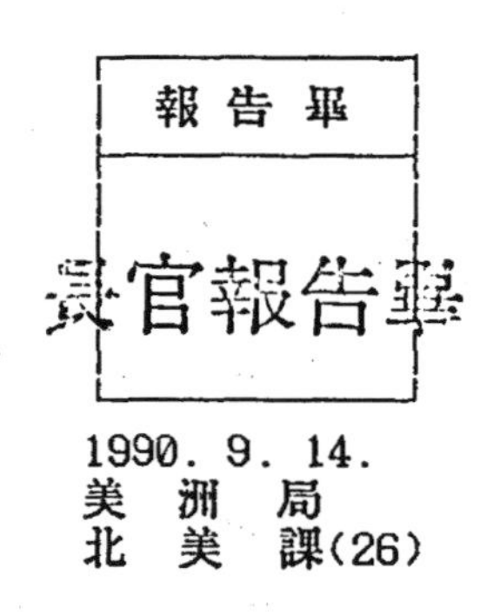

報 告 事 項

1990. 9. 14.
美 洲 局
北 美 課(26)

題 目 : 페르시아만 事態와 關聯한 美 議會 反應

페르시아만 사태와 관련 미 상원은 9.10(월) 본회의 재무, 우정 및 행정 지출 법안 논의시 DeConcini(민주-아리조나) 의원 등이 제안한 우방국 책임 분담에 관한 결의안을 Sense of Senate 형식으로 채택 하였는바 관련 사항을 보고 드립니다.

1. 결의안 제안자 :

   o Dennis DeConcini 의원(민주-아리조나)

   o Alfonse D'Amato 의원(공화-뉴욕)

   o Jesse Helms 의원(공화-노스캐롤라이나)

2. 결의안 주요내용

   가. 책임 분담 논의 의회 보고 의무화 :

   페르시아만 지역에 얽힌 국제적인 이해 관계를 공동으로 보호하기 위하여, 미 대통령은 우방국들과 적절한 책임 분담을 논의해야하며, 동 진전 상황을 90.11.30까지 의회에 보고

   나. 책임 분담 비 협조국에 대한 제재조치 경고 :

   적절한 책임 분담에 비 협조적인 국가에 대해서는 미국과의 쌍무 관계에 지대한 악영향을 초래할 것을 경고해야하며, 법적인 지원 조치가 필요시 의회에 요청

0102

3. 결의안 성격 :

° 법적인 구속력이 없는 Sense of Senate의 형식

° 한편, DeConcini 의원은 수정안 제안 취지를 설명하는 가운데 독일과 일본의 책임 분담에 대한 기여가 미진함에 강한 불만을 표명하고 페르시아만 원유에 대한 의존도가 높은 한국도 병력 파견, 수송수단 제공 등을 통해 책임 분담에 참여할 수 있을 것이라는 개인적인 견해를 피력

* 미의회 및 언론의 우방국의 책임분담 논의배경 및 아국 거론이유

° 책임분담 논의 배경
- 페르시아만 사태의 장기화 추세
- 국제사회에서 미국의 정치적 명분제고 및 지지확보 필요성
- 산적된 미국내 경제적 문제(추가비용 부담에 대한 예산상 경감책 강구)
- 일본, 독일등 주요우방국 기여도에 대한 불만
  · 의회의 강력한 지지를 바탕으로 분담요구 압력 가중 예상

° 책임분담 관련 아국이 거론되는 이유
- 높은 중동 원유 의존도
- 과거 3-4년간 대미 무역 흑자를 기록한 국가라는 인식
- 한국은 독일, 일본 다음으로 다수의 미군 병력이 주둔하고 있는 국가이며 한.미 상호간에 전통 우방임을 강조하여온 관계
- 아국 정부가 이라크에 대한 이해관계(건설 수주등) 때문에 책임분담에 미온적이라는 미 정책 결정자들의 인식

0103

관리번호	90-2009

	분류번호	보존기간

발 신 전 보

번 호 : WUS-3052 900914 1927 DY 종별 :

수 신 : 주 미 대사. 총영사 (친전)

발 신 : 장 관 (미북)

제 목 : 페르시아만 사태 비용 분담

대 : USW- 4144

1. Brady 특사 방한시 요청한 비용 분담과 관련 본부에서는 9.14(금) 10개 관계 부처 국장급 회의를 갖고 아국이 제공 가능한 지원 분야와 범위에 관해 협의하였는 바, 상세는 별전 타전 예정임.

2. 본직은 9.14 오전 Gregg 대사에게 전화를 통하여 아국의 전체 지원 규모가 결정 되기전에라도 항공기에 의한 수송은 당분간 계속 지원하기로 정부내에서 의견을 모으고 있다고 통보하였음.
아울러, 본직은 아국으로서는 미국 정부의 요청에 대해 가능한 지원을 아끼지 않을 것이나 최근 대홍수로 인하여 많은 인명과 재산상 피해를 입었고 이의 복구를 위해 막대한 경비가 지출 되어야 하기 때문에 아국의 지원 결정이 다소 지연될 가능성도 불무함을 언급하였음.

/계 속...

보안통제	

앙고재	년월일	과	기안자 성명		과 장		국 장		차 관	장 관
										(서명)

외신과통제

0104

3. Gregg 대사는 아국의 그간 조치와 항공기 계속 지원에 사의를 표하면서 최근 의회내에서 일고 있는 일본, 서독 정부에 대한 비판 무드와 관련하여 한국의 지원 결정이 지연되는 경우, 한국이 그러한 비판을 받지 않을까 우려 된다고 하면서 본직의 신속한 연락과 협조 등은 이러한 분위기에서도 큰 도움이 될 것이라고 말하였음.

4. 본직은 주미 대사로부터도 아국이 조기에 지원 규모와 의사를 결정, 표명함이 좋을 것이라는 건의가 있었다고 알려준 바, 이에 대하여도 사의를 표한다고 말하였음을 첨언함. 끝.

(장 관 최호중)

예 고 : 90.12.31.일반

예고문에의거일반문서로 재분류1990.12.31 서명

0105

미국의 대이라크 제재조치 비용분담 요구와 관련한

관계부처 대책회의 결과

90. 9 .15.

외 무 부

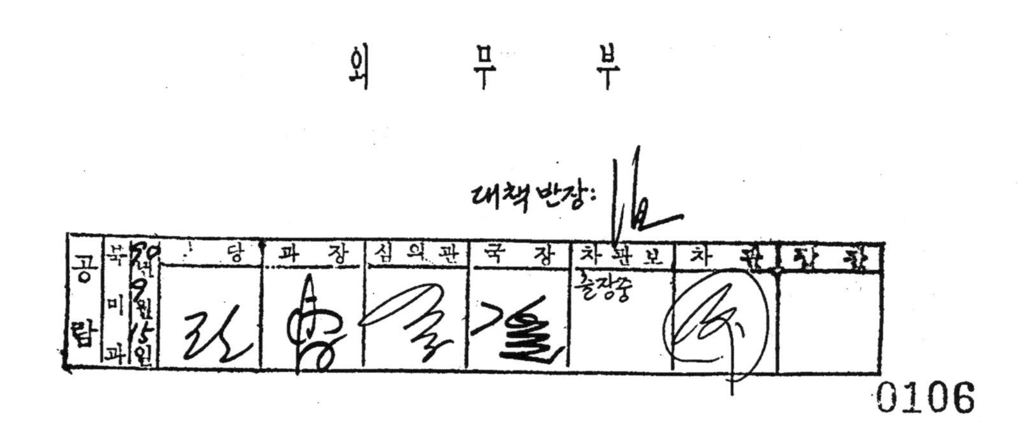

1. 회의 개요

가. 일 시 : 90.9.14(금) 16:00-18:25

나. 장 소 : 외무부 상황실(817호)

다. 회의 참석자 :

외 무 부 : 권병현 이라크-쿠웨이트 사태 대책반장(회의 주재)

국무총리실 : 김 용 경제과학 심의관

경제기획원 : 장승우 대외조정실 제2협력관
이철수 예산실 예산심의관

외 무 부 : 반기문 미주국장
이두복 중동아국장
최대화 국제경제국장
허리훈 영사교민국장

재 무 부 : 신명호 국제금융국장

국 방 부 : 윤용남 정책기획관

농 수 산 부: 박창정 양정과장

상 공 부 : 김종희 무역정책과장

건 설 부 : 강길부 해외협력관

교 통 부 : 최 훈 수송정책국장

0107

2. 토의 내용 요지 :

가. 지원분야 검토 원칙

o 한.미관계 중요성을 감안, 경제 및 안보에 미치는 부담을 최소화 하면서 장기적인 관점에서 검토 필요

o 아국 경제에 미치는 영향 고려, 현금보다는 물자 및 용역 부문 지원 추진

나. 지원 가능 분야

(다국적군 활동 지원)

o 수송수단 제공

- 미국이 가장 필요로 하는 분야인 만큼 미측의 요청이 있을시 적정 범위 내에서 민간 화물 수송기 수시 지원

  * 민간 화물 수송기 1회 지원 비용 : 약 50만불

- 화물 수송 선박 2-3회 추가 지원 검토

  * 1척 1회 지원 비용 : 약 200만불

o 이집트에 대한 방독면 지원

- 이집트와의 수교 기반 조성 기여측면 및 소위 전선국가(front-line states)에 대한 지원 명분 감안, 5,000착 정도 지원 적극 추진 (수송비 포함, 약 70만불)

  * 이집트, 아국의 방독면 제공 제의 환영

- 지원 방침 확정시, 군용 비축분 등에서 우선 지원 방안 검토

o 다국적군에 대한 군복, 군화, 쌍안경, 구명대 등 방산품 지원

- 단, 방산품 지원 방침 결정시 한.이라크 관계에 미칠 영향 신중 고려 필요

0108

(소위 전선국가 등 피해국에 대한 경제원조)

o 대외 경제협력 기금(EDCF) 지원

- EDCF 자금 지원에 대한 국내적 문제 없음.(단, 미국이 무조건적인 경제 원조를 원하고 있으므로 미측과 협의 필요)

  * EDCF는 조건부 차관(tied loan)임.

- 현 가용기금 : 4천만불

o 잉여 쌀 지원

- 현 수출 가능량은 약 40만톤(280만석)

- 국내적으로 커다란 문제는 없으나 사전에 다음 사항 검토 필요

  · 5,000t 이상 장기대여 혹은 무상원조시, FAO 산하 잉여 농산물 처리 소위원회(CSD)에 사전 통보, 이해 당사국과 협의를 거쳐야 함.

  · 무상원조시, 해당 국내 가격 상당액을 양곡특별 회계에서 보전 필요

    * 국내가격 : 830불/t (국제가격 : 350-400불/t)

  · 이집트, 요르단, 터키 등 지원 대상 국가의 주식은 쌀이 아니며, 소비하는 쌀의 종류도 아국 쌀과는 다름. (이집트는 쌀 수출국)

  · 운송 비용 막대

    (쌀 수출 경험이 없는바, 파키스탄에 대한 고추 수출 경험에 의하면 10만톤당 약 1천만불 소요)

o 이집트, 요르단에 대한 무상 원조 배정액 조기 집행

- 금번 사태 관련 경제지원과 연계, 이집트 및 요르단에 대한 금년도 무상원조 배정액 36만불 및 9만불 조속 집행

- 명년 무상원조액 포함문제 검토 필요

  * 요르단, 90.9. 급수차 2대 지원 요청(약 13만불 상당)

0109

o 요르단 유입 난민문제 해결 협조

- 각국 요청에 따라 개별적으로 지원하기 보다는 국제이민기구 (Int'l Organization for Migration : IOM)에 대해 일괄 지원 방안 검토(50만불)
- 필요시 난민 수송수단 제공 가능성도 검토

o 의료단 파견 문제

- 공중보건의사 활용 방안 적극 검토
- 사우디 파견중인 아국 간호원 활용문제도 검토

다. 지원 불가능 분야

o 군용 수송기에 의한 수송지원

- 아국의 안보 상황 및 현 보유 수송기(C-123, C-130)의 성능 등을 고려할 때 지원 불가

o 군사기지, 막사 등 페르시아만 주둔 미군용 시설물 건축 지원

- 미 군용 시설물 건설 지원시 한.이라크 관계 악화 가능성 농후 (단, 입찰에 의한 상업적 건설 참여는 별문제)

o 군의관 파견

- 미측도 지원 불원

라. 예산 문제

o 정부 재정에서만 충당시 초래될 부작용 고려, 재원의 다원화 필요

- 기금 조성, 지원참여 회사에 대한 세제 혜택, 채권과의 상계 방안 등 검토

0110

마. 기타 사항

- o 지원시 대국민 홍보대책 수립 필요

- o 한.미 외무장관 회담(9월하순), 한.미 재무장관 회담(9월20일경) 한.미 정책협의회(9.21) 등 한.미간 고위협의 일정과 미국 의회 및 여론 등을 고려, 다음주중 관계 장관회의 개최, 구체적 지원 규모 등 검토 필요.

3. 부처별 주요 발언 요지

- o 총리실
  - 아국 경제에 미치는 효과 등을 고려, 상공부측에서 소모품 지원 방안 검토 필요
  - 재원 다원화와 관련, 제조업자에 대한 채권과 상계 방안 검토 필요
  - 아국의 지원 조치에 대해 국민을 납득시킬 수 있는 홍보 대책 수립 필요

- o 안기부
  - 의료 지원 문제와 관련, 사우디 근무중인 아국 간호원 활용 가능성 검토 요망

- o 경제기획원
  - 재원을 모두 정부 예비비 등 재정에서 충당할 경우 국회, 언론 및 여론으로 부터의 비판 가능성 감안, 기금조성, 업계 분담 등을 통한 재원 다원화 필요
  - 아국의 비용분담 관련, 쿠웨이트 및 이라크 거주 교민 및 아국 근로자 본국 수송비도 계상 필요
  - 다국적군 활동 지원 비용을 주한미군 방위 분담 비용과 연계하여 지출하는 방안 검토
  - 외무부의 무상원조 금액을 증액하는 방법도 검토 요망

0111

o 외무부

- 아국의 경제 및 안보에 대한 부담을 최소화하고 한.미 관계의 중요성을 장기적인 관점에서 감안, 대처할 필요
- 미국은 아국의 지원 규모를 가능하면 9월말 이전에는 결정해 줄 것을 비공식적으로 아국에 요청중. 따라서 내주초 관계장관회의를 개최, 지원 규모 등을 우선 결정함이 필요함(9월 하순 한.미 외무장관회담, 9.21. 한.미 정책협의회 일정 등 감안)
- 또한 미측의 긴급한 요청등을 감안, 수송분야 지원을 계속해 나가야 할 필요
- 이집트에 대한 방독면 5,000착(수송비 포함, 약70만불 소요) 지원은 외무장관의 구상인바, 이집트와의 수교 조기 기반 조성 기여 효과 및 전선국가 지원 차원에서 적극 추진 필요. (이집트는 아국의 방독면 지원제의 환영)
- 요르단 유입 난민 지원의 경우, 필리핀, 파키스탄, 스리랑카 등 각국별 지원 보다는 국제이민기구(IOM)에 대한 일괄 지원이 바람직함. (예컨데 50만불 정도)
- 이라크 및 쿠웨이트 거주 교민이 9.13.현재 1,327명중 1,053명이 철수하였으며 이들 철수에 22만 5천불이 소요되었음.
- 의료단 파견의 경우, 적은 인원 파견으로 커다란 효과를 거둘 수 있으므로 적극 검토 필요 대미 협의
- 아국이 미국에 대해 긴급 지원 조치한 항공 수송 지원 3회 및 해상 운송 지원 비용 350만불은 이미 계약서에 정부를 대표하여 서명을 하였으므로, 정부의 공신력의 문제는 물론 추후 수송 수단 계속 지원 등의 경우를 고려해서라도 정부 예비비에서 조속 지출이 되어야 할 것으로 봄.
- 아국 비용 분담 문제 관련 대미 협의 창구는 외무부로 단일화하고 모든 관련 사안에 대한 철저한 보안 유지 당부

0112

o 재무부

- 관계장관회의를 조속 개최, 정치적 판단에 의한 총지원 규모를 우선 결정해야함. 그후, 미국과의 협의 등을 거쳐 지원분야 등을 결정하는 것이 순서일 것으로 봄. (9월하순 한.미 재무장관회의 개최 등 감안)
- 다국적군 활동 등 지원은 아국 경제에 미치는 영향을 고려할때, 군사 지원보다는 민간 화물기에 의한 수송 지원 및 물자 지원 등이 바람직함.
- 대외경제협력기금(EDCF) 지원에 대한 국내적 문제는 없으며 현 가용 기금은 4천만불임. 단, 단기 지원의 경우 미국이 조건 없는 지원을 요청하고 있음에 비추어 미국과 협의가 필요할 것으로 봄.
  (EDCF는 tied loan 임)
- 한편 미국은 내년도 경제 원조 방법으로 IMF, IBRD 등의 Mutual Supporting Fund 조성 등에 기여하는 방법 등을 구상하고 있으므로 EDCF 기금은 이러한 용도로 사용할 수 없음.

o 국방부

- 현재 우리 군이 보유하고 있는 C-121, C-130 수송기는 아국의 안보 상황 및 수송기의 능력 등을 고려할때 지원이 불가함.
  미측은 군용 수송기에 대한 수송 지원은 희망하고 있지 않음.
  (미국-중동간 수송을 위해서는 C-5 또는 C-141기가 있어야 하나 우리는 현재 이 기종을 보유하고 있지 않음)
- 군사장비 지원은 군사 개입이 되므로 신중한 검토가 필요하다고 봄.
- 군 의무요원 지원의 경우, 정치적 문제를 깊이 생각해 볼 필요가 있음.
  미국도 한반도 상황을 고려, 아국이 군사적으로 직접 참여하는 것은 원하지 않고 있음.
  그러나 공중 보건의사 파견 문제는 보사부에서 검토할 수 있을 것임.

0113

o 농수산부

- 현재 쌀은 이월 재고를 포함, 170만톤의 재고가 있으며, 수급을 고려할 때 40만톤 지원 가능함. 따라서 터키, 요르단 등이 원할 경우 지원은 가능함.
- 그러나 쌀 무상원조의 경우, 국내 예산 문제는 물론 FAO 산하 잉여 농산물 처리 소위원회에 사전 통보, 이해 당사국과 협의를 가져야 하는 등 문제점이 많음.
- 또한 운송비용이 막대하여 지원시 효과가 크지 않음.
  (고추 10만톤의 파키스탄 수송 비용이 약 1천만불 소요)

o 상공부

- 지원 규모가 결정되어야 지원 품목 검토가 가능함.
- 지원 품목은 방산물자와 일반 생필품 모두 다양하게 지원할 수 있음. 따라서 물자 접수국이 필요로 하는 품목을 파악할 필요가 있음.

o 건설부

- 건설 지원은 대상이 문제인바, 군용 기지, 막사 등 군시설물 건설 지원은 이라크 주재 아국 근로자의 안전 문제 및 9억2천만불의 이라크 공사 미수금 등을 고려할때 곤란함.
- 따라서 입찰에 의한 상업적 건설 참여는 괜찮으나 정부의 건설지원은 신중을 기해야 함.

o 교통부

- 미측은 아측의 수송 수단 지원에 감사하고 있으며 계속적인 수송 수단 지원을 요망하고 있음.
- 대형 화물기 무기한 전세는 어려우므로 미측의 요청이 있을 경우 화물 수송 일정을 감안하여 수시로 수송 지원을 하는 방법이 좋음.

0114

- 기존 수송 지원에 대한 비용을 기획원 예산실에서 제의한 기금 또는 조세감면 등의 방법으로 상쇄시키는 방법은 곤란함.

  해운업계의 관행은 선적이 완료되면 바로 대금을 지불하도록 되어 있음.

  또한, 선원 노조에서 페르시아만으로의 항해를 거부할 소지도 있는 바, 추후 수송 수단 지원 문제 등도 고려하여 항공기 임차 및 선박용선 비용은 정부 예산에서 하루속히 지불해 줘야 함.

  (이와관련, 폐만 사태로 해운업계가 근래 최대의 호황을 맡고 있어 용선의 어려움이 심화되고 있는 현상 설명). 끝.

0115

17부 (일본 기여 내역 정리 요) 건

원 본

관리번호	90-1848

외 무 부

종 별 : 지 급

번 호 : USW-4193 일 시 : 90 0914 1939

수 신 : 장관(미북,중근동,아일)

발 신 : 주 미 대사

제 목 : 가이후 일본 수상 기자 회견 방영

1. 금 9.14 당지 CNN 방송은 가이후 일본 수상과 CNN 동경 주재 특파원과의걸프 사태 관련 단독 기자 회견 내용을 방송함(기자 회견 내용은 전문 별첨 송부)

2. 동 방송시 가이후 수상은 금번 걸프 사태 관련 일본의 지원 내역을 구체적으로 설명하고, 이락의 쿠웨이트 침공을 강력하게 규탄하였는바, 이는 최근 걸프 사태 관련 일본의 소극적 지원 의사에 대한 당지 언론및 미의회의 비판 태도를 의식한 적극적 홍보책의 일환인것으로 사료됨.

첨부 USW(F)-2231

(대사 박동진-국장)

90.12.31 까지

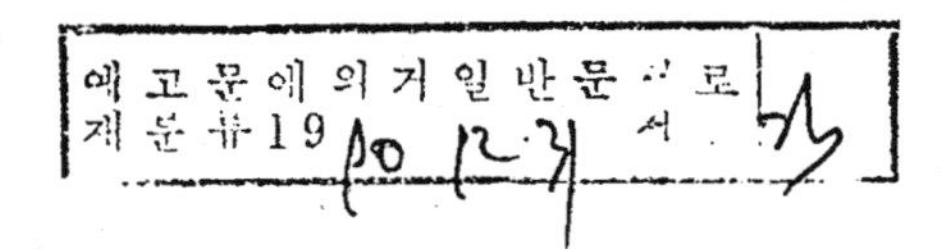

미주국 아주국 중아국 정문국

PAGE 1

90.09.15 09:08

외신 2과 통제관 BT

0116

번호 : USW(F) - 3(

수신 : 장 관 (미북,중근동,아이노) 발신 : 주미대사

제목 : 가이후 일본수상 기자회견 발명 (2 매)

보안 통제

CNN "WORLD DAY" INTERVIEW WITH: TOSHIKI KAIFU, PRIME MINISTER OF JAPAN
CNA-5-1-E page# 1 FRIDAY, SEPTEMBER 14, 1990

BOB CAIN: Japanese Prime Minister Toshiki Kaifu telephoned President George Bush today with some welcome news. He said his country will ante up another $3 billion to help in the Gulf crisis. This would bring Japan's total commitment to $4 billion. In an exclusive interview today with CNN's Taylor Henry in Tokyo, Mr. Kaifu said Japan understands the grim import of Iraq's aggression.

PRIME MINISTER KAIFU: (As translated) With respect to what happened in the Middle East, first of all I would like to point out the following. At the very moment when East-West relations are eased and we are now about to go beyond the mindset of the Cold War era, we are about to bring in the age of cooperation and coordination to bring about peace and stability. It is unforgivable and intolerable for one country to invade and annex another country by force, and it runs counter to the trend of history. What Iraq did to Kuwait was no other than the destruction of peace, and we shall never tolerate such a blatant violation of international law and humanism. And this runs exactly counter to the international community.

MR. CAIN: Japan, you know, has been criticized in the US Congress for being too slow and too low in response to the crisis. It wasn't until the end of August that Japan announced the billion dollar package to help pay for the forces sent to the Gulf. That was then seen as stingy, considering Japan's wealth and its deep economic interest in the Middle East oil. But Prime Minister Kaifu feels Japan is doing quite a bit.

PRIME MINISTER KAIFU: (As translated) On the 29th of August, we compiled what we can do to help the peace-restoring activities carried out in accordance with the United Nations resolutions. We announced a broad framework which is made up of two major components. The first component is our cooperation with the peace-restoring efforts by the United States and some European, Arab and Asian countries. To this purpose, we decided to assist in the amount of $1 billion, as you may already be aware. In addition to the $1 billion, today after consultations with the cabinet ministers concerned and after the cabinet meeting, we decided to get ready to assist with an additional $1 billion.

As to the second major component of our contribution framework, we have also decided to assist with $2 billion for the purposes of lessening the economic burden and losses of the front line states, such as Egypt, Turkey and Jordan, which are incurring economic losses because of their adherence to the United Nations economic sanctions. Out of the $2 billion, $600 million will be used in coordination with the multilateral efforts.

At the same time with these two major elements we are

2231 -1

0117

vigorously assisting in providing relief for refugees, mostly made of Asian peoples. We have already appropriated $10 million in response to the appeal by the United Nations agencies concerned. We have already made additional decisions to provide another $12 million for the relief and repatriation of those peoples so that we can help them go back to their countries. We are not assisting only in financial terms but also are now formulating specific actions to provide them with such transportation needs as aircrafts and ships.

MR. CAIN: There are some who would like to see Japan contribute fighting men and weapons, but the Japanese post-war constitution, crafted by General MacArthur, forbids all but the defense of Japanese soil itself. Within those restrictions, Mr. Kaifu says Japan is prepared to do just about anything else.

PRIME MINISTER KAIFU: (As translated) Japan is vigorously assisting peace-restoring activities in such areas as in transportation, provision of materials and equipment, and also in the medical field. We are vigorously conducting such efforts because it is such an important thing to ensure peace and stability in the region which has two-thirds of the world's oil reserves and which is of vital significance to the future prosperity of the world economy. The region's peace and stability is quite significant in terms of the world economy, also in terms of the Japanese economy.

MR. CAIN: That was the Japanese Prime Minister, Toshiki Kaifu, speaking with CNN's Taylor Henry in Tokyo.

END

2231 - 2

0118

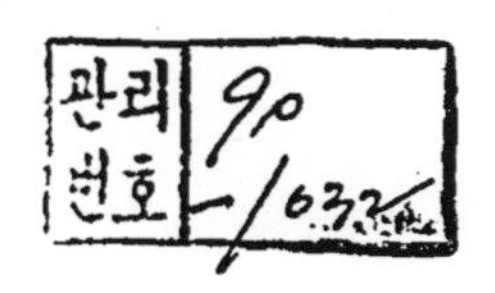

사본 : 북미과.

통 화 요 록

ㅇ 통화자 : 안보과장 - 주한미대사관 Christenson 1등서기관

ㅇ 일 시 : 90.9.15(토) 12:30

일반문서로 재분류(1992.9.1

ㅇ 요 지

공람	안보과	담당	과장	심의관	국 장	차관보	차 관	장 관
	90 9월 15일	김						

(Christenson 서기관)

- 어제(9.14) 저녁 Gregg 대사는 Brady 재무장관으로부터 "페만"사태 다국적 활동을 위한 한국의 지원에 관해 전화를 받았음.

- Brady 장관이 언급하기로는, 일본이 수십억불의 지원을 약속한 상황에서 한국이 적시에 조치를 취하지 않으면, 한국과 일본이 큰 대조를 이룰것이며, 일본과 서독에 집중하고 있던 미국의 관심이 한국에 모아질 가능성이 우려된다고 하였음.

- 따라서 미국정부는 한국이 가급적 조기에 어떤 상징적 조치(some symbolic measures)를 취해주는 것이 필요하다는 입장을 갖고 있으며, Brady 장관은 이러한 입장을 한국정부에 전달할 것을 Gregg 대사에게 요청하였음.

- 미국은 지금 미국이 어려운 상황에 놓여 있을때, 동맹 우방국들이 어떤 지원을 해주는가에 대해 주시하고 있으며, 이럴때에 한국에 대한 미국의 부정적 여론이 형성되지 않기를 기대함.

- 상기 요청은 금일 오전 Gregg 대사가 청와대 김종휘 외교안보 보좌관에게 전달하였으며, 외무부에도 참고로 전달(courtesy information)하는 바임.

0119

(안보과장)

- 김종휘 보좌관에게 전달하였다고 하니 청와대에서 미측의 입장을 충분히 이해할 것으로 생각함.

- 우리 정부는 이미 다국적 활동지원을 우리의 능력이 허용하는 범위 내에서 적극 기여한다는 방침아래 가능한 방안에 대해 고심하고 있음.

- 어제도 관계부처 실무회의를 개최, 방안을 협의한 바 있으나, 원칙에는 이의가 없지만 가용재원에 대한 묘안을 도출하는데는 상당한 어려움이 예상되었음.

- 잘 알다싶이 한국은 경제.안보적 어려움 외에도 최근 수재로 인해 극심한 곤경에 처해 있음도 외면할 수 없는 상황임.

- 한가지 지적하고 싶은 것은 왜 미국이 이 문제에 관해 한국을 일본이나 서독과 같은 선상에 두고 비교하는지 이해할 수 없으며, 또한 한국이 취하는 조치를 주시하겠다는 언급을 잘못하면 일종의 협박으로도 들릴 수 있는 문제임. 그리고 미국이 서울과 워싱턴의 여러경로를 통해 우리 정부에 압력을 가중시키고 있는 것은 우리를 매우 불편하게 만드는 것임.

(Christenson 서기관)

- 미국이 협박성으로 하는 이야기는 아니고, 상황이 그만큼 심각 하다는 것을 알리고자 한 것일 뿐임. 문제는 한국 정부의 조속한 조치가 필요함을 강조하는 것임.

(안보과장)

- 서로의 입장을 잘 알고 있는 만큼, 미측은 한국 정부의 우선 결정을 기다리는 것이 현명할 것으로 생각함.

- 끝 -

0120

관리 번호	90-2024

	분류번호	보존기간

발 신 전 보

번 호 : WUS-3058 900915 1715 DY 종별 :

수 신 : 주 미 대사 총영사

발 신 : 장 관 (미북)

제 목 : 페르시아만 사태 경비분담

연 : WUS-3052

1. 연호, 관련부처 대책회의에는 국무총리실, 안기부, 경기원, 재무, 국방, 농수산, 상공, 건설, 고통부 등 10개 부처 국장급이 참석한 바, 협의 개요 하기 통보함.

가. 수송분야 : 미측요청 있을시 적정 범위 내에서 민간 화물수송기를 지원하고 화물 수송선박 2-3회 추가 지원을 검토함

나. 전선국가에 대한 경제원조를 위해 EDCF 자금을 활용함 (현재 가용 재원 4,000만불)

다. 전선국가에 대한 쌀 지원 적극검토 (25,000톤당 1천만불 소요. 수출 가능 총량 40만톤 정도임.)

라. 이집트, 요르단에 대한 무상원조 조기배정 집행

마. 이집트에 대한 방독면 지원(5,000착 정도)

바. 의료단 파견문제 검토

사. 요르단 유입 난민문제 해결을 위한 I.O.M. 에의 기여금 제공

2. 내주초 관계장관 회의를 거쳐 아국의 지원규모에 관해 결정할 예정인 바, 우선 귀관의 참고로만 하기 바람. 끝. (미주국장 반 기 문)

예 고 : 90.12.31. 일반

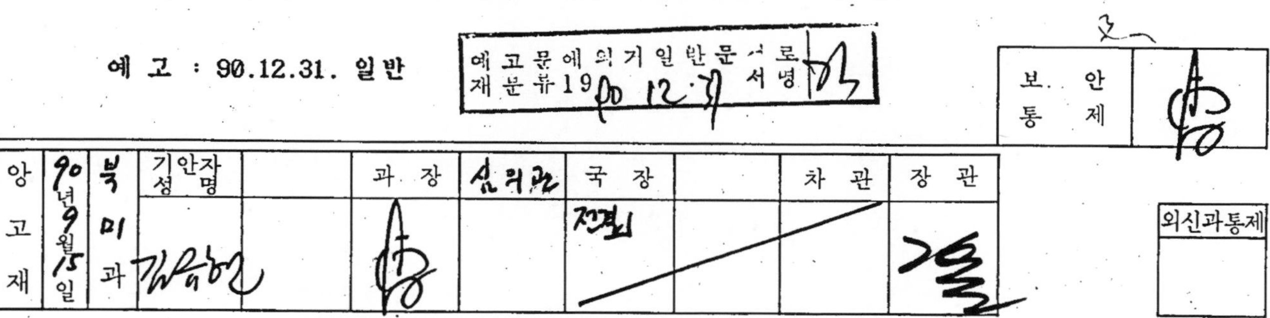

예고문에 의거 일반문서로 재분류19 90 12 31 서명
보안 통제
앙고재 90년 9월 15일 북미과
기안자 성명
과장
심의관
국장
차관
장관
외신과통제

0121

페르샤만 사태 관련 경비분담 문제

관계부처 장관 회의 결과

1. 일 시 : 1990. 9. 18(화) 07:30-09:00

2. 장 소 : 삼청동 안가

3. 참 석 자 : 부총리, 안기부장, 외무장관, 국방장관(합참의장), 대통령 비서실장, 경제수석비서관, 외교안보 보좌관

4. 주요 토의 내용

가. 지원시 고려사항

o 현금 지원보다는 현물 및 서비스 지원을 중심으로 함으로써 아국 경제에 도움이 되는 방향으로 지원함.

o 지원 규모 결정의 근거 마련
- 대미 흑자 규모, 방위비 분담
- 미.일.독일과 아국과의 GNP 등 국력 대비
- 아국의 최근 대홍수 피해 복구 등 감안

0122

나. 지원 규모

o 총 2억불 범위내에서 지원함.

- 다국적군 경비지원 : 1억불

- 전선국가(요르단, 터어키, 이집트) 지원 : 1억불

* 금년중 75%에 해당하는 1억 5,000만불을 지원하고 내년중 5,000만불 지원함.

o 구체적 지원 내역

(다국적군 지원) : 금년중 7,500만불

- 경비 지원 : 3,000만불

- 수송 지원 : 3,000만불

- 군 소모품 : 1,000만불(대 이집트 방독면 10,000 착 지원 포함)

- 의 료 품 : 500만불

(주변국가에 대한 지원) : 금년중 7,500만불

- EDCF 자금지원 : 4,000만불

- 잉여 쌀 지원 : 1,000만불

- 구호 생필품 : 2,450만불

- I.O.M(국제이민기구) 기여금 : 50만불

0123

다. 기타 지원 분야 검토

o 군용 수송기 1-2대 제공 문제
  - 국방부 검토

o 공중 보건의 파견 문제
  - 보사부 검토

5. 대통령 각하에 대한 기본 계획 보고

o 90.9.20(목) 17:30

o 부총리, 외무부장관

6. 대외 발표 및 홍보 문제

o 지원규모 최종 결정시 미측에 즉시 통보하고 외무부장관이 대외 발표함.
  - 부총리가 발표하는 방안을 검토했으나, 현 아국의 경제상황, 홍수 피해 등을 감안, 외교안보적 필요성 고려 외무부장관이 발표토록 함.

o 홍보 계획 별도 수립, 시행

0124

관리번호	PS-2074

분류번호	보존기간

발 신 전 보

번 호 : WUS-3086 900918 2312 FC 종별 :

수 신 : 주 미 대사. ~~총영사~~ (친전)

발 신 : 장 관 (미북)

제 목 : 페르시아만 사태 경비 분담

연 : WUS-3058

1. 연호 아국의 지원 문제와 관련 금9.18(화) 오전 부총리, 안기부장, 외무장관, 국방장관, 대통령 비서실장, 경제수석 비서관, 외교안보 보좌관 등이 참석한 가운데 관계부처 장관 회의가 개최되었음.

2. 동 회의시 다국적군 활동 지원과 관련 우선 미측에 수송 수단 지원을 계속하기로 하였으며 ~~[illegible]~~. ~~[illegible]~~ 대외 협력기금(EDCF)을 활용, 전선국가에 대한 원조를 제공하는 방안과 잉여쌀을 원조하는 방안 등도 적극 검토하기로 하였음.

3. 한편, 아국의 총지원 규모 및 내역 등은 조만간 결정될 전망이며 결정되는 즉시 미측에 통보하고 대외 발표를 할 예정인바, 상기사항은 귀관의 참고로만 하기 바람. 끝. 아국지원규모는 GNP, 대외무역, 방위비, 예산여유, 금번 수해의 피해규모 등 제반요소를 감안하되 능력의 범위내에서 최대한 미측의 요청에 부응한다는 견지하에 결정될것임 (차관 유종하)

예고 : 91.6.30. 일반

검 토 필 (1990.12.31.)

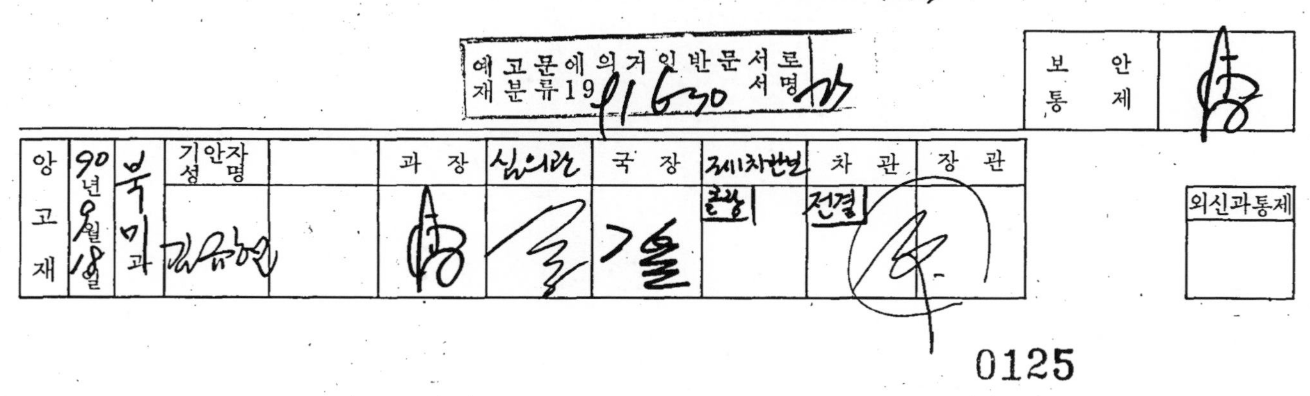

예고문에 의거 일반문서로 재분류 1991.6.30 서명

보안통제	

앙고재	90년 9월 18일	북미과	기안자 성명 김유현	과 장	심의관	국 장	제1차관보	차 관	장 관
				(서명)	(서명)	(서명)	전결	전결	(서명)

외신과통제

0125

"가급적 物資로" 現金 줄이기

페湾분담금 対美실랑이 政府 대응전략

追更책정 1.5억弗 범위서 협상
埃·터키등에 차관 2억달러 가능

페르시아灣 사태가 장기국면으로 접어들면서 美国과 日本및 西独간에 첨예하게벌어졌던 군비부담논쟁의 파고가 우리나라에도 급속히 파급되고 있다.

미국은 일본이 주변국경협지원까지 합쳐 모두 40억달러, 서독이 20억달러 부담에 각각 합의한 사실을 들어 韓国도 내년까지 3억5천만달러상의 군비및 물자지원을 요구하고 있는 반면 우리 정부는 경제상황악화 対이라크 건설미수금, 또 최근의 수해상황등을 들어 부담규모가 최소화돼야 한다는 입장으로 팽팽히 맞서고있는 것이다.

우선 미국이 지난 7일 브래디 재무장관의 방한과정을 통해 우리측에 제시한 부담금이 얼마인지에 대해서는 양국정부가 똑같이 입을 다물고있기 때문에 아직 정확한 규모는 알수 없는 상태다. 다만 최근 미국 소식통을 통해 흘러나온 정보에 따르면 미국은 올해에 현금 5천만달러와 각종 물자및 서비스지원 1억달러를, 내년에 현금 6천만달러와 각종 서비스및 물자지원 2억4천만달러를 요구해 올해와 내년에 모두 4억5천만달러를 요청한것으로 알려지고있다.

그러나 이에대해 우리정부관계자들은 정확한 내역은 밝히지않은채 전체요구액을 4억5천만달러보다 적은 3억5천만달러를 약간 상회하는 수준이라고만 설명하고있다.

전체요구규모가 어찌됐든 일단 우리정부는 현금지원을 통한 군비분담은 5천만달러 정도로 국한시키고 나머지는 의류 방독면 식량 의약품등의 물자와 장비및 서비스지원 중심으로 한다는 방침이었던 것으로 알려졌다. 또 미국이 요구해온 공중및 해상수송지원과 터키·이집트·요르단등 이라크인접국에 대한 경협자금지원문제에도 적극 검토한다는 입장이었던 것으로 전해지고있다.

정부가 현금군비부담을 5천만달러로 책정했던것은 일본의 현금군비부담액이 10억달러였으므로 일본GNP(국민총생산)의 20분의1 수준인 우리로서는 10억달러의20분의1인 5천만달러가 적정규모라고 판단했기 때문이다.

그러나 일본이 지난14일미국의 압력으로 군비를 10억달러 더 부담하겠다고 공식발표하면서 이 계산은 빗나갔다. 이같은 사실은 일본의 추가부담 발표직후 정부의 고위당국자가 "일본이 10억달러를 더 늘리는 바람에 우리가 1억달러를 부담한다고해도 미국이 만족하겠느냐"고말언한데서도 입증되고있다.

정부는 이와관련, 18일오전 李承潤부총리등이 참석한 페르시아만사태대책회의에서 그동안의 상황변화를 감안한 정부대응방안을 다시 정리한 것으로 알려졌다. 구체적인 미국과의 협상방안에 관해 정부관계자들은 여전히 굳게 입을 다물고있으나 일단 올해 2차추가경정예산에서 1억5천만달러에 해당하는 1천억원의 일반예비비를 확보, 미국과의 협상에 임한다는 방침만은 확인되고있다.

정부는 또 자체방위부담과중, 경제상황악화, 최근의 수해상황등을 미국측에 설명해 이자금을 이용한 현금군비부담은 가급적최소화하고 대신 물자·장비·서비스지원에중점을둔다는 방침을 정한것으로 알려지고 있다. 또 이집트등 이라크 인접국에는 対개도국 경협용인 대외경협기금(EDCF)지원을 검토하고있다.

연리3%의 장기저리차관인 EDCF의 연말조성목표액은 2천17억원이로 지금까지 지원승인된것이 5백15억원임을 감안하면 2억달러에 해당하는 1천5백억원정도의 여유가 남아있다. 결국 정부예비비와 EDCF자금을 총동원할 경우 1억5천만달러 정도의 군비부담내지 물자지원과 2억달러가량의 인접국차관지원이 가능하다는 얘기다.

이에대한 미국측의 반응이로는 "한국측의 특수한 상황을 감안, 그정도면 충분하다"는 정보도 전해지고 있으나 美의회등 일부에서는 부담규모추가증액요구도 없지않은 것으로 알려지고 있다.

아무튼 현재의 경제상황은 그렇지않아도 국제수지가 적자로 반전되고 있는 데다 국제 고유가추세와 수해복구까지 겹쳐 대폭적인 군비부담을 하기 어려운 상태임에 틀림없다. 또 10억달러에 이르는 対이라크 건설미수금문제가 해결되지 않아 이라크쪽의 눈치도 살펴야할 입장이다. 유가부담등을 고려할 때 西独수준 만큼의 동참은 수밖에 없는 상황이지만 군비부담규모·지원방법등에는 정부의 신중한 대응이 다시한번 필요한 시점이라는 게 관계전문가들의 대체적인 지적인 것이다. <金光顯기자>

90. 9. 19. 조선일보

0126

社說

페르시아灣分担, 過重하다

미국의 중동파병을 지원키 위한 이른바 페르시아灣 분담금은 아직도 외교적 절충과정에 있는 탓인지 전모가 알려져 있지 않다. 일부 미확인 보도들은 미국측이 총4억5천만 달러 상당을 우리측에 요구하고 있는 것으로 전하고 있다.

이 문제에 관한 우리의 생각은 이미 개진한대로, 그것은 국제사회 성원으로서의 적절한 책임부담과 장·단기 국가이익, 그리고 주체적인 능력과 현실적 여건들이 어느 한쪽에 치우침없이 충분히 고려된 연후에 결론을 내려야 할 事案이라고 판단한다.

오늘의 중동사태는 그 국면의 전개방향이나 귀결의 방식에 따라 세계경제는 물론 우리에게도 직접적이고 심대한 영향을 끼칠 것이다. 그리고 세계 석유시장 需給의 안정에 절대적으로 의존할수밖에 없는 석유輸入國으로서 우리가 中東 사태에 대해 갖는 정치·경제적 이해는 기본적으로 서방선진공업국들의 그것과 크게 다를 수 없을 것이다.

그러나 다른 한편으로는 이미 오래전부터 우리는 중동각국과 건설부문을 중심으로 한 다각적인 협력관계를 유지해 오고 있으며, 지금도 상당수의 우리 근로자들이 각국에 진출하고있는 것도 현실이다. 국제사회 성원으로서 말아야할 책임을 외면해서도 안되고, 유엔에서 결의된 국제적 명분을 우리만 도외시할수도 없을 것이다. 이점에서 우리는 정부가 처하고 있는 어려운 입장을 충분히 이해할 수 있다.

다만 우리는 정부가 국제적 명분과 책임을 나누어 가지는 방식과 정도에서 우리의 능력과 처지를 충분히 고려하고 냉철하게 판단하기를 기대한다. 만에 하나라도 이같은 고려와 판단없이 명분만 앞세우거나 우방의 강권에 쫓겨 경솔하게 이 문제를 해결한다면 그 부작용이 매우 클 것이고, 국민들을 설득하는데도 어려움이 따를 것이다.

현실적으로 볼때 우리의 처지는 한마디로 80년대 이후 최악의 상황에 접근하고 있다. 건축과 서비스 산업에 의존해서 겨우 성장률만 지탱하고 있을 뿐, 경제의 구조적 내막은 만신창이와 진배없다.

경제를 주도해온 수출과 제조업은 일시적 순환장애가 아닌 구조적 한계에 직면함으로써, 성장·고용·국제수지 등 모든 대내외균형이 한꺼번에 흔들리고 있다. 올해 국제수지는 이미 예상된 經常赤字선을 훨씬 넘어설 것이 분명해졌고, 내년에도 그것을 뛰어넘을 수 있는 변수는 아무데서도 찾을 수 없는 처지다.

이미 30달러선을 넘어서고 있는 국제原油價만으로도 올해와 내년의 경제운행은 중대한 타격을 입을 것이다. 아마도 지금과 같은 구조적 장애들은 적어도 5년여의 집중적인 경제개혁과 산업조정을 거쳐야만 겨우 헤어날 수 있는지도 모른다.

이런 나라안 사정을 두루 살필 때 미국이 요구했다는 4억5천만 달러의 분담금은 우리에게 터무니없이 과중한 부담일 수 밖에 없는 것이다. 재작년만해도 우리는 이 정도의 책임분담은 충분히 흔쾌하게 부담할 수 있었지만, 지금은 그 모든 사정들이 다 바뀌어져 있다.

더구나 지금 우리는 사상미증유의 대형 재난을 겪음으로써, 국가재원의 심각한 부족상태에 직면해 있다. 이 재난의 완전 극복을 위해서는 아마도 그 분담금요구액의 10배를 더 들여야할지도 모른다. 정부는 이같은 국내사정을 있는 그대로 보여주고, 명분과 현실을 최선으로 조정하는 외교노력을 더 기울여야할 것이다. 이번 기회에 우리는 정부도 우리의 능력을 바깥에서 잘못 평가하지 않도록 과대 포장이나 선전, 또는 불필요한 국제적 선심을 남발한데 대해 심각한 반성이 있어야 한다고 믿는다.

90. 9. 19.
조선일보

페灣지원 2억5천만弗

정부검토 내년까지 2年間…美요청 절반線

정부는 페르시아灣 사태와 관련, 미국이 요청한 군사비 분담금과 이집트 터키등 이라크 인접국에 대한 경제지원등 4억5천만달러의 절반수준인 2억5천만달러 안팎을 내년까지 2년간에 걸쳐 지원할 계획인 것으로 알려졌다.

정부는 이를위해 금년도 추경예산에 마련할 예비비1천억원(1억5천만달러)을 군사비로, 대외협력기금1천5백억원중 일부(1억달러 규모)를 경제지원금으로 할당하는 방안을 검토중이다.

정부는 18일 三淸洞 정부회의실에서 李承潤부총리 崔浩中외무 李相薰국방부장관, 金鍾仁대통령경제수석비서관 金宗輝 외교안보보좌관등이 참석한 가운데 관계장관회의를 갖고 미국측과의 협의일정을, 앞당겨 늦어도 이달안으로 구체적 분담금규모 및 지원방법을 확정키로했다.

정부는 또 군사비 협력부담규모를 최대한 줄이는대신 의류·텐트등물자와장비, 수송선단과 건설서비스제공에치중한지원방안을 검토키로했다.

90. 9. 19
한국일보

0127

관리번호 90/1276

원 본

외 무 부

종 별 : 지 급

번 호 : USW-4233 일 시 : 90 0918 1732

수 신 : 장관(중근동,미북,통일)

발 신 : 주 미 대사

제 목 : 미 대통령 경제 담당 보좌관 연설(GULF 사태 관련 비용 분담 문제등)

검 토 필 (1990. 6. 30.)

대 WUS-3086

1. 금 9.18 미 국무성내 강당에서는 예정대로 KEI/KFSA 주최 토론회에 뒤따른 오찬이 개최 되었으며 초청 연사로서 백악관의 미 대통령 경제 담당 보좌관인ROGER PORTER 박사가 한미 경제 관계에 관하여 연설을 행하였음(내용 요지는 제네바 우루과이 라운드의 중요성 역설, 자유 무역 신장을 위한 한국 시장 개방 정책 계속 추진의 중요성 강조, 한미 양국간 동반자 관계의 강화와 세계 문제에 대한 책임 공동 분담의 중요성 역설등임)

2. 또한 POTER 박사는 중동 사태에 대한 지원 경비 분담 요구 대상국중 선진국 이외에 한국을 포함시킨 취지가 무엇이냐는 내용의 질문을 받고 답변하는 가운데, 이는 맹방으로서의 한국에 대한 존경과 신뢰감에 입각한 것이라고 설명하고 따라서 기여금의 규모가 반드시 선진국 수준이 되어야한다는 기대에서 출발한것은 아니라고 언급함.

또한 국제적 난국에 처한 미국으로서는 금일의 발전한 한국이 책임을 응당 공동 분담하는 한미간 PARTNERSHIP 정신을 발휘할것으로 믿는 입장에 입각하고 있다고 부언한바 있으니 참고 바람.

3. 9.19 미 하원 아태 소위 청문회에는 솔로몬 차관보가 행정부를 대표하여증언 할 예정인바, 대호 대책 협의의 최종 결론 전달 시기의 조기 선택은 본직이 이미 건의한바 있음.

(대사 박동진-차관)

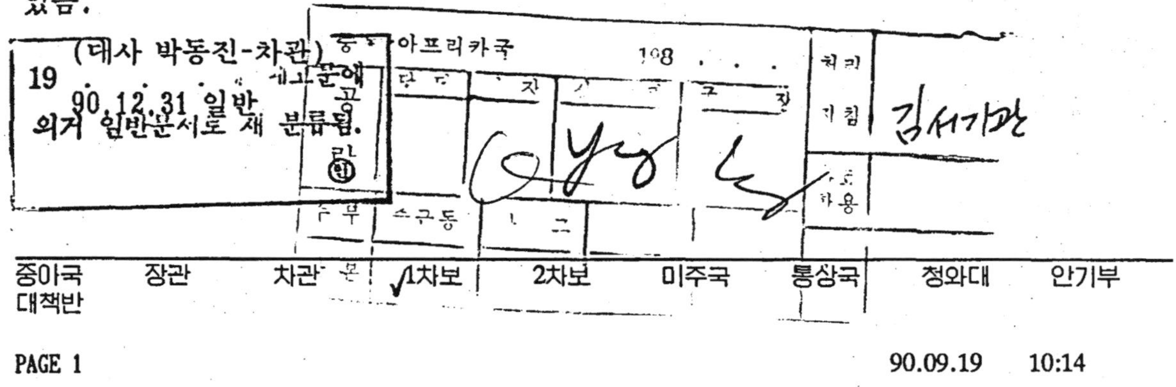

중아국 대책반	장관	차관	1차보	2차보	미주국	통상국	청와대	안기부

PAGE 1

90.09.19 10:14

외신 2과 통제관 FE

0128

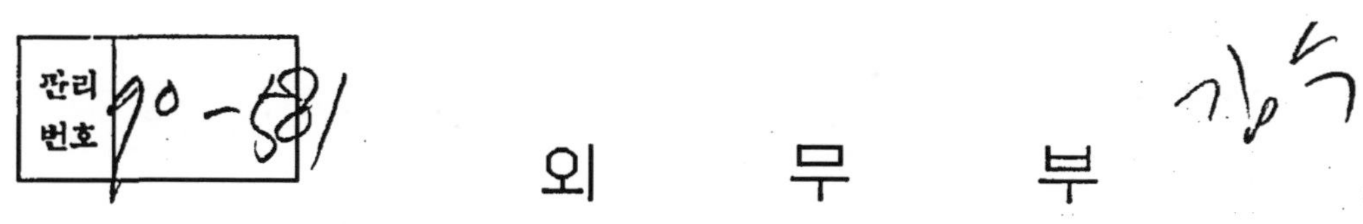

관리 번호 90-581

외 무 부

종 별 : 지 급

번 호 : USW-4245 일 시 : 90 0918 2010

수 신 : 장관(미북,미안,중근동, 기정)

발 신 : 주 미 대사

제 목 : 이락 사태 관련 미 의회 동향(12)

연 USW-4215

1. 금 9.18 하원 외무위 인권 및 국제기구 소위(위원장 GUS YATRON, 민-펜실바니아)는 JOHN KELLY 국무부 중동 담당 차관보 및 HENRY ROWEN 국방부 국제 안보 담당 차관보를 출석시킨 가우데 페 만 사태에 관한 청문회를 개최하였음.

2. 상기 차관보들은 증언에서 미국의 대 페만 사태 해결을 위한 외교적 노력과 성과를 설명하고, 동맹국들의 비용 분담 노력(총 지원금액 200 억불)을 높이 평가하였음.

3. 동 청문회 질의 응답시 TOM LANTOS 의원(민-칼리포니아)은 페만 사태에 대한 한국정부의 지원 규모에 대해 질문한바 ROWEN 국방부 차관보는 구체적 수치는 갖고 있지 않으나 한국정부로부터 상당한 규모의 지원(A VERY SIGNIFICANT CONTRIBUTION)이 올것으로 기대하고 있다고 답변하엿으며, MEL LEVINE 의원(민-캘리포니아)은 250 억불 상당의 대우디 무기 수출 결정과 관련, 동 배경에 대해서는 이해를 하나 인도 시기가 2 년 이나 걸리는 군사 장비에 대해서도 판매 결정을 지금 내리고자 하는 행정부측 입장에 대해 우려를 표명하였음.

4. 상기 청문회 증언문은 별첨 FAX 송부함.

첨부 USW(F)-2273

(대사 박동진-국장)

예고: 90.12.31

일반문서로 재분류(1990.12.31.)

미주국	장관	차관	1차보	2차보	아주국	미주국	미주국	중아국
중아국	외연원	청와대	안기부	대책반				

PAGE 1

90.09.19 10:55

외신 2과 통제관 FE

0129

관리 번호	90 -588

외 무 부

종 별 : 긴 급

번 호 : USW-4260 일 시 : 90 0919 1817

수 신 : 장관(미북, 미안, 중근동, 아일)

발 신 : 주 미 대사

제 목 : 이락사태 의회 반응(14)

연:USW-4215

1. 금 9.19(수)하원 아태소위 청문회시 SOLOMON 차관보의 증언의 주요내용은 하기와같음.

0 동아태지역 국가는 이락에 대한 경제제재 조치에 신속히 동참하였으며, 일본등 여러 동맹국이 경제적, 군사적으로 책임분담 방안을 발표하였음.

0 유엔 안보리 제재결의에서 중국 및 말레이지아 협조가 긴요하였으며 유엔의 제재 조치에 유엔 비회원국인 한국을 포함 전 동아태지역 국가(북한및 베트남제외)가 참여하였음.

0 페만사태 책임분담에 있어 일본은 40 억불이라는 상당한 규모의 지원방안을 발표했으며, 이는 일본정부내 의견조정, 재원확보 방안등 여러현실적 요소를 고려하면 시기적으로 늦었다고 보기는 어려움. 일본은 여러국제문제에 있어 미국의 동반자이며 지도적인 역할을 수행하는 방향으로 변하고 있음. 금번 페만사태에 있어서 일본으로부터 재정적 지원뿐만아니라 비군사적 인력제공 및 수송분야에서도 적극적인 참여를 기대함.

0 한국은 금번 사태가 국제안보에 미치는 영향 및 침략저지라는 국제법원칙수호의 중요성을 잘인식하고 있으며, 사우디 주둔 외국군 수송에 최초로 수송 수단을 제공한 국가임. 한국정부는 페만사태 책임분담 방안을 고려중에 있음.

0 한국정부의 조치가 사태진전에 맞추어 취해질 것인지여부에 관심을 (실제증언시 동부분을 발언하지 않았음)갖고 있음.(별첨증언문 PP12-13 참조)

0 페만 사태로 인해 필리핀, 태국이 큰 경제적 어려움을 격고 있으며, 동국가들을 위해 원유의 안정적 공급 및 원조제공 필요성이 있음.

0 금번 페만 사태는 아태지역 국가들에게 일개국의 침략 행위가 미치는 전세계적

미주국 장관 차관 1차보 2차보 아주국 미주국 중아국 정문국
청와대 안기부

PAGE 1 90.09.20 09:01
외신 2과 통제관 FE

0130

영향을 새로이 인식시켰으며, 각국의 경제 및 안보문제를 전세계적 차원에서 보게하는 계기가 되었음.

2. SOLOMON 차관보 증언에 대한 질의 응답시에는 일본의 책임분담 규모의 적정성 및 동시행시기와 한국군의 사우디 파병문제가 주로 논의된바 동 요지 하기 보고함.

(일본의 책임분담)

(질) 일본의 책임분담 규모가 적정(FAIR SHARE)한것인지 ?(솔라즈 의원)

(답) 책임분담규모의 적정성 판단은 매우 어려우며, 사태발전, 세계경제변화에 따라 달라질것이나, 일본정부는 적정 규모의 지원을 하고자하는 정치적 의지가 있음.

(질) 일본의 책임분담 규모가 영국등 유럽국가 규모에 비해 크다고 보는지(솔라즈 의원)

(답) 영국등 군대를 파견한 국가에 대해 동파병을 절대적인 화폐가치로 평가하기는 어려우나 금년말 이전까지의 일본의 분담규모는 영국보다 크리라고 생각함.(FAUVER 부차관보)

(질) 일본정부가 사우디 주둔군 비용으로 제공하는 20 억불은 언제, 어떻게사용되는지 (솔라즈 의원)

(답)일본정부는 20 억불중 약 10 억불은 금년도 기존 예산에서 충당하고, 나머지 10 억불은 일본 의회에 추가로 배정 요청하는것으로 알고 있으며, 일본의금년도 회계년도말(91.3 말)이전까지 전액 사용될것임.동자금의 대부분은 사우디 미군주둔 비용으로 사용될것이며 일부분이 타국 주둔군 용으로 사용되리라고 봄.

(질) 전선국가 지원금 20 억불은 어떻게 사용되며, 어떠한 형태의 원조가 될것인지 (솔라즈 의원)

(답) 20 억불중 6 억불은 COMMODITY LOAN 형태로 3 개 전선국가에 배정키로결정되었으며 나머지 14 억불중에서도 대부분이 동 3 개국에 지원될것임. 동원조는 UNTIED AID 로서 매우 양허적인 (CONCESSIONARY TERMS)조건이 될것임.

(한국군 파병문제)

(질) 오늘 워싱턴 포스트에 미국 정부가 4.5 억불을 한국정부에 요청하고 한국정부는 1.5 억불분담을 고려중이라고 하는데 사실여부는(솔라즈 의원)

(답) 현재 양국정부간에 협의가 진행중이며, 동수치는 밝힐수 없지만(비밀 사항으로 추후 통보)신문 보도와 유사하다고 말할수 있음. 한국을 제일먼저 수송수단을 제공한 국가이며 경제원조를 고려하고 있음.

(질) 이락내 한국교민수는 (솔라즈 의원)

(답) 사태발발시에는 약 1,300 명이 있었으나 거의 철수하고 현재 약 400 명이 있는것으로 알고 있음.

(질) 한국은 침략에 대한 집단 조치의 혜택을 본 나라로서 상징적의미로 파병할계획이 있는지 (솔라즈 의원)

(답) 한국민은 과거 역사를 잘알고 있으며, 북한으로부터의 침략위협은 줄어들지 않은 상황임. 한국정부는 페만사태 책임분담 방안을 강구중에 있음.

(질) 월남파병당시 북한으로부터의 안보 위협과 현재 비교하면(솔라즈 의원)

(답) 1960 년대에 비해 현재 북한으로부터의 위협이 더크다고 봄.

(질) 소련은 북한을 지지하고 있지 않은바, 북한으로부터의 위협은 감소되었다고 봄. 한국은 한국전 당시 외국군의 도움을 얻었고 미국원조와 희생의 수혜자로서 사우디에 파병하지 않는것은 매우 실망스러운 것임 (LUKENS 의원)

(답변 없음)

(질) 한국 정부가 파병하는것이 도움이 될것으로 보는지 (솔라즈 의원)

(답) 한국 파병문제는 매우 복합적이고 미묘한 성격을 띠고 있음. 주한미군의 일부 감군이 결정되었고 북한의 위협이 상존하고 있음.

(질) 나 자신보다 북한의 위협을 잘알고 있는 의원은 없다고 보며, 한국전 당시 터어키는 자신의 안보 위협이 있었음에도 불구하고 파병하였음. 한국정부가소수의 군대를 파견하더라도 안보상 심각한 위해가 없다고 보며 상징적으로 다국적군에 기여한다는 것은 정치적으로 한국에 도움이 될것임. 침략에 대한 국제적 집단 조치의 확립이라는 차원에서도 한국에 도움이 될것임. 개인 견해로는 한국정부가 1 개 여단을 파견하는것이 1,5 억불을 제공하는것보다 좋다고 생각함.

(답)노태우 대통령은 명백히 미국이 취하고 있는 집단적 조치에 지지를 하고 있으나, 한국군 파병문제에 관해서는 복합적인 고려가 필요할것임. 그것은 북한에 잘못된 신호를 줄수 있는바 신중한 검토가 필요함.

(질) 미국정부는 한국군 파병문제를 검토한적이 있는지 (솔라즈 의원)

(답) 현재로서는 검토한바 없으며 주한미군 감축 결정이 고려되어야 할것임.

(질) 미국정부는 한국군 파병문제를 검토해야할것임.다국적군에 참여하는것은 집단 조치를 지지한다는 측면에서 군사적이라기 보다는 정치적임. 새로운 국제질서에서 침략은 받아들여질수 없다는 원칙을 확고히 하는것이 중요함.

(답변 없음)

(기타 질문사항)

(질) 폐만 사태에 대한 유엔 안보리 조치에서 중국의 태도는 어떠했는지, 장애가 되었는지 (솔라즈 의원)

(답) 중국은 이락에 대한 무기수출 금지를 했으며 유엔안보리 결의안 채택에 매우 중요한 역할을 하였음.

(질) 만약 유엔 안보리가 헌장 42 조에 의한 집단 조치를 심의할 경우, 중국이 VETO 할것인지 (솔라즈 의원)

(답) 가상적인 질문에 답변키 어려움.

3. 동청문회 SOLOMON 증언문은 별첨 FAX 송부함.

첨부: 동증언문 (USW(F)-2292)

(대사 박동진-국장)

예고:90.12.31 까지

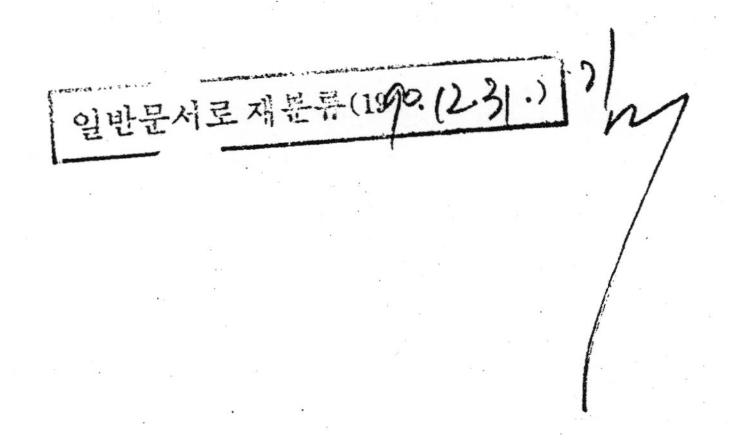

9

관리 번호	90-2050

외 무 부

종 별 : 지 급

번 호 : USW-4264 일 시 : 90 0919 1822

수 신 : 장관(통일,미북)사본 경기원장관

발 신 : 주 미 대사

제 목 : 경기원 대조실장 방미(페만 사태 관련 지원 문제)

연 USW-4241

1. 금 9.19 김인호 대조 실장은 의회 의원 보좌관 약 15 명을 초청, 오찬을갖고 UR 및 섬유 법안 과 관련한 의회 동향을 문의한데 이어, 재무부의 DALLARA 국제 경제 차관보와 상무부의 DUESTERBERG 국제 경제 차관보를 각각 방문 한미 양국간의 현안 문제를 협의하였음.

2.DALLARA 차관보가 페만 사태관련 지원 문제에 관한 아측 입장을 문의한데대해 김인호 실장은 한국은 미측 입장 충분히 이해, 최선을 다하고 있으나 국내적으로 국제 수지 악화, 수해등 어려움도 있음을 이해해 주기 바란다고 하면서지원 시기 문제와 관련하여 동 사태가 돌발적인 것이었던만큼 재원 조성에 시간이 소요되고 있음을 설명함.

3. 이에 대해 DALLARA 차관보는 한국이 상반기중 9.9 프로 경제 성장율을 기록한것으로 보더라도 한국의 경제적 난국은 다소 과장된 측면도 있다고 지적하고, 일본, EC 및 중동 산유국들의 대부분이 경비 지원에 대해 적극적인 입장을 이미 표명, 총 지원 약속 규모가 200 억불에 달하고 있다고 하면서 한국측의 조속한 입장 표명을 촉구함.

4. 또한 동 차관보은 지금 이락의 쿠웨이트 침공에 반대하는 국가들간의 확고한 결속을 대외적으로 표명하게되면 북예멘등 모호한 입장을 취하고 있는 중동 국가들이 서방국 입장을 지지할수 있는 계기를 마련해줄수 있다는 측면에서 현재는 페만 사태 해결 여부를 판가름할 결정적인 시점이라고 강조하고, 이러한 미측 입장을 금일중 본국 정부에 전달해줄것을 요청하였음.

5. 김인호 실장 일행은 예정대로 9.20 당지 출발 귀국 예정임.

(대사 박동진-국장)

통상국 2차보 미주국 통상국 경기원 농수부 상공부

PAGE 1 90.09.20 09:36

외신 2과 통제관 FE

0134

90.12.31 일반

PAGE 2

0135

관리번호	90-2060

외 무 부

원본

종 별 : 초긴급

번 호 : USW-4272 일 시 : 90 0919 1851

수 신 : 장관(미북)

발 신 : 주 미 대사

제 목 : 페르시아만 사태 관련 경비 분담

대:WUS-3086

1. 한미 정책협의회 주재를 위해 금 9.19 당지 도착한 이정빈 차관보는 미측의 요청으로 명일 14:15 국무부 KIMMITT 정무차관을 면담할예정임.

2. 동 면담에서는 표제 경비분담문제가 주의제일 것으로 사료되니 대호 이외의 아측 결정사항 유무등 관련 사항을 당지시간 명일 오전까지 긴급 회보 바람.(대사 박동진-국장)

예고:90.12.31 일반

예고문에의거일반문서로 재분류19 90 12.31 서명

미주국 장관 차관 대책반 중아국

PAGE 1

90.09.20 08:14

외신 2과 통제관 BT

0136

페르시아만 사태 관련 미 하원 청문회 결과

1990. 9.

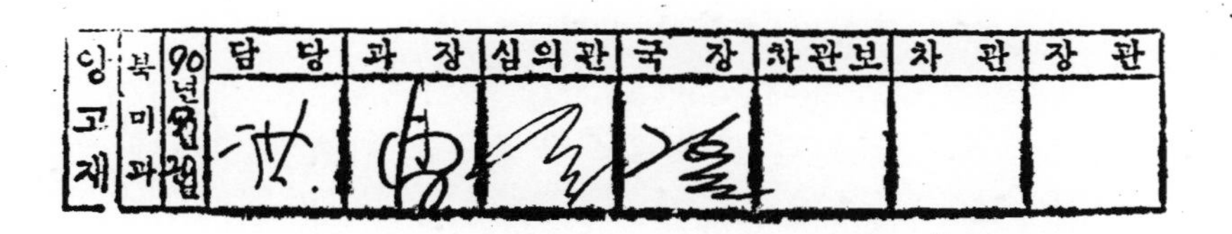

앙 고 재
북 미 과
90 년
담 당
과 장
심의관
국 장
차관보
차 관
장 관

외 무 부

0137

미 하원 외무위원회 아.태 소위(위원장 : 스티븐 솔라즈 의원)는 9.19. "페르시아만 사태에 대한 아시아의 반응" 제하의 청문회를 개최하고 일본, 한국, 호주등 역내 우방국들의 기여 문제와 필리핀, 태국등에 대한 지원 방안을 논의하였는 바, 미 의회내 한국군 파병 촉구 움직임등 동 청문회시 토의된 주요 내용을 아래 보고드립니다.

한국군 파병 촉구 움직임

(솔라즈 위원장 질의 요지)

- 한국전 당시 침략에 대한 집단 조치의 수혜국으로서 한국이 상징적 의미에서 다국적군에 파병할 계획 여부를 문의함.
  - 월남 파병 당시 보다 북한의 위협 감소
  - 한.쏘 관계 진전으로 쏘련의 대북한 지지 감소
- 북한의 남침 위협을 누구보다 잘 알고 있으나 소규모 파병의 경우에는 안보상 심각한 위해가 없다고 판단됨.
  - 다국적군에의 상징적 참여는 정치적으로 한국에 도움이 될 것으로 예상
  - 1.5억불 공여 보다는 1개 여단의 파병이 바람직
- 미국 정부도 정치적 측면에서 한국군의 파병 문제를 검토토록 촉구함.
  - 새로운 국제질서상 침략 불허 원칙 공고화 필요

0138

(솔로몬 차관보 답변 요지)

o 한국민들은 한국전시 우방국들의 집단 안보조치의 고마움을 상기하고 있음.

- 북한의 남침 위협 상존 강조
- 월남 파병시에 비해 현재 북한의 위협은 오히려 증가
- 현재 한국정부는 책임 분담 방안을 강구중

o 한국군 파병문제는 매우 복합적이고 미묘한 성격의 사안임.

- 주한 미군의 일부 감군 결정
- 파병시 북한에 잘못된 신호 전달 우려

평가 및 건의

o 미 의회내의 한국군 파병 촉구 움직임은 솔라즈 위원장등 일부 의원들에 국한된 것으로 판단됨.

- 국무부, 국방부등 행정부내 주요인사들은 아국 정부의 조속한 지원 방침 결정에만 관심

o 여사한 미 의회내 움직임은 아국정부 방침 결정 지연에 따른 부작용으로도 보여짐.

~~- 상세 지원 규모 및 방법 조속 결정 필요~~

o 정부 방침 결정후에도 미 의회등 미국 조야에 아국이 처한 특수 상황에 대한 적극 홍보가 요구됨

- 북한의 남침 위협 상존, 주한 미군 주둔 비용 부담 및 최근의 대홍수로 인한 긴급 재정 수요등.

0139

참 고 사 항

o 솔로몬 차관보는 질의.응답에 앞선 증언을 통해 한국은 다국적군에 최초로 수송 수단을 제공한 국가임을 강조함.

- 한국정부의 사태 중요성 인식 사실 및 국제법 원칙 수호 의지 강조

o 아국의 기여 문제가 토의된 청문회 2부에는 아.태 소위 소속 의원 대부분이 본회의 일정상 불참함.

- 루켄스(공화, 오하이오) 의원만 참석. 끝.

0140

관리 번호	90-1980

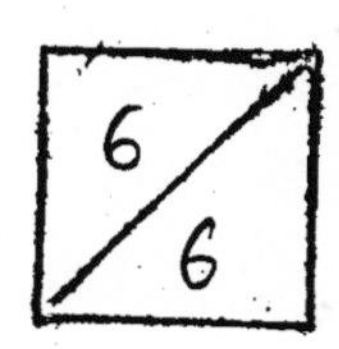

페르시아灣 事態 関聯 美 下院 聽聞会 結果

1990. 9.

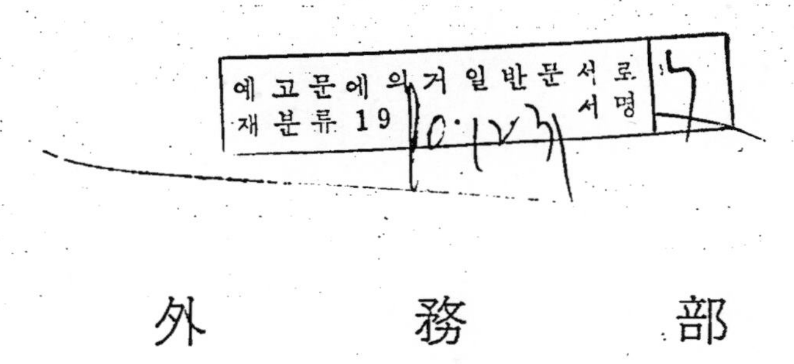

外 務 部

0141

美 下院 外務委員會 亞. 太 小委(委員長: 스티븐 솔라즈 議員)는 9.19 "페르시아灣 事態에 대한 아시아의 反應" 題下의 聽聞會를 開催하고 日本, 韓國, 濠洲等 域內 友邦國들의 寄與 問題와 필리핀, 泰國 等에 대한 支援 方案을 論議하였는 바, 美 議會內 韓國軍 派兵 促求 움직임등 同 聽聞會時 討議된 主要 內容을 아래 報告드립니다.

韓国軍 派兵 促求 움직임

(솔라즈 委員長 質疑 要旨)

- o 韓國戰 당시 侵略에 대한 集團措置의 受惠國으로서 韓國이 象徵的 意味에서 多國籍軍에 派兵할 計劃 與否를 問議함
  - 越南 派兵 당시보다 北韓의 威脅 減少
  - 韓.蘇 關係 進展으로 蘇聯의 對北韓 支持 減少

- o 北韓의 南侵 威脅을 누구보다 잘 알고 있으나 小規模 派兵의 경우에는 安保上 深刻한 危害가 없다고 判斷됨
  - 多國籍軍에의 象徵的 參與는 政治的으로 韓國에 도움이 될 것으로 豫想
  - 1.5億弗 供與 보다는 1個 여단의 派兵이 바람직

0142

o 美國 政府도 政治的 側面에서 韓國軍의 派兵 問題를 檢討토록 促求함

- 새로운 國際秩序上 侵略 不許 原則 공고화 必要

(솔로몬 次官補 答辯 要旨)

o 韓國民들은 韓國戰時 友邦國들의 集團 安保措置의 고마움을 想起하고 있음

- 北韓의 南侵 威脅 尙存 強調
- 越南 派兵時에 비해 現在 北韓의 威脅은 오히려 增加
- 現在 韓國政府는 責任 分擔 方案을 講究中

o 韓國軍 派兵問題는 매우 複合的이고 微妙한 性格의 事案임

- 駐韓 美軍의 一部 減軍 決定
- 派兵時 北韓에 잘못된 信號 전달 憂慮

評価 및 建議

o 美 議會內의 韓國軍 派兵 促求 움직임은 솔라즈 委員長等 一部 議員들에 局限된 것으로 判斷됨

- 國務部, 國防部等 行政府內 主要人士들은 我國 政府의 早速한 支援 方針 決定에만 關心

0143

o 여사한 美 議會內 움직임은 我國政府 方針 決定 遲延에 따른 不作用으로도 보여짐

o 政府 方針 決定後에도 美 議會等 美國 朝野에 我國이 처한 特殊 狀況에 대한 積極 弘報가 要求됨

- 北韓의 南侵 威脅 尙存, 駐韓 美軍 駐屯 經費 負擔 및 最近의 大洪水로 인한 緊急 財政需要等

참고사항

參考事項

o 솔로몬 次官補는 質疑. 應答에 앞선 證言을 통해 韓國은 多國籍軍에 最初로 輸送 手段을 提供한 國家임을 強調함

- 韓國政府의 事態 重要性 認識 事實 및 國際法 原則 守護 意志 強調

o 我國의 寄與 問題가 討議된 聽聞會 2部에는 亞. 太 小委 所屬 委員 대부분이 本會議 日程上 不參함

- 루켄스(共和, 오하이오) 議員만 參席

- 끝-

0144

한국군 파병문제 관련 질의응답 내용

Solarz 의원 : o 미국 정부가 4.5억불을 한국 정부에 요청하고 한국 정부는 1.5억불 분담을 고려중이라는 9.19자 WP지 보도의 사실 여부는 ?

Solomon 차관보 : o 현재 양국 정부간 협의가 진행중임. 동 수치는 비밀사항이므로 추후 통보 예정이나 신문 보도와 유사함.

o 한국은 우방국중 제일 먼저 수송수단을 제공한 국가이며 현재 경제 원조도 고려중임.

Solarz 의원 : o 이락내 한국 교민수는 ?

Solomon 차관보 : o 사태 발생시 약 1,300명이었으나 현재는 약 400명임.

Solarz 의원 : o 한국은 침략에 대한 집단조치의 혜택을 본 나라로서 상징적 의미로 파병할 계획이 있는지 ?

Solomon 차관보 : o 한국민은 과거 역사를 잘 알고 있음. 북한으로부터의 침략 위협은 줄어들지 않은 상황이며 한국 정부는 책임 분담 방안을 강구중임.

Solarz 의원 : o 월남 파병당시 북한으로부터의 안보위협과 현재를 비교하면 ?

Solomon 차관보 : o 1960년대에 비해 현재 북한으로 부터의 위협이 더크다고 봄.

Lukens 의원 : o 쏘련은 북한을 지지하지 않고 있는 바, 북한으로 부터의 위협은 감소 되었다고 봄. 한국은 한국전 당시 외국군의 도움을 얻었고 미국 원조와 희생의 수혜자로서 사우디에 파병하지 않는 것을 매우 실망스러운 것임.

0145

Solomon 차관보 : ㅇ 답변 없음.

Solarz 의원 : ㅇ 한국군의 파병이 도움이 될 것으로 보는지 ?

Solomon 차관보 : ㅇ 한국군 파병문제는 매우 복합적이고 미묘한 성격을 띄고 있음. 주한 미군의 일부 감군이 결정 되었고 북한의 위협이 상존하고 있음.

Solarz 의원 : ㅇ 나 자신보다 북한의 위협을 잘 알고 있는 의원은 없다고 봄. 한국전 당시 터어키는 자신의 안보 위협에도 불구하고 파병 하였음. 한국 정부가 소수의 군대를 파견하더라도 안보상 심각한 위해가 없다고 보며 상징적으로 다국적군에 기여한다는 것은 정치적으로 한국에 도움이 될 것임. 침략에 대한 국제적 집단조치의 확립이라는 차원에서도 한국에 도움이 될 것임.

ㅇ 개인 견해로는 한국 정부가 1개여단을 파견하는 것이 1.5억불을 제공하는 것보다 좋다고 생각함.

Solomon 차관보 : ㅇ 노 대통령께서도 미국이 취하고 있는 집단적 조치에 명백한 지지를 하고 있으나, 한국군 파병 문제에 관해서는 복합적인 고려가 필요할 것임. 그것은 북한에 잘못된 신호를 줄 수 있는 바, 신중한 검토가 필요함.

Solarz 의원 : ㅇ 미국 정부는 한국군 파병 문제를 검토한적이 있는지 ?

Solomon 차관보 : ㅇ 현재로서는 검토한 바 없으며 주한 미군 감축 결정이 고려되어야 할 것임.

0146

Solarz 의원 : o 미국 정부는 한국군 파병 문제를 검토해야 할 것임. 다국적군에 참여하는 것은 집단 조치를 지지한다는 측면에서 군사적이라기 보다는 정치적 문제임. 새로운 국제질서에서 침략은 받아들여 질 수 없다는 원칙을 확고히 하는 것이 중요함.

Solomon 차관보 : o 답변 없음.

0147

『페』灣事態關聯 各國의 支援現況

1990. 9.20

國家	經濟的 支援	軍事的 支援
日本	40億弗 - 多國籍軍 20億 - 前線國家 20億	非戰鬪員 2,000名 派遣 檢討
西獨	20. 8億弗 (33億 마르크) - 多國籍軍 10.1億弗 - 前線國家 8億弗 - EC 基金 2.6億弗	艦艇 5隻 (掃海艇 4, 補給艦 1)
EC	20億弗 (分擔額 未合意)	
英國	EC次元 共同步調	6,000名, 7隻, 40臺
불란서		13,000名, 14隻, 100臺
이태리	1.45億弗 (1次 算定額)	艦艇 5隻
벨기에	EC次元 共同步調	掃海艇 2隻, 補給艦 1隻
네덜란드		프리깃艦 2隻
스페인		艦艇 3隻
폴투갈		艦艇 1隻
그리스		艦艇 1隻
濠洲	8百万弗 (難民救護)	艦艇 3隻, 醫療陳 20名
G.C.C 國	사우디 : 60億弗 쿠웨이트 : 40億弗 U. A. E. : 20億弗	이집트 : 19,000名 모로코 : 1,200名 시리아 : 15,000名 GCC 5國 : 10,000名
아시아國	대만 : 2 - 3億弗	방글라데시 : 5,000名 파키스탄 : 5,000名 인도네시아 : (派兵 用意)

※ 美國 : 兵力155,000名, 艦艇 48隻, 航空機 150臺

蘇聯 : 戰艦 1隻, 對潛艦 1隻을 派遣하였으나 多國籍軍에는 不參

0148

美 의회 「韓國 페灣파병」 거론

東亞太小委청문회 솔라즈委長등 旅團규모 주장

【워싱턴=卞相根특파원】 페르시아灣 방위비 분담에 관한 韓國정부의 결정이 늦어지고 있는데 대해 美國정부는 관심과 우려를 표명하고 있으며 美國의회일각에서 韓國의 사우디派兵문제가 공식 거론돼 귀추가 주목되고 있다. <3면에 관련기사>

19일 美 하원 외교위원회 東아시아및 太平洋 소위원회(위원장 스티븐 솔라즈의원·民主)가 개최한 「페르시아灣 사태와 아시아 국가들의 대응」에 관한 청문회에서 국무부의 리처드 솔로몬 동아시아및 태평양담당차관보는 방위비분담에 관한 韓國의 대응이 페르시아灣 지역의 사태진전과 보조를 같이하고 있지 않은데 대해 美國의 관심과 우려를 표명했으며 솔라즈위원장과 도널드 루켄즈의원(共和)은 韓國이 침략저지를 위한 이번과 같은 국제공동 전선형성에서 가장 많은 혜택을 볼 수 있는 나라의 하나라고 지적, 「상징적」인 파병으로 국제적 공동노력에 기여할 것을 요구했다.

특히 솔라즈위원장은 美행정부가 韓國에 대해 파병을 요구한것이 韓國을 돕는것이라고 주장하면서 『파병요청을 생각해보라』고 美정부측에 촉구했다.

그는 韓國이 60년대의 베트남전쟁때는 파병을 하고서도 지금와서는 北韓의 위협때문에 파병할수 없다는 것은 이해할수 없으며 지금은 韓國이 蘇聯과 관계를 개선중이고 韓國자체의 抑止戰力이 크게 향상되는등 北韓의 위협은 상대적으로 60년대보다

「軍事지원 요청 생각안해」 솔로몬證言

훨씬 줄었다고 지적, 韓國의 파병은 국제정치적으로도 유용하다고 주장했다.

솔라즈위원장은 韓國이 이번 집단안보체제에 기여하다면 앞으로 침략을 당할 경우 제일 먼저 도움을 청할수 있는 입장이 되어 오히려 안보에 보탬이 된다면서 1억5천만달러를 내놓는것보다 여단정도의 군대를 中東에 파견하는것이 훨씬 韓國에 유리하다고 주장했다.

루켄즈의원도 『韓國정부와 국민들은 지난40년간 자유를 누려온데 대한 감사의 표시를 해야한다』며 北韓이 韓國을 침략한다해도 이제는 蘇聯이 이를 지원하지 않을것이기 때문에 北韓의 위협을 구실로 韓國이 中東에 파병할수 없다는 논리는 성립될수 없다고 주장했다.

이에대해 솔로몬차관보는 「지금까지는 韓國의 군사적인 지원방안에 관해 눈을 돌리지않았다」고 밝히고 『韓國입장에서는 지금도 北韓의 위협이 줄어들지않고 있다고 판단, 北韓에 대한 방어태세를 흐트리지않는 범위내에서 여러가지 기여방안을 모색하고 있는것으로 안다』고 답변했다.

그는 또 페르시아灣 방위비분담은 선적상 협력제공이 제때에 이루어지고 결속을 과시할 수있는 可視性이 중요하다고 강조하고 美國의 4억5천만달러요구에 韓國이 1억5천만달러를 제공키로 했다는 韓國 국내보도는 정확하지 않으며 지원 제공의 규모와 방식에 관해 협의가 진행중이라고 밝혔다.

90. 9. 20
동아일보

0149

安保도움 내세운 派兵논리

美 솔라즈聽聞會 一問一答

多國籍軍 도와야 被侵때 지원가능 …問

美軍감축하는 판에 軍보내라기가…答

19일 열린 美하원 외교위 東아시아및 太平洋소위원회가 개최한 「페르시아灣사태와 아시아국가들의 對應」에 관한 청문회에서 韓國의 사우디派兵문제가 공식 거론되어 주목되고 있다. 의원들과 리처드 솔로몬美국무부 東아시아및 太平洋담당차관보의 一問一答을 간추려본다. 〈편집자〉

△솔라즈위원장=韓國의 페르시아灣 방위비 分擔문제는 어떻게 되고있는가. 오늘아침 워싱턴포스트(한국국내보도인용)를 보면 브래디재무장관이 4억5천만달러를 요구했고 한국이 1억5천만달러를 제공키로 동의했다는데 정확한가.

△솔로몬차관보=솔직히 말해 지금도 논의가 진행중이어서 자세한 숫자를 얘기할 수 없다. 보도내용이 전적으로 정확하다고 믿지않는다.

△솔라즈=우리쪽의 요청인가, 한국측이 해주겠다고 나선것인가, 아니면 둘다인가.

△솔로몬=양쪽 두 측면이 다 있다. 세세한 내용은 對外秘이기 때문에 얘기할 수 있는 성질이 아니다.

△솔라즈=한국측이 어떤 형태와 방식으로 지원에 응하겠다는 얘기인가.

△솔로몬=다시 얘기하지만, 현재 논의중에 있다. 한국은 민간인들의 소개를 돕기위해 수송수단을 즉각 지원했다. 그러나 경제지원이 어떤 형태가 될지는 두고봐야겠다.

△솔라즈=한국에 派兵을 요청하거나 한국측에서 적어도 하나의 징표나 상징적인 의미에서 페르시아灣에 병력 파견을 고려하고 있는가.

△솔로몬=한국이 과거(한국전쟁때의 각국參戰)의 일을 대단히 많이 의식하고는 있지만 불행히도 북한의 위협이 실질적으로 줄어들지않고 있다. 따라서 그들이 기여방안을 강구하는데있어 北韓에 대한 방어태세에 손상이 가서는 안된다는점을 우선 고려하고 있는것 같다.

△솔라즈=나도 北韓에 가보았기때문에 북한에대해 환상은 갖지 않는다. 그러나 40년전 한국전쟁때 터키는 그들 국경에 위협이 있었지만 한국에 군대를 파견했다. 지금 한국이 일개 여단이나 대대 또는 얼마간의 기동타격부대를 파견한다고해서 한국 방어능력에 중대한 손상을 가져오지는 않는다. 침략저지를 위한 집단안보체입에 한국이 기여하면 앞으로 한국이 침략을 당할경우 제일 먼저 도움을 청할수있는 입장이 될수있어 오히려 그들 안보에 더 보탬이 된다. 한국의 派兵은 정치적으로 대단히 유용하고 내생각에는 한국이 1억5천만달러를 내놓는 것보다 일개 여단이나 부대를 파견하는 편이 훨씬 한국으로서는 유리할 것이다.

△솔로몬=나로서 말할수 있는것은 盧泰愚대통령이 현재 각국간의 공동노력과 美國의 지도적역할을 대단히 분명하게 지지하고있고 한국이 응분의 기여를 하겠다는데는 조금도 주저하지않고있다는 사실이다. 그는 여러가지 복합적인 계산과 고려를 하고있다. 따라서 한국이 기여방안을 진지하게 고려하지 않는다고 얘기한다면 그것은 부당하다는것이 나의 생각이다.

△솔라즈=60년대에 한국은 베트남전쟁에 派兵했다. 그러면 그때는 북한의 위협이 지금보다 적어서 파병했는가. 파병에 따른 경제적 부담이 지금보다 그때가 더 적었던가. 베트남에 파병하면서 지금은 왜 사우디에 군대를 보낼수 없는가.

△솔로몬=북한의 60년대의 군사적능력을 지금과 비교해 보는것이 하나의 척도가…

△솔라즈=한국과의 對比로 따진다면…

△솔로몬=北韓의 위협이 그때보다 지금이 더 크다고는 보지않는다.

△루켄스의원=북한이 한국을 침략한다해도 이제 소련이 이를 지원하지않는다는 점은 대단히 중요한 요소다. 한국정부와 국민들은 지난40년간 그들이 자유를 누려온데 대한 감사의 표시를 해야할 때가 바로 지금이다.

△솔로몬=한국의 盧대통령이 그런 美國의 지지표시를 조금도 꺼리지 않고 있다는 점을 거듭 강조한다.

△루켄스=미국의 가장 가까운 우방이자 미국이 피를 흘리며 도와준 우방이 정작 미국이 도움을 필요로 할때 派兵하지 않아 한국에 대해 실망과 좌절을 느낀다.

△솔라즈=행정부가 한국에대해 派兵을 요구한는것이 오히려 한국을 돕는 일이 아닌가. 우리가 派兵을 요구않는다면 한국에 도움이 되지 않을텐데…

△솔로몬=이는 한반도의 세력균형과 갓 시작된 남북대화등 대단히 복잡한 고려와 계산의 문제다. 한국이 지금 생각하고 있는 범위를 넘어 기여할 수있는 최선의 방안이 무엇인지에 관해 좀 더 생각해 봐야겠다.

△솔라즈=여태까지 행정부측에서 派兵요청을 전혀하지 않았다는 얘기로 받아들여도 좋은가.

△솔로몬=지금까지는 한국의 군사적인 지원방안에 관해 눈을 돌리지않았다. 駐韓美軍의 12%감축을 추진한는 우리의 입장도 있고해서…

△솔라즈=派兵요청쪽으로 생각을 해보아야 할것으로 안다. 최종결정은 한국이 하겠지만 페르시아灣의 지원同參이 가져오는 가장 주된 가치는 군사적인 것보다 정치적인데 있다는 것을 강조한다.

△솔로몬=인샤 알라(신의 뜻대로라는 아랍어)'그렇게 될수만 있다면야…

〈워싱턴=卞相根특파원〉

솔로몬 차관보

솔라즈 의원

90. 9. 20 동아일보

0150

공 란

공 란

공

공 란

공 란

공 란

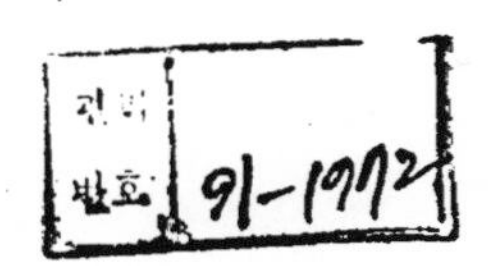

면 담 요 록

1. 일 시 : 1990.9.20(목) 21:30

2. 장 소 : 외무부장관 공관

3. 면 담 자 : 최호중 외무부장관
   Donald. P. Gregg 주한 미 대사

4. 배 석 : 반기문 미주국장
   Hendrickson 주한 미 대사관 참사관

5. 내 용

(한.쏘 관계)

대 사 : 곧 뉴욕 출장하시는 것으로 알고 있는데 이번에 세바르드나제 쏘련 외무장관을 만나시게 되는지 ?
최근 한.쏘 관계 진전 상황을 보고 한국의 또다른 큰 외교적인 성공을 걷우고 있다고 생각하고 있음.

장 관 : 아직 구체적인 일정이 예정된 것은 없으나 뉴욕 체재중 "쉐" 외무장관을 만나게 될 것 같음.

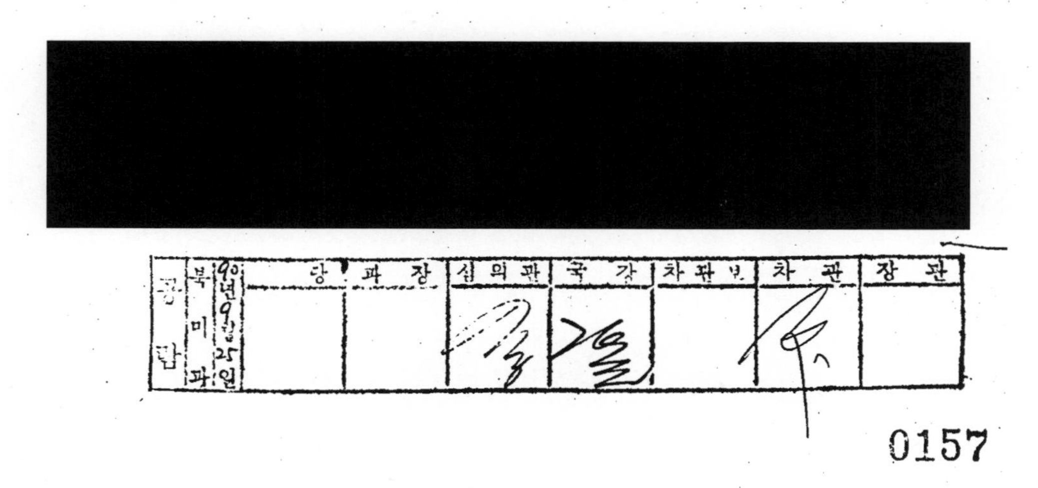

0157

공 란

(페르시아만 사태 경비 분담 문제)

대 사 : 페르시아만 사태 경비 분담에 관한 미국 정부의 요청에 대해 그간 한국정부는 관계부처간 협의를 가진바 있으며 금일 대통령께 건의드리고 최종 재가를 받았음.

귀국에서 요청한 액수는 3억5,000만불인데 우리는 총 2억불을 지원하기로 결정하였음. 그중 1억불은 다국적 군비에, 1억불은 주변국 지원 경비임.
예산 사정상 1억5,000만불은 금년내에, 나머지 5,000만불은 예산을 확보하여 제2차로 지원할 것임.

지원액은 아래와 같은 용도로 지원할 것을 계획하고 있음.

- 먼저 다국적군 경비로서 금년내 7,500만불을 지원하되 그중 현금 3,000만불, 항공기 및 선박에 의한 수송지원으로서 3,000만불, 기타 군복, 방독면등 군소모품으로서 1,500만불을 지원함.
- 주변국 경제 원조로서는 금년중 7,500만불을 지원하되 EDCF자금에서 4,000만불, 쌀 1,000만불(3만톤), 생필품 2,450만불, 국제이민기구에 대해 50만불을 지원함.

0159

- 그러나 총1억5,000만불 범위내에서 실제 지원하는 금액은 다소 융통성이 있음. 예를 들면 다국적군비가 더 필요하면 이를 1억 정도 지원하고 그 경우 경제지원은 5,000만불 상당이 될 것임.
- 한국 정부는 또한 의료팀을 파견할 것을 검토중인바, 구체적인 구성, 지원 대상, 근무지역등 상세내용에 관해서는 관계국과 협의를 거쳐야 할 것임.

최근 신문 보도에 미측의 요청액이 4.5억불로 보도되고 있는바, 대통령께서는 이러한 오보를 시정할 필요가 있다고 생각해서 정확한 액수를 밝힐 것을 고려하고 있음. 9.22. 중앙일보 창간 기념 특별 회견시 이를 밝히고자 하는바, 미측의 특별한 이견 있으면 알려 주기 바람. 본인 기억으로는 미측 요청 액수를 밝히는 문제는 노 대통령에 일임한다고 Brady 특사가 말한 것으로 알고 있음.

대 사 : 이를 정확히 밝히지 않으면 계속 추측기사만 나올 것이므로 이 기회에 밝히는 것이 좋겠음.

장 관 : 아국의 지원 규모를 결정하는데 관련 부서간 많은 토의가 있었음. 특히 최근의 대홍수로 인한 피해가 막심하여 많은 재정적 부담을 지고 있음을 이해해 주기 바람.

대 사 : 현재 바로 정부를 대신하여 말씀드릴 수는 없으나 한국정부의 상당한 지원(Significant Contribution)에 감사 드림. 브래디 장관도 신속한 조치(prompt response)에 감사할 것임. 2억불은 상당한 액수(Significant figure) 라고 생각하며 곧바로 정부에 보고하겠음.

0160

한가지 개인적인 의견을 말씀드리자면 내년도 지원분 중에서 일부를 금년도 지원분으로 더 배정 지원하면 효과가 클 것으로 생각함.

금년내에 사태가 해결될지도 모르기 때문임.

장 관 : 부총리가 직접 계획, 대통령께 보고드렸는데 금년도 예산 사정상 1억5,000만불이 최대 지원 가능액인 것으로 알고 있음.

대 사 : 만일 사태가 잘못되어 전쟁이라도 일어나는 경우 한국의 지원이 금번에 한하지 않고(this may not be the end) 더 고려될 수 있을 것인지 ?

장 관 : 만일 불가피한 사태 진전이 있다면 그때 가서 추후 협의해야 할 것으로 생각함.

애급에는 10,000개의 방독면을 지원할 예정인바, 현재 국방부와 협의 중임.

또한 발표는 외무부장관이 하게 될 예정임.

대 사 : 언론의 반응을 어떨 것으로 보는지 ?

장 관 : 국내적인 어려움을 감안할때 찬성과 반대 의견들이 있을 수 있음. 그러나 우리가 협조해야 된다는 사실 자체에는 반대가 없다고 봄. 우리가 수송지원을 했을 때에도 반대는 없었음.

대 사 : 언제 발표 예정이신지 ?

장 관 : 석간신문을 위해 9.24. 월요일 10시 또는 10:30에 할 예정임.

0161

미주국장 : 한.두가지 추가로 말씀드리겠음.

첫째, 9.24. 발표전까지는 절대 보안을 지켜 주기 바람.

이를 국무부에도 요청해서 협조를 구하기 바람.

둘째, 군수품 지원과 관련 필요한 품목이나 소요량에 관해 알려 주기 바람.

참사관 : 지원시기는 언제쯤 부터 시작되는지 ?

장 관 : 동 예산은 추경 예산에 반영되어야 하는데 야당이 국회 등원을 안하므로 여당 단독으로 처리할 것으로 전망되며 그렇게 되면 내달이 될 것 같음.

참사관 : 현금 부분은 언제 지원 가능한지 ?

대 사 : 의료단은 민간 또는 군인중 어느편을 보낼 계획인지 ?

장 관 : 동건은 현재 국방부와 보사부간에 협의 중에 있음.

대 사 : 어제 미 하원 청문회에서 솔로몬 차관보가 출석, 증언하였는데 솔라즈 위원장은 한국이 여단 규모의 군대를 파견해야 된다고 주장하였음.

장 관 : 솔로몬 차관보는 60년대에 비해 한국의 안보 상황이 더 위협을 받고 있다고 잘 답변해 주었음.

대 사 : 의료단은 군의료단 쪽으로 보낼 가능성이 더 큰 것인지 ?

장 관 : 군 또는 민간 의료진 두가지 가능성이 있음.

대 사 : 만일 군의료진을 보내면 솔라즈 의원 같은 주장도 대처할 수 있고 더 좋을 것으로 생각됨.

장 관 : 그 경우 일종의 군이동병원(MASH)과 같은 것이 될텐데 미국 군인보다는 타국군인들을 치료해 줄 것이 아닌지 ?

0162

대 사 : 아마도 그럴 가능성이 큼.

다시한번 한국정부의 적극적인 지원에 감사드림.

워싱턴과 부쉬 대통령으로부터도 좋은 반응이 있을 것으로 기대함.

미주국장 : 한국정부 지원 결정은 명일 주미대사로 하여금 Kimmitt 국무차관에 통보토록 할 예정임.

장 관 : 이정빈 차관보가 워싱턴 체재중이라 박대사와 동행토록 조치 하였음.

참고로 한가지 말씀드리자면 내일 아침 10:30시 가이후 일본 수상이 노태우 대통령에게 전화를 걸어 가네마루 전 부수상의 방북 내용에 관해 설명할 예정임.

대 사 : 다시한번 감사 드림. 한국정부가 신속히, 또한 협조적인 정신을 보여준데 대해 여러가지 좋은 반응이 있을 것으로 생각하며 부쉬 대통령께서도 좋은 반응이 있을 것으로 생각함.

유엔 총회에 잘 다녀 오시고 훌륭한 성과를 거두시기 바람.

장 관 : 우방으로서 우리는 최대한의 협조를 할 것임. 끝.

예고: 90, 12, 31 일반

예고문에의거일반문서로 재분류19 90. 12. 31 서명

0163

관리 번호	90-2075

	분류번호	보존기간

발 신 전 보

번 호 : WUS-3117 900920 2233 ED 종별 : 초긴급

수 신 : 주 미 대사. ~~총영사~~ (친 전)

발 신 : 장 관 (미북)

제 목 : 페르시아만 사태 경비분담 문제

대 : WUS-3086

1. 정부는 금 9.20 상부 재가를 얻어 "페"만 사태 관련 아국의 지원액을 총 2억불로 결정하였음.

   o 총 2억불중 다국적군 지원에 1억불, 주변 피해국에 1억불을 지원하되, 금년중 1억5,000만불을 우선 지원하고, 나머지 5,000만불은 소요 재원을 확보하여 제2차로 지원함.

   o 금년중 지원하는 1억5천만불은 다국적군에 7,500만불, 주변 피해국에 7,500만불을 고려하고 있으나, 총 1억5,000만불 범위내에서 상세 지출 내역은 사정에 따라 융통성 있게 지출할 수 있음. (예: 다국적군에 1억, 주변국에 5,000만불 지원 등)

   o 다국적군 지원 내역은 수송 수단, 방독면, 의료품 등이며, 주변 피해국들에 대한 지원은 대외경제협력기금(EDCF) 제공, 쌀, 생필품 등 지원 및 국제이민기구(IOM)에 대한 기여금 지원등임.

   o 상기에 추가하여 의료단 파견을 검토중인바 의료단 규모, 구성, 의료지원대상등에 관해서는 협의를 통해 결정할 각 예정.

/계 속....

대책반장 : (서명)
중동아프리카국장 : (서명)
국제경제국장 : (서명)

보안 통제	(서명)

앙 고 재	90년 9월 20일	북미과	기안자 성명		과 장	심의관	국 장		차 관	장 관
			오갑렬		(서명)	(서명)	(서명)		(서명)	(서명)

외신과통제

0164

2. 9.22(토) 노태우 대통령께서 중앙일보 창간 기념 특별 회견시 Brady 재무장관이 언급한 지원요청 금액 3.5억불을 밝힐 예정이며, 9.24(월) (유엔 총회 참석차 본직 부재중) 외무차관이 1항 내용을 발표할 예정임.

3. 귀직은 이정빈 차관보를 대동, 대호 Kimmitt 국무부 정무차관을 면담, 아래 배경과 함께 1항 내용을 통보하고, 9.24(월) 아측 발표시까지 미측에서 대외 발표하는 일이 없도록 각별 보안에 유념해줄 것을 당부바람.

- 아국은 전통적인 한.미 우호관계를 우선적으로 고려하였으며, 냉전이후 최초의 불법적 무력도발 사태에 대처한 유엔 안보리의 대이라크 제재 결의를 존중하고, 세계 평화 유지를 위한 다국적 노력을 지원키 위해 상기 지원 결정을 하였음.

- 그러나 아국은 현재 무역수지 적자, 경제성장의 저조, 외채증가, 물가불안과 과중한 방위비 분담 등 경제적 어려움에 처해 있으며, 특히 최근 대홍수로 인한 피해복구를 위해 약 10억불에 달하는 금액이 소요될 것이 예상되는등 어려움에도 불구하고 노대통령께서 결단을 내린것임.

- 따라서 아국이 약속한 2억불은 아국의 안보.경제적 여건을 고려한 최대한의 지원 규모임을 이해바람.

4. 본직은 금 9.20(목) 21:30 Gregg 주한 미 대사에게 상기 내용을 설명하고, 9.24(월) 대외 발표시까지 보안을 당부하였음. 미측에 수고한 non-paper 별첨 타전하니 참고 바람.

첨 부 : 미측에 수고한 non-paper. 끝.

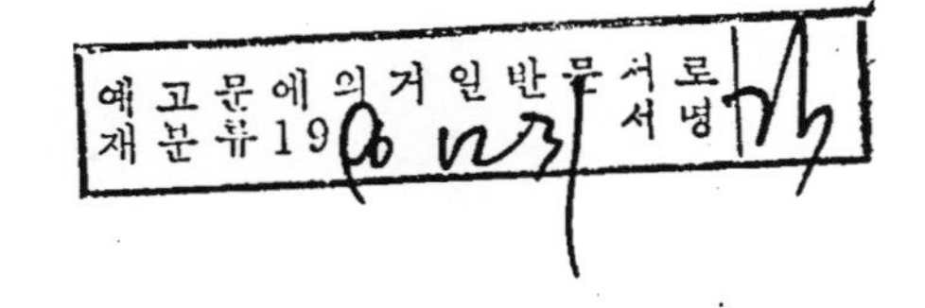

(장 관 최호중)

예 고 : 90.12.31.일반

0165

관리 번호	90-2075

	분류번호	보존기간

발 신 전 보

번 호 : WUS-3117 900920 2233 EZ 종별 : 초긴급

수 신 : 주 미 대사. 총영사 (친 전)

발 신 : 장 관 (미북)

제 목 : 페르시아만 사태 경비분담 문제

대 : WUS-3086

1. 정부는 금 9.20 상부 재가를 얻어 "페"만 사태 관련 아국의 지원액을 총 2억불로 결정하였음.

- 총 2억불중 다국적군 지원에 1억불, 주변 피해국에 1억불을 지원하되, 금년중 1억5,000만불을 우선 지원하고, 나머지 5,000만불은 소요 재원을 확보하여 제2차로 지원함.

- 금년중 지원하는 1억5천만불은 다국적군에 7,500만불, 주변 피해국에 7,500만불을 고려하고 있으나, 총 1억5,000만불 범위내에서 상세 지출 내역은 사정에 따라 융통성 있게 지출할 수 있음. (예: 다국적군에 1억, 주변국에 5,000만불 지원 등)

- 다국적군 지원 내역은 수송 수단, 방독면, 의료품 등이며, 주변 피해국들에 대한 지원은 대외경제협력기금(EDCF) 제공, 쌀, 생필품 등 지원 및 국제이민기구(IOM)에 대한 기여금 지원등임.

/계 속....

보안 통제	(서명)

앙 고 재	90년 9월 20일	북미과	기안자 성명		과 장		국 장		차 관	장 관
			오갑렬		(서명)	(서명)	(서명)			(기결)

외신과통제

0166

o 상기에 추가하여 의료단 파견을 검토중인바, 의료단 규모, 구성, 의료지원 대상등에 관해서는 협의를 통해 결정 하고저 함.

2. 9.22(토) 노태우 대통령께서 중앙일보 창간 기념 특별 회견시 Brady 재무장관이 언급한 지원요청 금액 3.5억불을 밝힐 예정이며, 9.24(월) (유엔 총회 참석차 본직 부재중) 외무차관이 1항 내용을 발표할 예정임.

3. 귀직은 이정빈 차관보를 대동, 대호 Kimmitt 국무부 정무차관을 면담, 아래 배경과 함께 1항 내용을 통보하고, 9.24(월) 아측 발표시까지 미측에서 대외 발표하는 일이 없도록 각별 보안에 유념해줄 것을 당부바람.

o 아국은 전통적인 한.미 우호관계를 우선적으로 고려하였으며, 냉전이후 최초의 불법적 무력도발 사태에 대처한 유엔 안보리의 대이라크 제재 결의를 존중하고, 세계 평화 유지를 위한 다국적 노력을 지원키 위해 상기 지원 결정을 하였음.

o 그러나 아국은 현재 무역수지 적자, 경제성장의 저조, 외채증가, 물가불안과 과중한 방위비 분담 등 경제적 어려움에 처해 있으며, 특히 최근 대홍수로 인한 피해복구를 위해 약 10억불에 달하는 금액이 소요될 것이 예상되는등 어려움에도 불구하고 노대통령께서 결단을 내린것임.

o 따라서 아국이 약속한 2억불은 아국의 안보.경제적 여건을 고려한 최대한의 지원 규모임을 이해바람.

4. 본직은 금 9.20(목) 21:30 Gregg 주한 미 대사에게 상기 내용을 설명하고, 9.24(월) 대외 발표시까지 보안을 당부하였음. 미측에 수교한 non-paper 별전 타전하니 참고 바람.

첨 부 : 미측에 수교한 non-paper. 끝.

예고문에 의거 인반문서로 재분류19 서명

(장 관 최호중)

예 고 : 90.12.31.일반

0167

1. Total amount of contribution by the Korean government will be 200 million dollars.

Out of this amount,

- 100 million dollars will be provided for multi-national defense efforts,
- 100 million dollars for the economic aid to the frontline states (Egypt, Turkey, Jordan).

2. The Korean government plans to render 150 million dollars within this year, and remaining 50 million dollars for the second phase as soon as we secure necessary budget.

3. The planned allocation of the fund is as follows :

o Support for the Multi-national defense efforts : U$ 75 million in 1990

- Cash : U$ 30 million
- Transportation(Air & Sea) : U$ 30 million
- Military Expendables : U$ 15 million
  * Military uniforms, blankets, anti-gas masks, etc.

o Support for the Frontline States : U$ 75 million in 1990

- EDCF : U$ 40 million
  * Economic Development Cooperation Fund
- Rice : U$ 10 million
- Emergency Relief Goods : U$ 24.5 million
- Contribution to I.O.M. : U$ 0.5 million
  * International Organization for Migration

o Total : U$ 150 million

0168

4. However, the actual allocation of the fund may be flexible within the amount of 150 million dollars.(e.g. We may provide 100 million dollars for the multi-national defense efforts this year, with 50 million dollars for the economic assistance.)

5. We will also consider dispatching a medical team. The details such as composition of the medical team, where to work, for whom to work and duration of service, etc., may be worked out in consultation with the U.S. government.

0169

관리번호	91-1968

외 무 부

종 별 : 긴 급

번 호 : USW-4298 일 시 : 90 0920 2050

수 신 : 장관(친전)

발 신 : 주 미 대사

제 목 : "페"만 사태 경비 분담 문제

대 WUS-3117

1. 대호, 본직은 금 9.20(목) 1415 국무부 KIMMIT 정무 차관을 면담, 아국정부의 결정 내용을 설명하고, 아울러 백악관 NSC 측에도 동 내용을 통보한바 미측 반응은 다음과같음.(아측은 이정빈 차관보, 유명환 참사관 배석, 미측은 KARTMAN 보좌관, RICHARDSON 한국과장 배석)

2. 본직은 먼저 대호 3 항에 따라, 최근 유례없는 수해, 경제 침체, 무역 수지 악화 및 과중한 방위비 분담등 제반 어려운 사정임에도 불구하고, 아국 정부 최고위층에서 한미 우호 관계를 위해 결단을 내린것임을 강조한바, KIMMIT 차관의 반응은 다음과 같음.

가. 최근 엄청난 수해 관련 심심한 위로를 전달하며, 미국이 도울수 있는 일이 있으면 좋겠음.

나. 브래디 특사가 서울 방문시 강조한바 있듯이 걸프 사태 관련 경비 분담참여는 한국을 위해서도 매우 중요한 일임.

따라서 한국의 참여는 TIMELY 하고 VISIBLE 하고 또한 SUBSTANTIAL 하여야 하는바, 이점에서 금번 한국의 결정을 환영함.

다. 한국에 요청한 금액은 한국의 경제적 능력을 감안 정직하게 산정한것이라고 생각하는바, 올바른 일인지 아닌지는 몰라도 "페"만 경비 문제에 대해서는 미 의회의 분위기가 매우 민감하기 때문에 어떤 반응을 보이게 될찌 걱정됨. 이와 관련, BAKER 장관과 상의할 예정이며 아측과도 계속 긴밀히 협조할 생각임.

4. 한편 백악관 국가 안보회의(NSC) 아시아 담당 PAAL 보좌관은 상기 아측의 지원 결정에 대해 매우 고맙게 생각한다고 하면서 아측의 어려운 사정에 이해를 표시 하였음. 끝

90.12.31. 일반

예고문에 의거 일반문서로 재분류19 . . 서명

장관

김재섭 비서관에게 1부 송부필

PAGE 1

90.09.21 10:17

외신 2과 통제관 FE

0170

관리번호 91-1911

면 담 요 록

1. 일 시 : 1990.9.21(금) 11:30

2. 장 소 : 외무부 장관실

3. 면담자 : 최호중 외무부 장관

   Donald P. Gregg 주한 미 대사

4. 배석자 : 반기문 미주국장

   Hendrickson 주한 미 대사관 참사관

5. 내 용

o 장 관 : 급히 만나자고 했는데 특별한 멧세지라도 있는지 ?

o 대 사 : 바쁘신중 시간을 내주시어 감사함. 본인은 국무부로부터 한국 정부에 대해 어제 결정한 지원액보다 조금 더 지원 해줄 것을 요청하라는 지시를 받았음.
본인은 국무부에 대하여 한국 정부가 협조적인 입장을 보이고 있고 한국정부의 지원이 일본에 비해 GNP 대비 적절한 수준일 뿐만 아니라 한국 정부 스스로 협조를 하고 있기 때문에 한국 정부 결정에 credit을 주어야 한다고 보고 했음. 그러나 문제는 의회와 언론인것 같음.
어제 솔라즈 위원장 주최 청문회에서도 본바와 같이 의회내에 한국이 군대를 파병해야 된다는 강한 분위기가 돌고 있는 것 같고 이러한 분위기는 예산의 부족 때문에 더욱 가중되고 있음.

공람	북미과	90년 9월 25일	담당	과장	심의관	국장	차관보	차관	장관
					(서명)	(서명)		(서명)	

0171

본인이 워싱턴과의 협의를 통하여 얻는 결과로 아래 두가지를 말씀 드리고자 함.

첫째, 한국 지원중 현금 지원 부분을 증액시켜줄 것을 요청하며 만일 이것이 불가능하면 내년도 지원분중에서 이를 앞당겨 현금으로 지원해 주기 바람. 현금 지원분을 현재 3,000만불에서 5,000만불로 증액시키면 심리적으로 큰 도움이 될 것임.

둘째, 의료단은 군의료단을 보내줄 것을 요청함. 청와대에서 수송수단으로 군수송 장비를 제공할 것도 고려중인 것으로 이해하고 있는 바, 미국 정부가 이를 수락하지 않더라도 일단 제의를 하는 경우 상당히 호의적인 반응을 얻을 것으로 생각함.

조금이라도 더 지원해줄 수 있다면 크게 도움이 될 것으로 생각함.

o 참사관 : 91년도 지원분중 현금을 당겨서 증액시키던가 또는 군소모품분을 줄여서 그만큼 현금으로 증액시키는 방법이 있을 수 있다고 봄. 이 경우 주변 국가에 대한 경제지원 규모는 영향을 받지 않을 것임.

o 장 관 : 이 문제에 관해 즉석에서 답변하기는 어렵고 관련부서와 협의해 보겠음. 군의료단 파견 문제는 우리가 긍정적으로 검토할 수 있을 것으로 생각함.

o 대 사 : 한국 정부의 상당한 액수의 지원 공여에 대해 감사하며 한국 정부가 처한 제반상황에 대하여는 워싱턴과 부쉬 대통령에게 그대로 잘 보고하고 있음.

o 장 관 : 우리의 입장을 잘 대변해 주고 있는데 대해 감사함.

0172

o 대 사 : 한국 정부로서 할 수 있는 어떠한 증액도 호의적이고 중요한 영향을 가져올 것임을 말씀 드림.

한국 정부가 9.24. 공식 발표 이전에 증액 문제를 호의적으로 검토해 주기를 바람.

바쁘신중 시간을 내 주시어 감사 드림. 끝.

0173

피안 事態 支援方案

1. 美側 要請

   ◦ 總 3.5億弗 (多国籍軍 1.5, 周邊国 2)

2. 我国 支援

   ◦ 總 2.2億弗

   - 多国籍軍 : 1.2億弗
   - 周邊国 : 1億弗

*醫療团 派遣 肯定檢討

0174

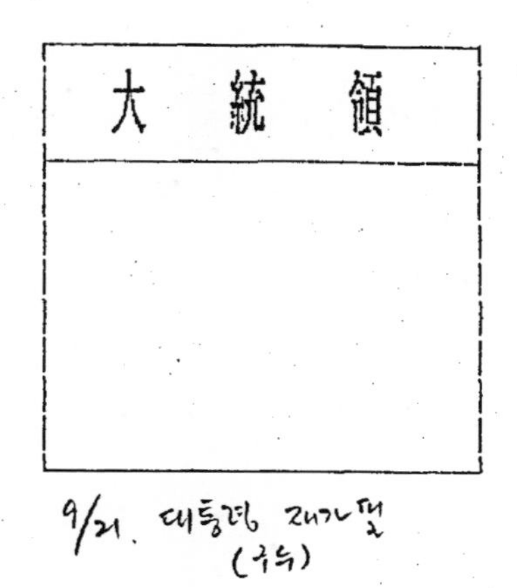

페르시아灣 事態 關聯 支援 方案(追加)

1990. 9.

外 務 部

0175

1. 美側의 追加支援 要請

(Gregg 駐韓 美國大使, 9.20 午前 外務長官 面談時 Kimmitt 美 國務次官 指示에 의거한 美國政府 立場 傳達)

o 韓國의 상당한(Substantial) 經費分擔 決定 歡迎 및 感謝 表明

o 다만, 美議會 및 言論等의 민감한 反應을 감안, 我國이 發表 前에 약간의 增額을 考慮해 줄 것을 要請

2. 美側의 具體的 要請 內容

가. 現金 支援 部分을 5,000万弗로 引上

- 總額 純增 또는 1991年度分 조상 支援

나. 軍 醫療團 派遣

- 軍 輸送機等 輸送裝備 支援도 檢討 要望

0176

3. 對處 方案

ㅇ 美側의 要請에 대하여 下記와 같은 2가지 方案을 檢討

(第 1 案)

1991年度 支援分을 조상 支援 : 總 2億弗

가. 90年度 支援 內容

1) 多國籍軍 活動支援

(單位 : 万弗)

區 分	現金支援	輸送支援	現物 支援	計
當 初	3,000	3,000	1,500	7,500
追加時	5,000 (2,000增加)	3,000	2,000 (500 增加)	10,000 (2,500增加)

2) 周邊國 經濟 支援 : 變動 없음(7,500万弗)

나. 第2次分 支援 : 2,500万弗

* 考慮事項

ㅇ 追加財政 負擔없이 可能한 한 美側 要請 受容

ㅇ 단, 美側으로부터 追加 支援 要請 可能性

0177

(第2案)

經費 2千万弗을 純增 支援 : 總 2億 2千万弗

가. '90 支援 內容

1) 多國籍軍 活動 支援

(單位 : 万弗)

區 分	現金支援	輸送支援	現物 支援	計
當 初	3,000	3,000	1,500	7,500
追加時	5,000 (2,000增加)	3,000	1,500	9,500 (2,000增加)

2) 周邊國 經濟 支援 : 變動 없음(總7,500万弗)

나. 第2次分 支援 : 5千万弗

* 考慮事項

- o 追加 財政 負擔

o 韓.美 友好關係 強化를 위한 大統領 閣下의 決斷 誇示 効果

0178

4. 其他 要請 事項에 대한 檢討

가. 軍 醫療團 派遣 問題

나. 軍 輸送機 支援 問題

* 考慮事項

o 美 議會內의 對韓 非難 視角 및 派兵 促求 움직임 擴大 防止

o 軍 裝備 支援時 派兵으로 인식되어 國內 輿論의 否定的 反應 可能性

0179

관리번호	Pc-2103

기 안 용 지

분류기호 문서번호	미북 0160-1214	(전화 : 720-2321)	시 행 상 특별취급	
보존기간	영구·준영구. 10. 5. 3. 1.	장 관		
수 신 처 보존기간				
시행일자	1990. 9. 21.			

보조기관		협조기관		문 서 통 제
국 장	전 결			1990. 9. 24 통 제 관
심의관				
과 장				발 송 인
기안책임자	오 갑 렬			발송송 1990. 9. 24 외무부

경 유 수 신 참 조	주미대사	발신명의	
제 목	자료 송부		

금번 페르시아만 사태 관련, 9.20. 현재로 본부에서 취합한 각국의 지원 현황을 별첨과 같이 송부하오니 참고하시기 바랍니다.

첨 부 : 동 자료 1부. 끝.

예 고 : 90.12.31. 까지

예고문에 의거 일반문서로 재분류19 90.12.31 서명

0180

1505-25(2-1) 일(1)갑
85. 9. 9. 승인 "내가아낀 종이 한장 늘어나는 나라살림"

190mm×268mm 인쇄용지 2급 60g/m²
가 40-41 1989. 11. 14

페르시아灣 事態 關聯 各國의 支援 現況

9/20 현재

日 本

1. 多國籍軍 活動支援 : 總 20億弗 規模

가. 財源 捻出 方法

° 8.30. 發表한 多國籍軍 活動 支援金 10億弗

- 今年度 豫備費(總 3,500億엔)에서 捻出

° 9.14. 發表한 多國籍軍 活動 支援 增額分 10億弗

- 具體的 調達 方法은 상금 未定

- 不要不急한 豫算 支出의 統制 또는 追加 特別 豫算을 編成하는 方法 等 考慮中

* 追加 特別 豫算을 編成하는 方法을 택할 境遇, 그 時期는 日本國會 事情 및 中東情勢를 보아 가면서 檢討豫定

나. 支援 方法

° 多國籍軍 活動 支援金 20億弗中 12-14億弗(60-70%)은 資金 協力 形態로 支援

0181

ㅇ 第3者를 통한 支援方法 選好

- 直接 美軍을 支援하는 境遇 國內法上의 論難 可能性
- 現在 걸프 協力 委員會(GCC)에 "平和基金"을 設置, 支援金을 寄託하는 方法 檢討中(GCC 各國과의 協議가 순조로울 境遇, 10月初 가이후 首相 中東 訪問時 發表 豫定)

2. 前線國家에 대한 經濟協力

ㅇ 總 規模 : 20億弗

ㅇ 支援 條件 및 財源

- 6億佛 : 最低 金利의 緊急 商品 借款(償還期間 30年) 形態로 [illegible] 支援, 財源은 ODA에서 充當
- 14億弗 : 具體的 財源, 支援 方法 및 時期 未定

西 獨

ㅇ 支援 規模 : 總33億 마르크(約20.8億弗)(9.15. Kohl 總理 發表)

ㅇ 支援內譯

- 對美支援 : 16億 마르크(10.1억불)
  (車輛, 通信裝備, 化生防 裝備等 軍用 重裝備 形態 支援 包含)

0182

- EC 設立 前線國家 援助 基金 支援 : 4億2千万 마르크(2억6천2백만불)
- 前線國家에 대한 直接 援助 : 12億 8千5百万 마르크(8억2백만불)
  - 對 이집트 直接 援助(原資材 및 開發 援助 形態) : 9億7千5百万 마르크 (6억9백만불)
  - 對 요르단 直接 援助(原資材 形態) : 2億 마르크(1억2천5백만불)
  - 對 터어키 直接 援助(原資材 形態) : 1億1千万 마르크(6천8백만불)

o 前線國家의 對獨 債務 蕩減
  (이집트 9億 7千5百万, 요르단 2億, 터키 1億百万 마르크)

EC 제국

o EC 執行委는 周邊 被害國 支援을 위해 約 20億弗(10億弗은 EC 豫算, 10億弗은 EC 會員國으로부터 捻出) 援助提供을 提議, 조만간 EC 外相會議에서 決定 豫定

벨기에

o 地上軍 派遣은 전혀 고려하지 않고, 兵站 支援 協調는 檢討할 수 있으며, 經濟 支援은 EC 차원에서 共同 補助를 취한다는 立場

0183

英國

o Baker 美 國務長官은 9.5. 英國의 追加的인 軍事 協力과 被害國에 대한 1億弗 상당 援助 要望

이태리

o 總1億4千5百万弗 支援 約束

사우디 아라비아, 쿠웨이트 및 U.A.E

o 상기 3개국은 總 120億弗 支援 約束
  - 사우디 : 60億弗
  - 쿠웨이트 亡命 政府 : 40億弗
  - UAE : 20億弗

其他 國家

o 덴마크, EC 共同 經濟 援助 参與外에 難民 救護費 640万弗 支援
o 濠洲, 醫療陣 20名, 難民 救護費 800万弗 支援
o 카나다, 軍隊 派遣外 6,600万弗 支援
o 臺灣, 2-3億弗 支援 豫想

0184

관리 번호	Po-2084

	분류번호	보존기간

발 신 전 보

번 호 : WUS-3132 900921 1959 DY 종별 : 초긴급

수 신 : 주 미 대사. ~~총영사~~ (친 전)

발 신 : 장 관 (미북)

제 목 : 페르시아만 사태 경비 분담 문제

연 : WUS-3117

1. 본직은 금 9.21(금) Gregg 주한 미 대사의 요청에 따라 동 대사를 면담함. 동 대사는 Kimmitt 국무 차관의 지시에 따라 미국 정부의 입장을 전달한다고 전제하고, 한국의 상당한(substantial) 경비 부담 결정을 환영함과 동시에 사의를 표명하면서, 다만, 미 의회 및 언론등의 민감한 반응을 감안, 아국이 공식 발표하기 전에 약간의 증액을 고려 해 줄것을 요청하였음.

2. 동 대사는 아국의 지원금액중 현금에 해당하는 지원액 3천만불을 5천만불로 증액하고(2,000만불을 순증으로 해 주되, 불연이면 내년도 지원 경비에서 2,000만불을 조상 지원 요청), 군의료단 파견 및 군수송기등 수송장비 지원등을 요청하였음.

3. 이러한 요청에 대해 정부는 금 9.21(금) 고위관계 대책회의를 갖고 한.미 우호관계를 특별히 고려하여 미측 요청대로 우선 현금 지원 3천만불을 5천만불로 증액하도록 결정 하였음.(따라서 아국의 총 지원액은 2억 2천만불)

/계 속....

보안 통제	(서명)

앙 고 재	90 년 9 월 21 일	북미과	기안자 성명		과 장		국 장		차 관	장 관
			오갑렬		(서명)		(서명)			(기집)

외신과통제

0185

4. 또한 정부는 군 이동 외과병원(약 100명으로 구성)의 파견도 결정 하였는바, 다만, 동 병원에 필요한 기본 의료장비(수술차량, 병리시설 차량, 방사선 차량등)는 아국이 상기 지원액에 추가하여 구입하되, 동병원 운영에 따르는 제반 경비(요원 숙식, 일상 의료용품등)는 미국 또는 사우디 정부가 부담한다는 조건임. 군의료단 파견문제에 관해 본부는 발표시 의료단파견을 긍정적으로 검토하고 있다는 내용으로 발표할 예정인바, 미측으로서도 양국간 충분한 협의가 끝나기 전에는 군의료단으로 명시하지 말고 단순히 의료단으로만 하도록 요청바람. (본건 주한 미대사관에도요청하였음.)

5. 귀직은 상기 내용을 미 국무부 고위 인사에게 즉시 통보하고, 동 결정은 대통령께서 특별히 한.미 우호관계를 감안, 각별한 결단을 내리신 결과임을 강조 바람.

6. 한편, 군수송기는 지원하지 않기로 결정하였음을 참고 바람. 끝.

(장 관 최 호 중)

예고 : 90.12.31. 일반

예고문에의거일반문서로
재분류19 90.12.31 서명

0186

9

관리번호	90-2088

외 무 부

종 별 : 긴 급

번 호 : USW-4306 일 시 : 90 0921 1741

수 신 : 장관(친전)

발 신 : 주 미 대사

제 목 : "페"만 사태 경비 분담

대: WUS-3132

1. 대호, 본직은 9.21(금) 국무부 동, 아태 담당 솔로몬 차관보와 면담, 아측이 추가적으로 취한 조치 내용과 이를 위해 대통령 각하의 각별한 결단이 있었음을 설명하였음(아측은 이정빈 차관보, 유명환 참사관이, 미측은 리차드슨 한국과장이 각각 배석함)

2. 이에 대해 동차관보는 아측의 신속한 결정에 사의를 표명하고 한국이 어려운 제반 상황에도 불구하고 경비 분담에 참여 하기로 한것을 환영한다고 말함.동 차관보는 또한 아국의 의료단 파견에 따른 부대 조건에 관해서는 TASK FORCE로 하여금 이를 검토하여 조속히 회보 하겠다고 하면서 의료단 인원 차출등 편성이 조속한 시일내에 가능할것인지 여부에 특별히 관심을 표명함. 동인은 이어 금번 사태가 외교적 수단으로 해결 되기를 희망하나 어떠한 전망도 내리기 힘든 아주 위험한 실정이라고 말함.

3. 당관 유명환 참사관은 대호 내용을 백악관 NSC 의 PAAL 보좌관에게도 통보 한바, 무엇 보다도 한국이 군 의료단을 파견키로 한것을 매우 중요하고 의미 있는 조치로서 크게 환영한다고 말함.

한편 국무부 RICHARDSON 한국과장은 한국의 금번 조치는 국무성은 물론 의회로부터도 크게 환영 받을것으로 본다고 말함. 끝

90.12.31 일반

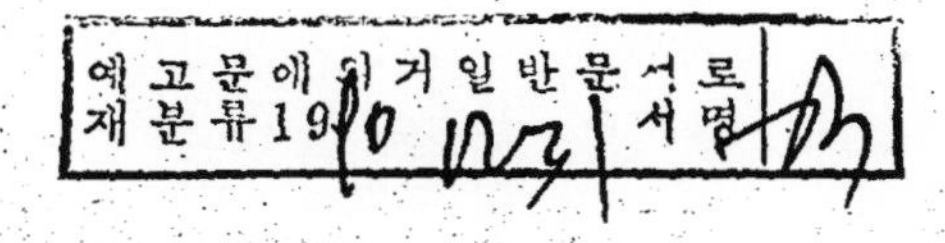
예고문에 의거 일반문서로 재분류19 90 12.31 서명

장관 김재섭 비서관

PAGE 1

90.09.22 07:25

외신 2과 통제관 BT

0187

관리 번호	90-1994

	분류번호	보존기간

번 호 : WUS-3145 900923 1619 ER WUS-3146 종별 :

수 신 : 주 미 대사. ~~총영사~~

발 신 : 장 관 (미북)

제 목 : 페르시아만 사태 관련 지원방안 발표문 송부

명 9.24(월) 10:00 (KST) 외무장관 대리가 발표할

표제 발표문(국.영문)을 별첨 송부함

첨부 : 상기 발표문 국.영문 각 1부. 끝

(미주국장 반기문 -)

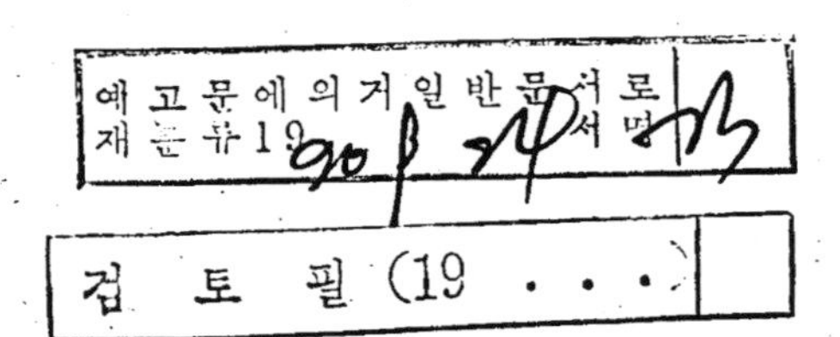

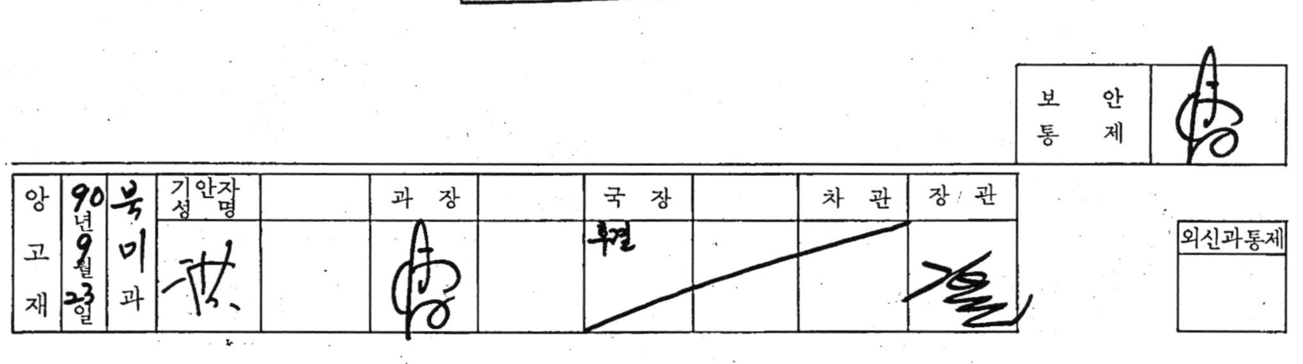

0188

페르시아만 事態 關聯 支援方案

1990. 9.

外　　務　　部

0189

目　　次

1. 美側 支援 要請

2. 支援 決定時 考慮事項

3. 我國의 支援 內容

가. 總 支援 規模

나. 年度別 支援 內譯

다. 詳細 支援 方法

라. 90年度 財源 計劃 및 執行

4. 其他 要請 事項에 대한 檢討

添附 資料 : 1. 發表文 (國.英文)

2. 報道 參考 資料

0190

1. 美側 支援 要請

o 브래디 美 財務長官 訪韓時 支援要請(9.7. 盧泰愚 大統領 禮訪時)

- 페르시아만 作戰 經費 및 對 이라크 制裁措置 參與로 經濟的 被害를 입고 있는 前線國家들(front-line states : 이집트, 터키 및 요르단)에 대한 我國의 支援 要請
- 美國의 中東 派兵으로 每月 約 30億弗 軍事經費 所要, 前線國家 援助에 今年中 35億弗, 來年中 70-80億弗 所要
- 美側은 向後 1年동안 總 230億弗이 所要될 것으로 豫想
- 我國이 北韓과의 緊張狀態 持續으로 어려움이 있겠으나 經濟的 發展 等을 감안하여 總 3.5億弗의 支援을 提供할 것을 要請

※ 要請 內容

(單位 : 億弗)

	'90	'91	計
多國籍軍 活動 支援	1.5	-	1.5
周邊國 經濟支援	1.0	1.0	2.0

※ 美側, 追後 駐韓 美大使를 통해 醫療團 派遣 檢討 要望

0191

2. 支援 決定時 考慮事項

(安保的 側面)

o 武力에 의한 領土紛爭 解決 企圖 不容

- 韓半島 有事時 國際社會의 支援 및 共同介入 先例 確立

o 韓.美 安保協力 關係 持續

- 美 言論 및 議會內 批判 與論 對備

(外交的 側面)

o 유엔 安保理 決議 遵守

o 韓國戰時 集團措置 受惠國으로서의 道義的 義務

o 我國의 伸張된 國威에 副應한 國際平和 維持 努力에 一翼 擔當

o 中東 地域內 周邊 被害國들과의 友好關係 增進

(經濟.通商 側面)

o 事態 早速 解決을 通한 安定的 原油 供給線 確保 및 原油需給 體系 正常化

o 對中東 建設等 經濟進出 再開 期待

0192

(國內 經濟 狀況)

ㅇ 今年度 貿易赤字等 經濟事情 惡化, 駐韓 美軍 防衛費 分擔

ㅇ 最近 大洪水로 인한 復舊費等 追加 財政 所要

3. 我國의 支援 內容

가. 總支援 規模

ㅇ 我國의 現 安保狀況 및 經濟 能力을 감안하여 總 2億 2千万弗을 支援함

(單位 : 億弗)

	韓 國	日 本	西 獨
多國籍軍 活動 支援	1.2	20	12.5
周邊國 經濟 支援	1	20	7.9
計	2.2	40(18배)	20.4(9배)

* 89年度 GNP 規模(億弗)

韓國 : 2,101, 日本 : 28,337(13.5배), 西獨 12,008(5.7배)

0193

나. 年度別 支援 内譯

o 90年度 支援 : 1億 7千万弗
- 多國籍軍 活動支援 : 9,500万弗
- 周邊國 經濟支援 : 7,500万弗

o 91年度 支援 : 5,000万弗

다. 詳細 支援 方法

o 多國籍軍 活動 支援 : 現金, 輸送 및 現物 支援으로 構成

o 周邊國 經濟支援 : 經協, 現物, 剩餘쌀 및 難民 輸送支援으로 構成

* 現金 支援보다는 國内 可用物資 및 서비스 提供 및 對外經濟 協力 基金(EDCF) 4,000万弗 活用 豫定

라. 90年度 財源計劃 및 執行

o 今年度 追更豫算에 反映 : 11月初 通過 豫想

o 周邊國 經濟支援中 經協基金 事業은 事業 選定 作業에 즉시 着手

o 剩餘쌀 支援을 위한 糧穀 基金事業도 早速 執行 推進

0194

4. 其他 要請 事項에 대한 檢討

o 美側의 醫療團 派遣 要請에 대해서는 肯定的으로 檢討함.

添附 資料 : 1. 發表文 (國.英文)
2. 報道 參考 資料

0195

페르시아만 事態關聯 經費分擔에 관한 發表文

o 政府는 最近 페르시아만 事態와 關聯한 多國籍軍의 經費를 分擔하고, 對이라크 經濟制裁 措置로 인하여 被害를 입고 있는 國家들에 대한 經濟的 支援을 해 달라는 友邦國들의 要請을 接受하고, 이 問題를 檢討해 왔음.

o 政府는 國際社會에서 武力에 의한 不法的인 侵略行爲가 容認되어서는 안된다는 國際法과 國際正義에 立脚하여 UN 安保理의 對이라크 制裁 決議를 尊重하고, 我國의 신장된 國威에 副應하여 國際 平和 維持 努力에 一翼을 擔當해야 한다는 判斷下에 페르시아만의 秩序 回復을 위한 國際的 努力을 支援키로 決定하였음.

o 同 決定을 함에 있어서, 總原油需要의 75%를 中東으로부터 導入하는 우리나라로서는 中東事態의 早速한 解決을 통한 原油의 自由로운 需給秩序 回復과 油價 安定이 貿易收支 및 物價安定 等 國益에 크게 도움이 된다는 점을 특히 考慮하였음.

o 政府는 多國籍軍의 經費로 航空機, 船舶等 輸送手段의 提供과 防毒面, 軍服 등의 現物 支援을 包含하여 1億2千万弗 範圍内에서 特別 支援키로 決定하였음.

0196

o 또한 今番 事態로 經濟的 被害를 입고 있는 周邊國(요르단, 터키, 이집트 等 3個 前線國家)에 대하여는 政府 保有米 30,000톤(1千万弗 相當)을 支援하고 開途國에 대한 長期 低利 借款인 對外 協力 基金(EDCF) 4千万弗 및 同 周邊國의 必要 現物等을 支援하며, 各國의 難民 輸送을 支援하기 위해 國際 移民機構(I.O.M.)에 대해서도 50万弗을 寄與할 豫定임. 이러한 支援은 總1億弗 範圍內에서 이루어질 것임.

o 이와 별도로 政府는 醫療團을 派遣할 것을 肯定的으로 檢討中이며, 具體的인 派遣 計劃은 關聯國과의 協議를 거쳐 決定할 것임.

o 이러한 支援規模 및 方法을 決定함에 있어서 政府는 他 友邦國들의 支援內容을 考慮하였으며, 現在의 어려운 國內 經濟狀況과 특히 最近 洪水 被害로 인한 財政負擔 等을 充分히 감안하였음.

o 政府는 페르시아만 事態 解決을 위한 國際的 努力이 結實을 맺어 이 地域의 平和와 安定이 早速 回復되기를 希望하는 바임.

0197

Statement
by
The Acting Foreign Minister Chong Ha Yoo
on
Costsharing in relation to Gulf Crisis

September 24, 1990

Ministry of Foreign Affairs

0198

o The Government of the Republic of Korea has received requests from friendly countries for favorable consideration to render financial and material support to multinational defense efforts and to countries whose economies are serionsly affected by economic sanctions against Iraq.

o Upholding the international law and justice by which armed aggression should not be tolerated in the international society, the Korean government supports the United Nations Security Council resolutions including the one imposing economic sanctions against Iraq. As a member of the international community, we believe that we should bear a fair share in the international efforts to maintain world peace and stability, thus helping restore the order in the Gulf area.

o In making this decision, the Korean government has taken into consideration the fact that an early settlement of the Middle East crisis would ensure the smooth supply of oil and stabilization of its price as well as help maintain peace and stability in that region. As Korea is dependent 75% of the need on oil imported from the Middle East, the stabilized oil supply system will undoubtedly help Korean economy in her balance of trade.

0199

ㅇ The Korean government decided to support multinational defense efforts by providing air and maritime transportation facilities and services including in-kind contributions such as military uniforms and gas masks within the range of equivalent to 120 million U.S. dollars.

ㅇ In addition to the above-mentioned support, the Korean government will provide the front-line states such as Jordan, Turkey and Egypt whose economies are seriously affected by the imposition of economic sanctions with 30,000 tons of rice equivalent to 10 million U.S. dollars. We will also use 40 million U.S. dollars from the existing Economic Development Cooperation fund which provides loans of long-term and low-interest for third world countries. Also some goods such as the necessaries of life will be provided to the three front-line states. And another half million U.S. dollars will be contributed to the International Organization on Migration to assist in the refugee transportation effort in Gulf region. These economic assistance program will be within the range of 100 million U.S. dollars.

ㅇ Additionally, the Korean government is now considering favorably the dispatch of a medical team and the detailed plans will be worked out in consultation with the countries concerned

0200

o In determining the scale and method of support, the Korean government has fully taken into consideration the supports given by other friendly countries, the present domestic economic difficulties and particularly an imminent national budgetary and financial burden which we face due to the recent flood.

o The Korean government sincerely hopes that peace and stability in that area will be restored through the concerted international efforts for a peaceful settlement of the Gulf crisis.

0201

參 考 資 料

1. 支援 決定時 考慮事項

가. 安保 問題

o 武力에 의한 領土紛爭의 解決이 容認될 경우 將來 韓半島 安保環境에 큰 危害가 될 것인바, 韓半島의 有事時 國際社會의 共同 介入을 通한 平和 回復 期待 및 韓半島에서 武力 挑發 可能性 豫防 効果

o 韓.美 安保協力 關係 持續

- 駐韓 美軍 維持, 防衛費 分擔 問題 關聯 美 議會 및 言論의 批判 輿論 可能性 對備

나. 經濟 通商 側面 考慮

o 我國은 89年度 46億 8,553万弗 相當의 原油를 導入하였음. 原油의 순조로운 需給도 重要하거니와 中東事態로 인하여 油價가 不安定하게 되는 境遇 우리의 經濟에 주는 打擊은 莫甚하기 때문에 今番 國際的 努力으로 原油의 需給과 價格體系가 正常化되는 境遇, 油價 1弗 引下時 年間 原油 導入額에서 3億 3,000万弗이 節減되므로 예컨대 油價가 10弗 安定되면 33億弗이 節減되어 我國은 支援額을 크게 上廻하는 利益을 보게 됨.

0202

- 今年 上半期 平均 油價가 1배럴당 16.5弗이었으나 9.17現在 30.89弗로 上昇
- 我國의 對中東 原油 依存度는 74%

o 페르시아만 事態의 早速한 解決은 我國의 安定된 原油 供給 確保는 물론 建設等 經濟進出에도 不可缺한 條件이며, 我國의 支援이 未洽할 境遇 "페"만 事態 解決後 對中東 進出에 否定的 影響 憂慮.

다. 外交的 考慮

o 6.26 事變時 유엔의 도움을 받은 我國으로서 對이라크 共同制裁에 관한 유엔 決意에 적극 참여해야 할 道義的 의무가 있으며, 이는 我國의 유엔 加入 政策과도 附合됨.

o 我國의 신장된 國威에 副應하여 國際 平和 維持 努力에 一翼 擔當
  - 我國의 支援이 微溫的일 境遇, 經濟的 利益만 追求한다는 國際的 非難 可能性 考慮

o 長期的인 觀點에서 사우디, UAE 等 中東 友邦國들과의 共同步調 및 周邊 被害國들과의 友好 關係 增進 圖謀

0203

라. 國內 經濟 狀況 考慮

o 今年度 貿易 赤字等 經濟事情 惡化, 駐韓 美軍 防衛費 分擔

o 특히 最近 大洪水로 約 6億弗 追加 財政 소요 等으로 過度한 支援 不可

2. 支援 內容의 特徵

가. 兵力 또는 艦艇 派遣等 直接的인 軍事支援 排除

나. 支援 形態를 現金 支援보다는 物資 및 써비스 中心으로 함으로서 我國 經濟에 도움이 되는 方向으로 하였으며, 이중 相當部分은 既存 借款 基金을 活用하여 追加 財政 負擔을 줄였음.

添 附 : 1. 日本, 西獨과 我國의 國力 對比
2. 各國의 支援 現況

0204

(添 附)

1. 日本, 西獨과 我國의 國力 對比

	韓國	日本		西獨	
			韓國對比		韓國對比
支援 規模(億弗)	2	40	20 배	20.8	10 배
GNP (億弗)	2,101	28,337	13.5배	12,008	5.7 배
1인당 GNP(弗)	4,127 (88年)	23,317 (88年)	6 배	19,741 (88年)	5 배
交易 規模(億弗)	1,239	4,940	4 배	6,112	5 배
外換 保有(億弗)	152	851 (89.9)	5.5배	533 (88年)	3.5 배
經常 黑字(億弗)	51	568	11 배	555	11 배
中東原油導入 (億 배럴)	2.47	11.40		0.96	

0205

2. 各國의 支援 現況 (90.9.20)

國　家	經濟的 支援	軍事的 支援
日　本	40億弗 - 多國籍軍 20億	非戰鬪員 2,000名 派遣 檢討
西　獨	20.8億弗(33億 마르크) - 多國籍軍 10.1億弗 - 前線國家 8億弗 - EC 基金 2.6億弗	艦艇5隻 (掃海艇 4, 補給艦 1)
EC	20億弗 (分擔額 未合意)	
英　國	EC 次元 共同 步調	6,000名, 7隻, 40臺
불란서	"	13,000名, 14隻, 100臺
이태리	1.45億弗(1次 算定額), "	艦艇5隻
벨기에	EC 次元 共同 步調	掃海艇2隻, 補給艦 1隻
네덜란드	"	프리깃艦 2隻
스페인	"	艦艇3隻
폴투갈	"	艦艇1隻
그리스	"	艦艇1隻

0206

國　家	經濟的 支援	軍事的 支援
濠　洲	8百万弗(難民救護)	艦艇3隻, 醫療陣 20名
노르웨이	2,100万弗	
카나다	6,600万弗	艦艇3隻, 戰鬪機 中隊
G.C.C.國	사우디 : 60億弗 쿠웨이트 : 40億弗 U.A.E. : 20億弗	이집트 : 19,000名 모로코 : 1,200名 시리아 : 15,000名 GCC5국 : 10,000名
아시아國	臺　灣 : 2-3億弗	방글라데시 : 5,000名 파키스탄 : 5,000名 인도네시아 : (派兵 用意)

* 美國 : 兵力 155,000名, 艦艇 48隻, 航空機 150臺

蘇聯 : 戰艦 1隻, 對潛艦 1隻을 派遣하였으나 多國籍軍에는 不參

0207

중앙일보

1990년(檀紀 4323年)9월24일

페灣 軍費분담금 2億2千萬弗 확정

올해 現金 5千萬弗 지원

수송단·물자·잉여쌀 포함 2년간

정부는 美國측이 페르시아灣 사태와 관련, 다국적군 경비분담과 인접국에대한 경제적 지원을 요구한데 대해 모두 2억2천만달러의 범위내에서 지원키로 결정했다。

柳宗夏외무차관은 23일 오전 기자회견을 갖고 다국적군의 경비로는 현금5천만달러와 항공기·선박등 수송수단의 제공및 방독면·군복등의 현물지원을 포함해 1억2천만달러 범위내에서, 요르단·터키·이집트등 3개前線國에 대해서는 정부보유미 3만t(1천만달러) 장기저리차관인 대외협력기금(EDCF) 4천만달러, 그리고 각국의 난민수송단 지원을 위해 국제이민기구(IOM)에 대해 50만달러를 기여하는등 모두 1억달러 범위내에서 지원한다고 밝혔다。

柳차관은『이같은 지원은 올해와 내년으로 나누어 집행될 것이며 올해에는 현금지원 5천만달러를 포함, 절반이상을 지원해야할 것으로 안다』고 말하고『이는 美정부측과 협의를 마친 것으로 美측은 최근의 수재등을 감안해 우리측의 지원규모는 최선을 다한 것으로 본다는 입장을 밝혀왔다』고 말했다。

柳차관은 또 美의회·언론등의 파병요구와 관련『안보상황을 고려해 바람직하지 않다는 우리정부의 입장에 美정부측도 전적으로 공감하고 있다』면서도『상징적인 의미로 이번 지원규모와는 별도로 의료단을 파견하는 문제를 긍정적으로 검토중이나 구체적인 파견계획은 관계국과의 협의를 거쳐 결정하겠다』고 밝혔다。

柳차관은『韓美양국정부는 이번 페르시아灣사태가 장기화되더라도 92년까지 계속되리라고 보지않기 때문에 더이상의 추가부담을 예상한 어떠한 협의도 한 사실이 없다』고 말했다。

美측은 페르시아灣사태와 관련, 지난7일 브래디재무장관이 盧泰愚대통령과 崔浩中외무장관을 방문, 3억5천만달러의 분담금을 요구해 왔었다。

정부는 이에대해 駐韓美軍의 유지비분담과 최근 악화되고 있는 국제수지, 수재로 인한 재정부담가중등을 이유로 규모축소를 협의해 왔다。

0208

페灣에 보낼 의료진

軍醫官 파견 검토

실질적派兵, 國會동의 거쳐야

정부가 페르시아灣 사태에
원하기위해 2억2천만달러
투입된 미군과 다국적군들지
의 분담금을 지원키로 한 것
이외에 따로 보내기로 결정
한 의료진은 민간인의료진이
아닌 군의료단파병이 될 가
능성이 매우 높은것으로 전망되

고있다.〈3면에관련기사〉
李相薰국방부장관은 24일
의무부의 페르시아灣 군비지
원방안 발표직후 합참에 「군
의료지원단파병에 대비해 준
비하라」고 지시했다. 이에따
라 국방부와 합참은 인사국
과, 의무관리관실등 의무및
인사관계자들을 소집, 연석회
의를 가졌다.
비전투요원이기는 하나 군
의료지원단이 파병될 경우
한국군으로서는 지난65년부
터 시작된 월남전 파병이후
25년만에 이뤄지는 창군 이
사상 두번째 해외파병이 돼
주목된다.
국방부 權寧海기획관리실
장은 「군의료단 파병문제는
국회에서 논의후 결정해야
할 문제」라면서 「국민적 저
항으로 파병이 거부될 경우

우리 정부는 직접 지원경비
(현금)를 추가부담해야할것
이라고 말했다.
이에대해 의무부의 한 당
국자는 25일「페르시아灣주둔
다국적軍경비및 주변국경제
지원분담금을 내는것과 별도
로 1백명이내의 의료진을
이지역에 파견할 방침」이라
고 말하고「부처간 협의를 남
겨놓고 있으나 민간의료진확
보가 어려운 상황에서 軍의
료진파견이 불가피할것으로
보인다」고 전했다.

野, 페灣지원 비난聲明

平民 民主등 野圈은 25일
페르시아灣사태에 따른 우리
측의 지원과 관련, 다음과 같
이 논평했다.
◇金台植平民黨대변인=금
액면으로나 우리의 경제수준
에 비추어 과다하다. 장차
국군의 파병가능성은 사전
에 봉쇄돼야 한다.
◇張石和民主黨대변인=軍
의료진파견발언은 과거 越南
戰참전이 의료진파견에서 시
작됐다는 점을 고려할때 신
중하게 대처해야할사안이다.

90. 9. 25
동아일보

0209

동아일보 1990年9月25日 火曜日

社說

페르시아灣 분담금

—富國虛勢버리고 아랍民主化에 실질기여를—

국제사회에 비친 韓國의 얼굴은 마치 경제선진국에 돌입한듯한 부자의 모습이었같다. 한때 나마 무역흑자 속에서 올림픽을 치르며 흥청댔던 일이나 수입개방 물결을 타고 창궐하는 과소비 현상, 그리고 과다지출을 마다하지 않는 北方외교 이 모든 요인을 종합해보면 국제사회의 그같은 인식은 오히려 당연하다. 그러나 韓國은 세계경제협력개발기구(OECD)의 회원국이 될만큼 부자나라가 결코 아니다.

정부는 페르시아灣 군비지원및 주변국경제원조 분담금으로 2억2천만달러를 확정했다. 그중에는 다국적군 직접지원 경비5천만달러와 對개도국 장기저리차관인 대외협력기금 4천만달러가 포함돼있다. 나머지는 쌀과 발부면등 물자와 운송수단등 서비스제공이다. 당초의 3억5천만달러 요청설에 비하면 정부의 苦心을 엿볼 수 있는 규모다. 여기에 의료진파견이 긍정적으로 검토되고있다.

우리는 개발국가의 국제사회적인 책임과 역할 분담의 중요성을 간과하지 않는다. 그래서 韓國에 대해 국제사회의 책임 결여를 지적하는 「제2의 日本」주장을 우리는 거부한다. 그러나 우리 사회를 우울하게 만들고있는 경제적 현실을 직시할때 이나마의 분담도 우리에게는 몹시 힘겹다는 사실을 부정해서는 안된다. 이점을 국제사회는 이해해야 된다. 오늘의 韓國은 결코 네마리 용의 하나가 아니며 경제난국의 돌파구를 찾기위해 安間을 쓰고있을 뿐이다. 韓國의 결정은 최대의 성의를 다한 것이다.

물론 상호의존적인 오늘날의 국제관계속에서 韓國에대한 역할분담 기대가 있을수 있다. 더구나 對이라크제재조치가 사실상 모든 유엔회원국의 총의에 의한것이기 때문에 비회원국인 韓國도 이에 적극적으로 동참할 의사를 밝히고 있다. 특히 국제관계의 주요결정요소인 안보적 이익과 경제적 이익 이에 덧붙여지는 신의문제등을 고려할때 국제관계의 상호의존성은 韓國의 페르시아灣 역할분담을 불가피하게 만든다.

가령 페르시아灣에서 실제로 전쟁이 터졌을 때 주한미군의 일부가 그곳으로 이동한다고 가정하자. 이로인해 부담해야할 우리의 안보경비는 어떻게 될것인가. 그리고 75%의 원유수입을 中東에 의존하고 있는 韓國경제의 死活的인 이해관계를 무시할 수 없다. 이런관점에서 韓國도 수익자부담 원칙을 반대할 수는 없다.

그러나 문제는 명분이 아니라 韓國의 능력이다. 北方외교에 연계돼있는 몇십억달러 규모의 경협내용을 고려할 것이면 할말이 없다. 中國과의 과정에서 노출되고 있는 헤픈 작태를 보면 더더욱 할말이 없다. 韓國의 中東이익은 직접적이고 절박한데 반해 北方외교의 이익은 정치적이며 경제적 실리는 시간이 지난후에 거둘수 있기 때문이다. 능력을 넘어서는 행위는 허세일뿐이다. 페르시아灣 분담금에 관한 韓國의 결정이 더이상을 허용하기 어려운 최대수준이라고 지적하는 것도 이런 맥락에서다.

또 우리는 이번원조와 부담이 아랍민주화의 실질적 개혁에 도움이 되도록 쓰여지기 바란다. 5천만달러의 다국적군 직접지원경비 분담금은 국회의 승인을 요하는데 국회의 심의과정을 통해 이점을 명백히 해야한다. 아울러 정부는 의료진의 파견문제에 대해서도 명분과 實利를 적절하게 조절하면서 우방과의 신의관계를 돈독케하는 결정을 내리도록 당부한다.

0210

의료진 파견, 거기서 끝날까

—페灣사태 지원에 넘지 않아야할 線

社說

페르시아灣 지원 분담금액이 확정, 발표되면서 그 適正규모 여부의 판단을 뒤로 미루고 더 큰 論難을 불러올 문제가 슬그머니 고개를 내밀고 있다. 지금까지 거론되어온 물자·장비·서비스와 현금지원의 차원을 넘어 의료지원단 파견도 검토중이라는 꼬리가 덧붙은 것이다.

애초에 페르시아灣 지원비용을 분담해달라는 요청이 제기되고서부터 확정되기 바로 며칠전까지만 해도 美國측은 우리의 상징적 지원에 만족할 것이라는 점이 강조돼 왔었다. 그런 면에서 우리는 美國측의 요청에 인색할 수 없다는 데 동의해 왔다.

정부는 이번 결정이 국내외의 여러가지 與件을 검토한 끝에 내려진 것이라는 점을 부각시키기 위해 많은 명분과 이유를 들어 국민들의 이해를 구하고 있다. 물론 정부가 결정 과정에서 많은 고충이 있었으리라는 점을 짐작하기 어렵지 않다.

그러나 2억2천만달러가 우리의 능력에 비추어 상징적 규모인가 아닌가를 판단하는 기준이라든가 정부가 제시한 이유들 중에 異論을 제기할 여지가 없는 것은 아니다. 그러면서도 이번 결정이 이미 대외적으로 약속된 결과인만큼 찜찜하면서도 새삼 조목조목 再論하기는 어려운 형편이다.

규모문제에 대해서 이처럼 아직도 유보적인 터에 의료지원단 파견문제가 거론된 것을 보고 명분도 명분이지만 이제는 페르시아灣 지원에 확실한 한계를 설정할 시점에 이르렀다고 우리는 믿는다.

당초 거론되지 않았던 문제가 한가지 문제에 대한 결론이 끝나면서 대두되고 있는 것은 다음에 또 다른 것이 꼬리를 물고 제기되지 않을까 하는 가능성과 그에 대한 우려때문이다.

더욱이 현재 진행되고 있는 페르시아灣의 정세가 결국 군사적 충돌로 결판이 날 가능성이 커가고 있는 가운데 민간의료진 보다는 軍의료진의 파견으로 결정될 개연성이 많다고 본다. 그렇게 되면 비전투요원이고 인도적이라는 명분이 붙겠지만 일단 시작되면 사실상의 派兵이 불가피해지리라는 것은 충분히 예측할 수 있는 일이다.

그렇게 될 경우를 우리는 심각히 검토해야 할 것이다.

당초 의료부대 파견으로 시작했다가 대규모 전투병력을 보내지 않을 수 없었던 예를 우리는 越南전쟁에서 이미 경험하고 있다.

그러나 이제는 당시와 다른 상황이다. 권위주의 시대처럼 정부가 일방적인 결정을 내릴 수 있는 것도 아니다.

이미 美國의회 일부에서 韓國軍의 派兵論이 대두되면서 의료진 파견 검토설이 나오고 있는 것을 보고 美國정부가 종국적으로 그런 의도를 갖고 있는 것은 아닌가 하는 의구심을 우리는 갖지 않을 수 없다. 만약 그렇다면 美國정부는 종전처럼 정부에 압력을 넣으면 가능하다는 생각이 우리의 변화된 국민의식에 비추어 잘못됐다는 점을 인식해야 할 것이다.

또 정부로서도 南北韓관계발전에 민감하게 영향을 줄 安保상황에 변화를 초래하는 일이 없도록 대처하기를 촉구하고자 한다.

90. 9. 24
중앙일보

0211

越南戰이후 25년만의「해외派兵」

建設-僑民안전 대처여부가 과제

비용 산정어려워 방위분담금과 별도 부담

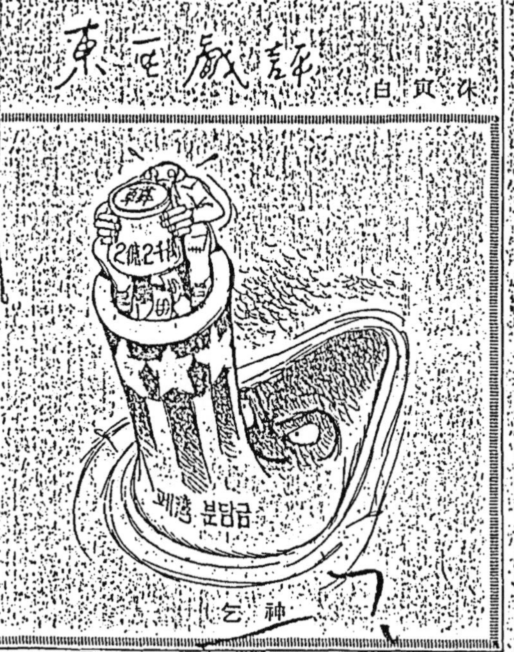

軍의료단 파견 검토배경

정부가 24일 발표한 페르시아만주둔 다국적군 지원내용중에서 가장 관심을 끄는 부분은 2억2천만달러라는 지원규모보다는 의료단 파견이었다. 이날 외무부 柳宗夏차관은 페르시아灣사태와 관련한 군비 지원규모를 발표하면서 인도적 차원의 의료진 파견을 정부부처간에 공식적으로 검토하기 시작했다고 밝혔다.

또 국방부 權寧海기획관리실장은 이날 柳차관의 발표가 있은 직후 「의료진을 파견키로 우리 정부가 결정, 지난주말 미국측에 통보했다」고 한단계 더 나아가 구체적으로 밝히고 「그러나 민간인 의료진을 파견할지 군의료단을 파병할지는 아직 결정되지 않았다」고 말했다.

만약 군의료단의 파병이 이뤄진다면 그것은 越南전 개입이래 25년만에 처음있는 「해외파병」으로 중요한 의미를 갖게된다.

군사전문가들은 「군의료단 파병과 관련, 「한국의 월남전참전도 처음에는 의료진등 행정지원부대 파병부터 시작된점에 유의해야 한다」고 지적하며 만약 페르시아만 사태가 장기화될 경우 자칫 군사적 직접개입으로까지 치닫게될 우려가 없지않다고 말하고 있다.

국방부는 군의료단이 파병되더라도 그것은 「인도주의적」차원에서 결정된것이고 우방국인 미국의 방위분담제의에 대해 거절할 수 없는 입장에서 최소한의 성의표시라는 「상징적 의미」에서 취해지는 조치라며 그 의미를 축소시키려 하고 있다.

그러나 군의료단이 아무리 비전투요원이라고 강조해도 이라크입장에서 보면 적군을 지원하는 군인들이기때문에 크게 반발할것이 예상되며 나아가 아랍권에도 반발을 불러일으켜 우리의 원유수요의 75%를 공급하고 있고 70년대이후 우리 건설업체들의 해외무대가 되다시피한 중동지역국가들과의 관계가 악화될 가능성이 없지 않다는 우려를 낳고있다.

또한 아직까지 쿠웨이트와 이라크에 남아있는 1백80여명의 교민들의 안전문제와도 무관하지 않다.

이런 이유들로해서 정부가 이번 페르시아만 사태지원 결정과정에서 국회등을 통해 국민들의 의견을 수렴하는 절차를 배제한것은 큰 문제점으로 지적되고있다.

우리정부가 미국측의 페르시아만 사태지원요구를 거절할수 없는것은 北韓과의 군사적 대치상태가 계속되고 있는만큼 유사시 한반도에 대한 우방국의 공동개입가능성을 고려할 수밖에 없으며 우리가 지원을 거부할 때 美의회나 언론에서 對韓비난여론이 일 가능성이 크며 또 국제사회로부터도 경제적 이익만 추구한다는 비난여론이 일게될 우려가 있는 점등 때문이다. 당초 미국은 지난 7일 방한한 브래디 재무장관을 통해 총3억5천만달러의 페르시아만 방위비분담금을 우리정부에 요구했으나 정부는 지난22일 미국측에 2억2천만달러밖에 부담할수 없다고 일방적인 통고를 하면서 그대신 물자수송과 의료지원을 위해 선박및 항공기와 의료진을 파견하겠다고 제의했다.

당초 미국측이 우리정부에 요구한때 직접지원경비(현금)와 별도로 요구한 현물및 서비스지원중에는 의료지원항목이 포함되지 않았으나 정부는 의료지원은 전쟁당사국 어느편에서도 인도주의적 차원에서 적대행위로 간주되지 않는다는 특수성을 감안, 미국에 생색도 내고 이라크에 대해서는 양해도 구할 수 있다는 「계산」을 했다는 설명이다.

국방부는 현재 파병의 법적근거에 대해서도 검토중인데, 헌법제5조 「대한민국은 국제평화유지에 노력하고 침략적 전쟁을 부인한다」는 조문에 의거, 파병이 법률상 가능하다고 판단하고 있다.

그러나 이에 대해 權기획관리실장은 「파병은 반드시 국민들의 의견을 듣고 국민들의 뜻에 따라 결정될 것」이라면서 국회를 통해 여야간 합의가있어야만 파병이 가능하다고 밝혔다. 한편 權기획관리실장은 물자수송의경우 「미국이 원하는 물자를 대한항공의 화물기와 국내 선박회사의 벌크선으로 수송해주고 그 비용은 한국정부가 2억2천만달러의 방위분담금에서 지출하는 형식」이라면서 「그러나 의료지원은 가격산출이 곤란한데다 한국정부가 인도주의적인 차원에서 파견하는 것이니만큼 모든 비용을 방위분담금과는 별도로 한국정부가 부담한다」고 말했다.

<權誠熙기자>

90. 9. 25 동아일보

0212

페灣軍의료진 파견검토 배경

美「派兵압력」무마 마지노線

國會승인 여부 論難거리로

美와 내달중순께 최종協議

정부가 이라크사태와 관련, 페르시아만에 軍의료진 파견검토방침이 알려지자 우리나라가 지나치게 국제분쟁에 깊숙이 개입하는 것이 아니냐는 우려와 걱정의 소리가 높다.

軍의료진이 비록 전투병력은 아니지만 상황에 따라선 병력파견의 뇌관역할을 할지도 모른다는 지적 때문이다.

아직 美측과 최종협의과정을 남겨놓고있는 상태이긴 하지만 민간의료진의 파견보다 어려운 현실을 감안해보면 軍의료진의 파견은 이미 불가피한 선택으로 여겨진다.

24일 柳宗夏외무차관의 발표에 이어 국방부에서도 군의료진의 파견에 대비, 그 규모와 시기·방법등을 검토하고 있다고 밝힌데서 이같은 정부의 의중을 엿볼수가 있다.

정부당국자들은 이번 군의료진의 파견은 美측으로부터의 파병압력을 무마하기 위한 카드라고 설명하고 있다.

美의회와 언론들은 원유를 모두 수입에 의존하는 韓國이 왜 군대를 파견하지 않느냐며 무임승차론을 거론하고 있는 것이 사실이다.

솔라즈의원은 「월남전에 군대를 파견했던 한국이 페르시아만에는 군대를 파견하지 않는 이유는 뭐냐」고 따진바있다.

이에 美국무성·太차관보는 그때보다 한반도의 안보위협이 증가했다고 답변했지만 이같은 의회와 언론의 압력을 우리가 계속 외면할수만도 없다는 것이 정부관계자의 설명이다.

그러나 정부는 軍의료진을 파견하더라도 「파병」으로 봐서는 안된다고 밝히고 있다.

외무부의 한 당국자는 「의료진은 적과 아군을 가리지 않고 치료하기 때문에 전투병력을 보내는 것과는 구분해야 한다」고 밝히고 있다.

군의료진의 파견은 파병을 피하기위한 불가피한 선택으로 봐야한다는 것이다.

그러나 반대론자들은 월남전당시의 파병도 의료진 파견부터 시작됐다는 점을 들어 일부에서는 전쟁발발에 대비한 한국군파병의 전주곡으로 美측이 받아들이는것이 아니냐는 우려를 표하고있다.

또 중동에 많은 건설업체가 진출해 있는등 경제적 이해관계가 첨예한 상태에서 軍의료진 파견은 잘못된 선택이라는 지적이 많다.

또한 어떠한 형태의 파병이든간에 과거 월남전때의 파병과는 달리 모든 경비를 우리가 담당해야하는데 따른 부담, 아랍권국가들과의 관계, 남북관계등도 [illegible] 지적도 있다.

정부는 현재 의료진의 규모는 40~50명정도가 될것이며 파견장소는 사우디 주둔美軍이나 아라비아해의 병원선으로 보고있다.

외무부는 현지에 필요한 의료분야를 구체적인 절차 문제를 美측과 협의, 오는 10월중순까지 최종 방침을 결정할 예정이다.

또한 軍의료진을 파견할 경우 국회의 승인을 얻어야 하는지 여부도 논란거리가 되고 있다.

[illegible] 의견 또다른 반발시 국회의 승인을 얻어야한다는 견해를 보이고있다.

日本의 경우 1백명의 의료진을 파견했는데 평화헌법과 저촉되는것을 피하기위해 자위대에서 외무부로 발령을 낸다음 파견한다는 것이다.

우리의 경우에도 軍의료진의 파견이 문제가 된다면 日本과 같은 편법을 쓸 가능성도 높다.

이번 軍의료진의 파견방침은 정부의 얘기대로 파병을 봉쇄하기위한 어쩔수 없는 카드일지 모른다. 그러나 결과적으로는 軍을 국제분쟁의 현장에 파견한 선례로 기록될 것이 분명하다.

또 이는 美國의 요구를 끝내 거절할 수 없는 외교적 현실을 반영한 것으로 인식되고 있다.

〈[illegible]기자〉

◇국별 지원현황

국가		경제지원(단위 달러)	군사지원
한국		2억2천만, 의료진	
일본		40억(다국적군20억)	비전투요원 2천명파견검토
서독		20억8천만	함정 5척
유럽공동체 EC	총계	20억(분담액 미합의)	병력 1만9천명, 함정36척, 전투기140대
	영국	EC차원 공동보조	6천명, 함정 7척, 전투기40대
	프랑스	〃	1만3천명, 함정14척, 전투기100대
	이탈리아	1억4천500만	함정 5척
	벨기에	EC차원 공동보조	소해정 2척, 보급함 1척
	네덜란드	〃	프리깃함 2척
	스페인	〃	함정 3척
	포르투갈	〃	함정 1척
	그리스	〃	함정 1척
호주		8백만(난민구호)	함정 3척, 의료진20명
노르웨이		2천100만	
캐나다		6천600만	함정3척, 전투기중대
사우디		160억	
쿠웨이트		40억	
UAE		20억	
이집트			1만9천명
모로코			1천2백명
시리아			1만5천명
대만		2~3억	
방글라데시			5천명
파키스탄			5천명
소련			전함1척, 對潛艦1척

※美國은 병력15만5천명, 함정48척, 항공기 150대파견. 蘇聯은 다국적군에는 불참.

0213

정영의 재무부 장관의 Brady 미 재무장관 면담 자료

9/25. 워싱턴

o 정부는 Brady 미 재무장관이 9.6-7간 방한중 페르시아만 사태관련 아측에 요청한 경비분담 문제를 그간 검토하였음.

o 아국은 전통적인 한.미 우호관계를 우선 고려하고, 냉전이후 최초의 불법적 무력 도발에 대처한 유엔 안보리의 대 이라크 경제 제재 결의를 존중함과 동시에 페르시아만 질서 회복 및 세계 평화 유지를 위한 국제적 노력을 지원키 위해 다국적군과 경제적으로 심각한 피해를 입고 있는 전선국가들을 지원키로 결정하였음.

o 그러나 아국은 무역수지 적자, 외채증가, 경제성장의 저조, 물가 불안과 과중한 방위비 분담등 경제적 어려움에 처해 있으며, 특히 최근 대홍수로 인한 피해복구를 위해 약 10억불에 달하는 금액이 소요될 것으로 예상되는등 제반 어려움에도 불구하고 노태우 대통령께서 결단을 내린 것임.

o 지원 규모는 총 2억2천만불로서 다국적군 지원에 1억2천만불, 주변 피해국에 1억불을 지원하되, 금년중 1억 7천만불을 우선 지원하고, 나머지 5천만불은 소요 재원을 확보하여 제2차로 지원코저 함.

o 금년중 지원하는 1억5천만불은 다국적군에 9,500만불, 주변 피해국에 7,500 만불을 고려하고 있으나, 총1억7천만불 범위내에서 상세 지출 내역은 사정에 따라 융통성 있게 운용할 것임.
(예 : 다국적군에 1억 2천만불, 주변국에 5천만불 지원등)

o 다국적군 지원 내역은 수송 수단, 방독면, 의료품 등이며, 주변 피해국들에 대한 지원은 대외경제협력기금(EDCF) 제공, 쌀, 생필품등 지원 및 국제이민 기구(IOM)에 대한 기여금 지원등임.

0214

o 상기에 추가하여 군 이동 외과 병원 파견을 긍정적으로 검토하고 있음.

o 상기와 같이 아국이 지원할 2억2천만불은 아국의 안보.경제적 여건을 고려한 최대한의 지원 규모임을 이해 바람.

0215

면 담 요 록

1. 일 시 : 90.9.25(화) 16:30-17:00

2. 장 소 : 미주국장실

3. 면 담 자

아 측	미 측
반기문 미주국장	E.Mason Hendrickson, Jr.
김규현 북미과 사무관	주한미대사관 참사관
(기록)	Aloysius O'Neill
	주한미대사관 1등서기관

4. 면담요지

Hendrickson 참사관 : 페르시아만 사태와 관련한 한국 정부의 지원방안 발표 내용과 한국 정부의 군의료진 파견 결정은 워싱톤에서 환영을 받고 있음.

미 주 국 장 : 금일 일부 언론이 군의료진 파견을 기정사실인 것처럼 보도하고 있으나 아국 정부가 군의료진 파견을 최종적으로 확정한 것은 아님. 다만 개인적으로는 군의료진을 파견하는 방향으로 결정될 가능성이 높다는 생각을 하고 있음. 군의료진 파견의 경우, 정치적 측면의 검토와 법적인 측면의 검토가 필요한 바, 특히 헌법의 규정에 의해 국회의 동의를 받아야 하므로 상당한 시일이 소요될 것으로 봄.

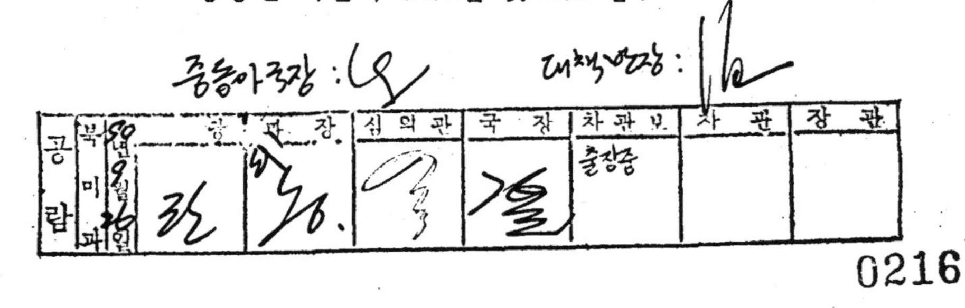

0216

Hendrickson 참사관 : 지난 9.19. 페르시아만 사태와 관련한 아시아 각국 반응에 관한 하원 외무위 아태소위 청문회시 솔라즈 의원등이 상징적인 한국의 파병(Korean presence on the ground)을 요청하였던 점에 비추어 볼때, 한국 정부가 군의료진을 파견할 경우 미 행정부로서는 한국 정부가 이러한 의회의 요청에 부응하고 있다는 점을 대변할 수 있을 것임. 한편, 한국의 파병이 없을 경우 의회가 한국의 방위분담을 증액 시키라는 요청을 할 가능성이 있다는 것이 미 행정부내 한국관계 관리들의 예상임.

미 주 국 장 : 국방부는 군의료진 파견 가능성 검토를 위해 다음과 같은 사항에 대해 미측이 알려줄 것을 요망하고 있음.

- 군의료진 파견시 지휘체계(command structure)
- 배치 지역
- 아국 군의료진이 사용하게 될 시설물에 관한 구체적 사항
- 진료 대상
- 숙소
- 군의료진에 대한 통상적인 지원 업무 담당국가
- 군의료진 및 의료 장비 수송 문제
- 군의료진에 대한 신변 안전 조치 문제

한편 아국 정부는 9.27(목) 관계부처 회의를 소집 구체적인 집행계획을 수립하고자 하는 바, 가급적 상기 회의 이전에 상기 아측의 문의 사항에 대해 답을 주기 바람.

Hendrickson 참사관 : 잘 알겠음.

한국의 쌀 지원과 관련, 현재 요르단에 있는 난민들을 위한 쌀은 충분히 확보가 되어 있으며 이에 따라 미국은 더이상 이들에게 쌀을 공급하지 않고 있음. 따라서 한국 정부가 발표한대로 대량의 쌀을 지원할 경우 동 쌀이 이라크로 흘러 들어가 대 이라크 제재조치를 완화시키는 효과가 나타나지 않도록 사전 예방장치를 강구할 필요가 있다는 것이 미국의 생각임.

0217

한편, 항공 수송지원과 관련, 한국측의 당초 계획인 주1회 지원 대신 주2회로 수송지원을 증가시켜 줄 것을 요청함.

미 주 국 장 : 수송지원 문제는 미측이 교통부측과 직접 접촉하기 바람. 본인 생각으로는 수송지원 확대에 별 문제는 없을것이나 대한항공 및 교통부등과 접촉, 미측이 희망하는 수송지원 확대가 가능한지 알아보도록 하겠음.

Hendrickson 참사관 : 한국측이 담당하게 될 항공수송은 델라웨어주 도버(Dover) 기지에서 사우디 다란까지로 확정되었음을 참고로 말씀드림.

미 주 국 장 : 아국정부는 전선국가에 대한 지원과 관련, 직접 대상국가와 접촉, 각국이 필요로 하는 사항을 파악한 후 구체적인 지원 계획을 수립, 집행코자 하고 있음.
또한, 다국적군에 대한 현물지원 문제는 어느국가에 대해 어느 물품을 지원할 것인지를 검토중인 바 미측의 의견이 있으면 알려주기 바람.

Hendrickson 참사관 : 미국이 아닌 제3국에 대해 지원할 것을 고려중인지?

미 주 국 장 : 개인적으로는 미국보다는 이집트 등 제3국에 지원하는 것이 바람직하다는 생각을 하고 있음.

Hendrickson 참사관 : 다국적군에 대한 현물지원 관련, 가장 적합한 접수국가등 관련 상세사항을 워싱톤에 알아보겠음.
그런데 전선국가 지원과 관련 대상국을 어떻게 접촉할 예정인지?

미 주 국 장 : 서울에는 요르단과 이집트 공관이 없으므로 이집트 및 요르단 주재 아국 공관을 통한 접촉을 구상하고 있으며 필요하다면 서울에서 사람을 직접 파견할 수도 있을 것임.

0218

Hendrickson 참사관 : 난민 수송지원과 관련 IOM과 협의는?

미 주 국 장 : IOM에 대해 직접 지원 예정임.

O'Neill 서기관 : 한국측의 해상 수송수단 지원 관련, 선박은 준비되어 있는지?

미 주 국 장 : 미국측이 구체적 수송계획을 제시하면 그에 맞춰 선박을 용선하도록 할 것임. 끝.

0219

관리 번호	Po-2004

원 본

외 무 부

김

종 별 : 지 급

번 호 : USW-4338 일 시 : 90 0925 1607

수 신 : 장관대리(미북,중근동) 사본장관(주유엔 대표부 경유)-직송필

발 신 : 주 미 대사

제 목 : 페 만 사태 관련 아측 지원 결정에 대한 미측 평가

미 국무부측은 페 만 사태 관련, 한국정부가 상당 규모의 지원을 제공키로 결정한것을 환영하고, 또한 최근 홍수 사태로 인한 한국정부 예산상의 제약 요인을 이해한다는 요지의 하기 보도 지침을 준비하였다함.(동 지침은 국무부 정례 브리핑시는 사용되지 않았으나, 아국 특파원등 기자들의 전화 문의시 사용되었다함)

KOREA CONTRIBUTION TO THE INTERNATIONAL GULF EFFORT

Q WHAT IS YOUR REACTION TO THE AID PACKAGE KOREA ANNOUNCED OVER THE WEEKEND ?

A -- WE WELCOME THE SUBSTANTIAL ASSISTANCE KOREA HAS PLEDGED TO THE MULTINATIONAL EFFORT IN THE GULF AND TO FRONT LINE STATES. IN ADDITION TO 220 MILLION DOLLARS IN CASH AND IN-KIND AID, WE WELCOME ROKG PLANS TO DESPATCH A MEDICAL UNIT TO THE AREA. A KOREAN PRESENCE ON THE GROUND, SHOULDER-TO-SHOULDER WITH OTHER NATIONS, WILL HELP UNDERLINE THE INTERNATIONAL COMMUNITY'S DETERMINATION TO RESIST IRAQ'S AGGRESSION.

QIS THE USG SATISFIED WITH THE AMOUNT OF AID KOREA IS OFFERING TO THE GULF EFFORT ?

A -- WE UNDERSTAND THAT BUDGETARY CONSTRAINTS PUT UPON THE KOREAN GOVERNMENT BY RECENT SEVERE FLOODING MAY HAVE KEPT KOREA'S CONTRIBUTION SLIGHTLY LOWER THAN IT WOULD HAVE OTHERWISE BEEN.

-- WE ARE CONFIDENT, HOWEVER, THAT KOREA, ALONG WITH SO MANY OTHER NATIONS, WILL CONTINUE TO BE PREPARED TO MEET THE NEEDS ASSOCIATED WITH THIS CRISIS AS THEY EVOLVE.

(대사 박동진-장관 대리)

미주국 차관 1차보 2차보 중아국 청와대

PAGE 1

90.09.26 07:26

외신 2과 통제관 CA

0220

예고 : 90.12.31 까지

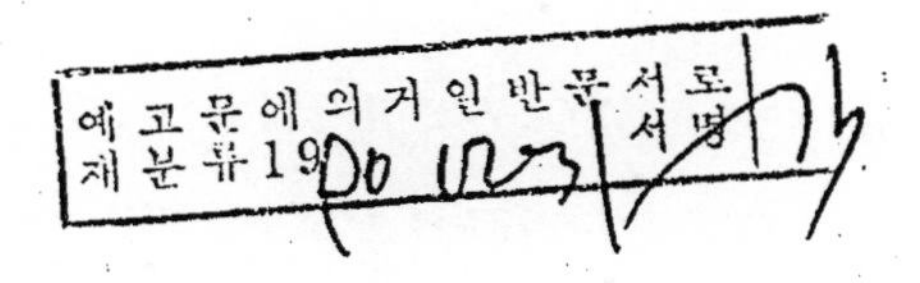

PAGE 2

0221

As of 11:30
9/24/90

EAP PRESS GUIDANCE
September 24, 1990

KOREA: CONTRIBUTION TO THE INTERNATIONAL GULF EFFORT

Q: What is your reaction to the aid package Korea announced over the weekend?

A: -- WE WELCOME THE SUBSTANTIAL ASSISTANCE KOREA HAS PLEDGED TO THE MULTINATIONAL EFFORT IN THE GULF AND TO FRONT LINE STATES. IN ADDITION TO $220 MILLION IN CASH AND IN-KIND AID, WE WELCOME ROKG PLANS TO DESPATCH A MEDICAL UNIT TO THE AREA. A KOREAN PRESENCE ON THE GROUND, SHOULDER-TO-SHOULDER WITH OTHER NATIONS, WILL HELP UNDERLINE THE INTERNATIONAL COMMUNITY'S DETERMINATION TO RESIST IRAQ'S AGGRESSION.

Q: Is the USG satisfied with the amount of aid Korea is offering to the Gulf effort?

A: -- WE UNDERSTAND THAT BUDGETARY CONSTRAINTS PUT UPON THE KOREAN GOVERNMENT BY RECENT SEVERE FLOODING MAY HAVE KEPT KOREA'S CONTRIBUTION SLIGHTLY LOWER THAN IT WOULD HAVE OTHERWISE BEEN.

-- WE ARE CONFIDENT, HOWEVER, THAT KOREA, ALONG WITH SO MANY OTHER NATIONS, WILL CONTINUE TO BE PREPARED TO MEET THE NEEDS ASSOCIATED WITH THIS CRISIS AS THEY EVOLVE.

0222

아국의 페만사태 관련 지원에 대한 미국 반응

90.9.27. 현재

1. Brady 미 재무장관 반응(9.25. 정영의 재무장관 면담시)
   - 한국이 조기에 페만 사태 관련 비용분담을 해 준데 대해 감사

2. Kimmit 미 국무부 정무차관 반응(9.20. 주미대사 면담시)
   - 한국 정부의 결정을 환영함.

3. Gregg 주한 미 대사 (9.20. 외무장관 면담시)
   - 상당한 규모의 지원에 감사하며, Brady 재무장관도 한국정부의 결정을 환영할 것임.

4. 아국 지원 내용 통보에 대한 국무부 보도지침 내용 (정례 브리핑시 사용되지는 않음)
   - 한국정부가 다국적군과 전선국가에 대해 상당한 규모의 지원을 제공키로 한 것을 환영함.
   - 또한 한국정부가 2억2천만불 상당의 지원외에 의료진 파견을 계획하고 있는 것을 환영함.
   - 최근 심각한 홍수사태로 인한 한국정부의 예산상의 어려움을 이해하며, 한국정부가 페만사태 추이에 따라 필요한 지원을 계속할 것임을 확신함.

5. Douglas Paal 백악관 NSC 아시아 담당관
   - 한국정부의 결정에 감사하며, 한국정부가 이러한 결정을 함에 있어 어려운 상황에 처해 있음을 이해함.

0223

유엔총회 참석을 위한 이라크 외무장관 여행 관련사항

(90.9.27. 주한미대사관측이 미주국장에게 통보해온 내용)

o 미 국무부는 Aziz 이라크 외무장관 일행의 유엔총회 참석을 위한 뉴욕 여행 관련, 이라크측의 특별기편 이용 허가 요청을 다음 이유를 들어 거절하고, 대신민간항공편을 이용할 것을 제시

- 미국은 특별기 이외 여타 수단을 이용, 뉴욕 여행이 가능한 상태에서 특별기편 이용 요청을 수용할 의무가 없음

- 이라크 정부가 이라크내 외국인들의 여행 자유를 허용하지 않고 있으면서 이라크 외무장관의 미국 여행관련 특별대우를 요청하는 것은 적절치 못함

- 이라크가 신변위협을 이유로 특별기 사용을 요청함은 이라크 지원을 받는 테러 집단이 국제 항공운송에 최대의 위협인 점에 비추어 모순

공람	북미과 90년 9월 28일	담당	과장	심의관	국장	차관보	차관	장관
		(서명)	(서명)	(서명)	(서명)	(서명)	(서명)	

중동아국장: (서명) 대책반장: (서명)

0224

IRAQI FOREIGN MINISTER'S TRAVEL TO THE UNGA

-- THE STATE DEPARTMENT HAS REFUSED IRAQ'S REQUEST TO PERMIT FOREIGN MINISTER TARIQ AZIZ AND HIS PARTY TO TRAVEL TO NEW YORK FOR THE UN GENERAL ASSEMBLY ABOARD A SPECIAL IRAQI AIRLINES FLIGHT.

-- THE UNITED STATES SUGGESTED THAT FOREIGN MINISTER TARIQ AZIZ AND HIS PARTY TRAVEL TO NEW YORK BY COMMERCIAL MEANS. THE HOST COUNTRY OBLIGATION TO REPRESENTATIVES OF MEMBERS OF THE UNITED NATIONS IS TO "NOT IMPOSE ANY IMPEDIMENTS TO TRANSIT TO OR FROM THE HEADQUARTERS DISTRICT." THERE IS NO OBLIGATION WHATEVER TO AUTHORIZE ARRIVAL IN THE U.S. BY SPECIAL FLIGHT SO LONG AS OTHER MEANS OF ACCESS ARE AVAILABLE.

-- ANY NUMBER OF FOREIGN MINISTERS TRAVEL COMMERCIALLY TO THE UNITED NATIONS GENERAL ASSEMBLY -- THIS YEAR THE NUMBER IS IN THE NEIGHBORHOOD OF NINETY.

-- IN VIEW OF THE IRAQI GOVERNMENT'S REFUSAL TO ALLOW FOREIGN NATIONALS TO TRAVEL FREELY FROM IRAQ OR KUWAIT, WE BELIEVE IT WOULD BE HIGHLY INAPPROPRIATE TO PROVIDE THE IRAQI FOREIGN MINISTER WITH SPECIAL TREATMENT RELATED TO TRAVEL TO THE UNITED STATES.

-- WE FIND IT PARTICULARLY IRONIC THAT THE IRAQI GOVERNMENT SHOULD CITE SECURITY THREATS AS A RATIONALE FOR SPECIAL TREATMENT SINCE IT IS TERRORIST GROUPS, INCREASINGLY SPONSORED BY IRAQ, WHICH PRESENT THE GREATEST THREAT TO INTERNATIONAL AIR TRAVEL.

90. 9. 27.
주한미대사관측이
미주국장에게 통보

0225

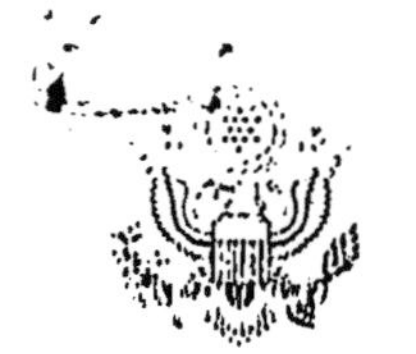

C

Embassy of the United States of America

Seoul, Korea

September 27, 1990

Dear Mr. Minister:

I have the honor to transmit the text of a letter to President Roh from President Bush which the Embassy received telegraphically.

I would be grateful for your assistance in ~~transmitting~~ forwarding the message to the President.

Sincerely,

Donald P. Gregg

Donald P. Gregg
Ambassador

Enclosure: Letter to President Roh
from President Bush

His Excellency
Yoo Chong Ha,
Acting Minister of Foreign Affairs
of the Republic of Korea,
Seoul.

0226

Dear Mr. President:

I wanted to thank you personally for your support for the multinational effort in the Persian Gulf. I understand that on September 24 your government announced a package of measures supporting the multinational force and the front line states. It is heartening to know that Korea can be relied upon to play its part. Korea's support is part of a worldwide effort to address not only the need for economic assistance, but also to highlight a world political consensus and the strength of the international coalition which opposes Iraq's invasion of Kuwait. This effort may take time, but the world is clearly ready to do what it takes to be successful.

The decision to provide a medical unit has great symbolic meaning. For the United States it holds special significance as an attestation to the strength of the military relationship forged in the Korean War, a relationship which has endured and deepened to include close economic and political ties as well.

I understand the constraints placed on your government by the recent severe flooding that Korea has suffered, and this makes your contribution even more appreciated. I thank you for Korea's support and for the personal role I know you played in the decision to provide this welcome assistance to the multinational effort in the Gulf. I know that you will continue to be prepared to meet, along with so many other nations, the needs of countries affected by this crisis, as they evolve.

Sincerely,

/s/

George Bush

His Excellency Roh Tae Woo
President of the Republic of Korea

0227

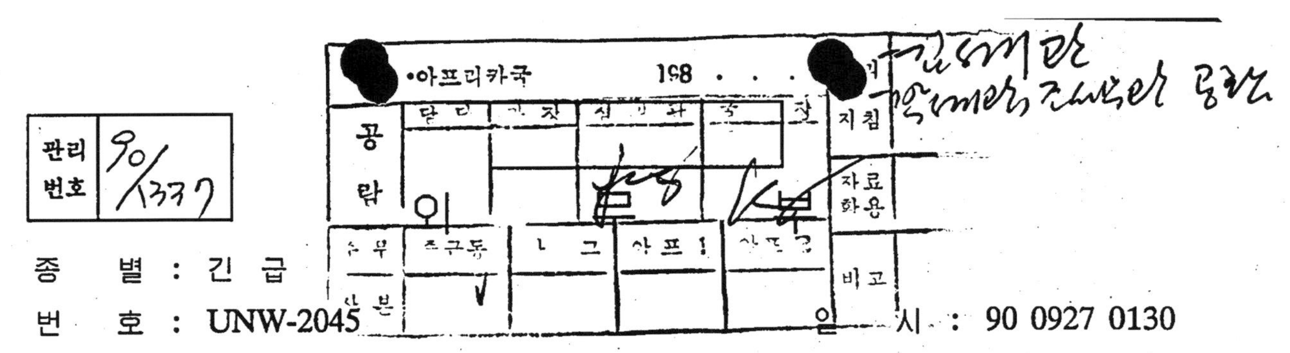

관리 번호	90/1337

종 별 : 긴 급

번 호 : UNW-2045 일 시 : 90 0927 0130

수 신 : 대통령 각하 (사본:대통령 비서실장,외무부차관)

발 신 : 주 유엔 대사, 외무부장관

제 목 : 한.미 외무장관 회담

1. 소직은 금 9.26(수) 15:30-16:00 간 WALDORF ASTORIA 호텔에서 BAKER 국무장관과 한. 미 외무장관 회담을 개최하고 남북대화, 페르시아만 사태, 한. 소 관계개선, 아국의 유엔가입문제등 양국간 상호 관심사항에 관하여 협의하였는바,주요 내용을 아래와 같이 보고드립니다.

가. 남북대화

0. 소직은 금번 남북 총리회담의 결과 및 의의를 전반적으로 설명하고 이번회담에서 상호 기본입장의 현격한 차이로 실질적인 진전은 없었으나, 우리는 북한의 개방과 북한을 국제사회의 책임있는 일원으로 유도하기 위해 인내심을 갖고 지속적인 노력을 경주해 나갈 것이라고 말하였읍니다.

0.BAKER 장관은 최근 남북대화의 진전에 대해 큰 관심을 표명하고 제 2 차 남북 총리회담을 개최키로 합의한것 자체가 하나의 진전이라고 평가하였읍니다.

나. 페르시아만 사태

0.BAKER 장관은 페르시아만 사태 경비 분담문제와 관련 아국의 다국적 노력에 대한 기여에 사의를 표명하였읍니다. 또한 동 장관은 미국의 우방국들로부터 적절한 수준의 지원이 없으면 의회등 미국내에서 정치 문제화할 가능성이 있음을우려한다고 언급하고, 한국이 수해문제는 있지만 다국적 노력의 수혜국 이라는관점에서 앞으로 어느시점에서 약간의 분담금을 증액 지원해 줄것을 요망한다고 말하였읍니다.

0. 소직은 이에대해 BRADY 재무장관의 방한시 대통령 각하께서 우리의 안보상황, 경제적 어려움 가운데서도 가능한 능력 범위내에서 지원할 것임을 밝히신바 있으며, 당초 2 억불 지원을 결정했으나 미측의 추가지원 요청을 받고 각하의지시에따라 2 천만불을 증액하였던 것임을 상기 시켰읍니다. 또한 소직은 현재아국이 무역수지적자, 경제성장의 저조등 경제적 어려움에 처해 있으며 특히 최근 대홍수로 인한 피해 복구를

정와대 차관 미주국 국기국 정와대 안기부 장관 1차보 2차보 다자국 구주국

중아국 정문국 총리실

PAGE 1

90.09.27 14:05

외신 2과 통제관 BW

0228

위해 추가 재정이 소요되는등 어려움에도 불구하고 전통적인 한. 미 우호관계등을 고려, 대통령 각하께서 결단을 내리신 것임으로 이는 정당한 평가를 받아야 마땅함을 강조한후 아국이 약속한 지원금액은 아국의 안보, 경제적 여건을 고려한 최대한의 지원임을 설명하고 아국입장에 대한 미측의 이해를 요망하였읍니다.

다. 아국의 유엔가입문제

0. 소직은 국제평화와 협력을 위한 유엔의 역할이 더욱 중요해 지고 있는 가운데 금차 총회에서 우리의 유엔가입 당위성에 대한 많은 회원국들의 지지 분위기가 고조되고 있으므로 부쉬 대통령이 금번 기조연설시 아국입장을 적극 지지발언하여 주면 중국의 태도 변화등 아국의 유엔가입 여건조성에 결정적 기여를할것으로 보인다고 말하고 미측의 특별한 협조를 요청하였읍니다.

0. 이에 대해 BAKER 장관은 미국은 아국의 유엔가입을 지지해 왔으며 앞으로도 한국의 유엔가입을 위해 계속 노력하겠다고 다짐하고, 부쉬대통령의 기조연설시 아국입장 지지표명에 관한 아국의 요청에 대해서는 백악관에 긍정적으로 건의 하겠다고 말하였읍니다.

라. 한. 쏘 관계

0. 소직은 오는 9.30 한. 쏘 외무장관 회담 개최등 최근 한. 쏘 관계 진전상황을 설명하고 이와관련 그동안 미측이 관심을 갖고 측면지원 해준데 대해 사의를 표명하였읍니다.

0.BAKER 장관은 최근 한. 쏘 관계 진전 상황에 대해 관심을 표명하고 금번 한. 쏘 외무장관 회담이 한. 쏘 양국관계 발전에 전기를 마련하는 좋은 성과를 거둘수 있을것으로 기대한다고 말하였읍니다.

마. 한. 중 관계

0. 소직은 북경 아시아 경기대회에 아국선수단이 대규모로 참가하고 있고 또한 경기운영에 지원을 제공하였음을 설명하고 아시아 경기대회 종료후 양국관계 진전을 위한 접촉이 기대된다고 언급하였읍니다.

0. 이에대해 BAKER 장관은 아. 태 각료회의에의 중국가입 문제와 관련 내년에 서울에서 개최되는 제 3 차 아. 태 각료회의가 한국측이 의장국으로서의 역할수행과정에서 중국과의 관계발전의 계기가 될것으로 보며 이를위해 미국의 협력이 필요하면 적극 협조를 제공할 용의가 있다고 말하였읍니다.

바. 북한 핵 문제

0. 소직은 북한의 핵무기 비확산 조약 가입에 따라 IAEA 와 핵 안전 조치협정을 체결해야 하는 의무가 있음에도 불구하고 아직도 동협정 체결을 지연시키고있음을 지적하고 북한의 동 협정 체결 유도를 위한 그간 미국측의 협조와 노력에 사의를 표명하였읍니다.

0. 이에대해 BAKER 장관은 미.쏘 외무장관회담시 이 문제를 소측에 상당히 거론하였는바, 쏘련도 북한이 동 협정을 체결하지 않는데 대해 우려하고 있다고 하면서 앞으로도 계속 북한의 협정체결을 위해 노력하겠다고 말하였읍니다.

사. 경제, 통상문제

0.BAKER 장관은 우루과이 라운드가 금년내 원만히 타결될수 있도록 아국의 협력 필요성을 강조하고 , 농산물 문제에 관해서는 한국이 어려움이 있는것은 이해하지만 한국뿐만 아니고 미국, EC, 일본등 각국에 모두 어려운 문제인바, 아국의 적극적인 협조를 요망한다고 말하였읍니다.

0. 이에대해 소직은 우루과이 라운드의 금년내 타결을 희망하며, 농산물은 경제적 측면보다는 아국의 정치, 사회적 문제가 되고 있어 많은 어려움이 있음을설명하고 미측의 이해를 요망하였읍니다.

0. 또한 BAKER 장관은 쇠고기, 담배, 금융, 서비스 분야등에서의 아국의 합의사항 불이행 문제를 지적하고 수입규제운동에 대한 우려를 표명하면서 이러한 통상마찰 문제가 양국관계 전반에 영향을 주지 않도록 노력해야 할것이라고 말하였읍니다.

0. 소직은 이에대해 양국간 실무전문가들이 접촉을 갖고 관련 문제들의 해결방안을 모색해 보는것이 좋을것으로 본다고 제의했는바, 미측은 이에 동의하였읍니다.

2. 금번 한. 미 외무장관 회담에는 아측에서 박동진 주미대사, 현홍주 주유엔대사외 실무진이, 미측에서는 PICKERING 주유엔대사, KIMMIT 정무차관, ZOELLICK 자문관, SOLOMON 동아. 태 차관보, TUTWILER 대변인, BOLTON 국제기구 차관보, RICHARDSON 한국과장이 각각 배석하였읍니다. 끝

(장관 최호중)

예고:91.6.30 일반

관리 번호	90-2148

외 무 부

원 본

종 별 : 지 급

번 호 : USW-4407 　　　　일 시 : 90 0928 1702

수 신 : 장관(미안,미북,중근동,기정)

발 신 : 주 미 대사

제 목 : 폐만사태 아국 분담금(의회 반응)

대:WUS-3145

당관은 대호 페만 사태 관련 아국 분담금에 관한 외무부 발표 내용을 의회지도부 및 관련 인사 들에게 통보 하였는바, 그간 당관이 주요 관련 의원 보좌관실을 통해 파악한 반응과 평가를 아래 요지 보고함.

1. 주요 의원 보좌관 반응

가. 하원외무위 아태소위 STANLEY ROTH 수석 전문 위원(SOLARZ 위원장)

0 SOLARZ 의원은 한국정부가 발표한 지원이 상당한 규모의 것(SIGNIFICANT SIZE OF PACKAGE)이라고 인정하고 있으며, 의료단 파견 문제와 관련, 의료단 파견이 갖는 상징적 의미가 중요하다는 차원에서 동파견 문제에 관심을 갖고 있음.

0 동의원은 지난번 청문회 에서도 밝힌것 처럼 한국정부가 소규모의 병력을파병 하는것이 한국정부를 위해서도 좋다는 개인적 생각을 갖고 있으나, 한국군의 파병 문제를 공개적 으로 강요 하거나, 파병 않는다 해도 비난할 생각은 없음. 나. 상원 외교위 동아태 소위 RICHARD KESSLER 전문위원(CRANSTON 위원장)

0 개인 의견을 전제로 한국정부의 조치는 능력이상 성의를 보인것으로 만족스럽게 생각함.

0 그간 미의회의 분담금 증액 압력은 주로 일본에 대한 것이 었으며 한국에대해 불만을 토론한 사례는 없는것으로 기억함.

다. LUGAR 상원의원실 ANDY SEMMEL 외교안보 보좌관

0 한국정부의 조치를 매우 긍정적(POSITIVE)으로 평가 하며 미국의 페만 사태 해결 노력에 크게 도움(HELPFUL)이 될것으로 생각함.

0 군의료진 파견이 이루어 지면 더욱 훌륭한(MORE IMPRESSIVE)조치가 될것으로 생각함.

미주국 장관 차관 미주국 중아국 안기부

PAGE 1 　　　　90.09.29 07:10

외신 2과 통제관 FE

0231

라. 하원 군사위 RONALD BARTEK 전문위원(ASPIN 위원장)

0 한국정부 조치에 관하여 여타 우방국 들의 조치와 함께 현재 검토 작업이진행 중이며 내주초 ASPIN 위원장이 이에 대한 입장을 밝힐것임.

마.WIRTH 상원의원실(상원 군사위) JEFF SEABRIGHT 보좌관

0 일본의 GNP 대비 분담 규모와 한국의 경우가 비슷한 율(RATIO)을 기록하는것으로 이해되나 한국의 기여금 2 억 2 천만불은 총액에 있어서 이락사태 관련전체 소요규모에 비추어 상당한 액수가 되지 않는 만큼, 한국의 병력(MANPOWER)파병이 그규모에 상관없이 휠씬 주목을 받을 것으로 생각됨.

0 일본의 경우, 헌법을 이유로 파병을 꺼리는 상황에서 한국의 파병은 동아시아 국가로서 처음으로 행한다는 점에서 의미가 큰(DRAMATIC AND MEANINGFUL)조치가 될것임.

0 이락사태가 평화적으로 해결될 경우, 페르시아만 지역의 안정을 위해 불가피하게 유엔 평화안에 의거하게될것으로 보며, 이경우 유엔 비회원국인 한국의파병은 한국정부의 유엔에서의 입지를 크게 강화하는 효과를 가져올수 있는 정치적 GESTURE 가 될것임.

2. 당관 평가

0 미의회의 페만사태 관련 우방국에 대한 분담금 증액 요청 압력은 그간 주로 당사국인 쿠웨이트와 사우디 및 일본, 서독등 NATO 국가들에 집중된바 있었으나, 지난 9.19 CHEANY 국방장관이 의회 비공개 증언에서 약 200 억불 모금을 발표한이래 약간 수그러들고 있는 조짐임.

0 주요 의원 보좌관들은 상기 반응 에서와 같이 아국 정부의 분담금 발표에대해 대체적으로 규모의 다과 보다는 미국이 주도하고 있는 페만사태의 국제적해결노력에 적극 동참하고 있다는 사실을 긍정적으로 평가하고 있음.

0 페만 사태가 현추세대로 장기화하는 경우 의회내에서의 아국에 대한 관심은 분담금 규모보다 SOLARZ 의원들이 하원 청문회시 제기한 상징적인 차원에서의인력 파견문제로 다시 제기될 가능성은 있으나 ISSUE 화될것인지 여부는 페만사태 발전의 추이에 따라 결정될 것으로 보임.

(대사 박동진-국장)

예고:90.12.31 일반

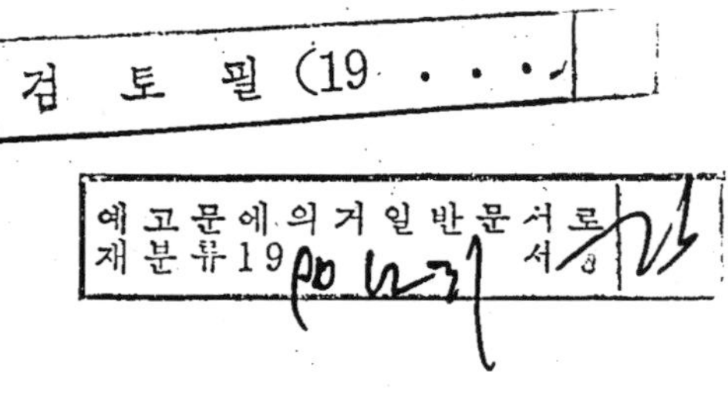

PAGE 2

0232

관리 번호	0-2156

	분류번호	보존기간

발 신 전 보

번 호 : WUS-3220 900929 1218 FA 종별 :

수 신 : 주 미 대사. 총영사

발 신 : 장 관 (미북)

제 목 : 페만 사태 지원 관련 홍보활동 전개

연 : WUS-3145, WAM-0189

대 : USW-4407

1. 페만 사태 관련 아국의 지원 방안에 대한 귀주재국 의회 및 언론등의 반응을 분석해 볼때 대체적으로는 긍정적으로 평가하면서도 상징적 차원에서의 파병 또는 최소한 군 의료진의 파견 문제를 제기하고 있으며 9.27. 한.미 외무장관 회담시에서도 미측은 사태 진전에 따라 추가 지원 요청 가능성을 시사한 바 있음.

2. 상기 관련, 금번 아국의 지원 결정은 대홍수로 인한 피해 복구 필요성 및 국내 경제 사정 악화에도 불구 양국 관계를 고려한 노 대통령의 결단과 아국의 안보, 경제적 여건을 고려한 최대한의 지원임을 강조하는 홍보 활동의 적극 전개 필요성이 점증되고 있는바, 전반적인 홍보계획을 수립 보고바람. 3. 아울러 우선 유엔 안보리채택각종 결의 지지, 주쿠웨이트 아국 대사관 폐쇄 요구 거부, 수송수단지원및 9.24자 지원 방안 발표등 지금까지 아국이 취한 조치를 활용, 행정부, 의회 및 언론계등 주재국내 여론 형성층에 적극 홍보하고 반응등 결과도 수시 보고 바람. 끝.

예고문에의거일반문서로 재분류1990 12 31 서명

(미주국장 반기문)

예고 : 90.12.31. 일반

정보문화국장: 대책반장:

보안 통제	

앙고재	90년 9월 29일	북미과	기안자 성명		과 장		국 장		차 관	장 관
			김유현				전결			

외신과통제

0233

면 담 요 록

1. 일 시 : 90.9.29(토) 15:15-15:50

2. 장 소 : 외무부 미주국장실

3. 면 담 자 :

   아측 : 반기문 미주국장, 김규현 북미과 사무관(기록)

   미측 : E. Mason Hendrickson 주한 미대사관 참사관

4. 면담 요지

페만 사태 관련 아국 지원 집행 계획

미 주 국 장 : 아국의 다국적군 지원 및 전선국가를 포함한 주변 피해국에 대한 경제지원과 관련, 아국 정부는 관계부처 실무 대책회의를 개최하여 세부 집행 계획을 잠정 수립하였는 바, 동 집행 계획에 대한 미측의 코멘트 또는 의견을 구하기 위해 귀하를 부른 것임. (이어 "페르시아만 사태 관련 지원 집행 계획"을 항목별로 상세히 설명)

Hendrickison 참사관 : (내용을 모두 받아 적은후)
주변 피해국 지원 관련 3개 전선국가외에 방글라데시와 파키스탄에 대해서도 지원을 하는 것으로 되어 있는데 이들 국가들이 페만 사태 이후 한국에게 직접 지원 요청을 하여 왔는지 ?

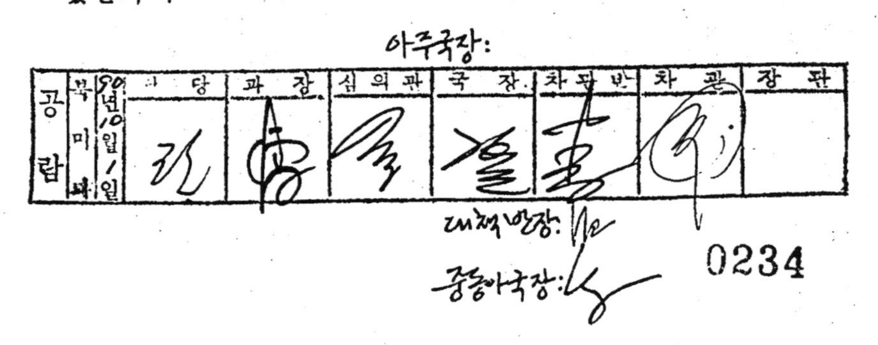

0234

미 주 국 장 : 그러함. 특히 방글라데시는 폐만 사태로 인하여 자국이 입고 있는 피해액을 문서로 상세히 알려오면서 아국의 지원을 요청해 온바 있음. 또한 필리핀도 아국의 지원을 요청하고 있음.
한편, 요르단에 대한 지원액이 감소된 것은 요르단에 대한 쌀 지원이 자칫 이라크로 유입될 가능성이 있다는 지난번 미측의 지적과 다소 미온적인 요르단의 대이라크 제재조치 참여 태도를 감안한 것임.

Hendrickison 참사관 : 잘 알겠음. 25일 저녁 Beale장군과 접촉한 바, 동 장군은 10.8(월) 한국측의 항공수송 지원이 필요하다고 하였음.
한편, 선박 수송은 미병참 본부에서 종합적인 수송계획에 따라 필요시 한국측에 요청하게 될 것임.

미 주 국 장 : 수송지원과 관련, 담당관들의 보고에 의하면 지금까지 항공 수송시 최대 적재 중량인 100톤에 훨씬 못 미치는 50-60톤 정도의 물자만을 수송하였다고 하는바 이는 자원의 낭비라고 생각되는바 미측의 관심을 촉구함.

Hendrickison 참사관 : 그 문제는 한번 알아보겠음.

미 주 국 장 : 한편 아국의 군의료진 파견 검토와 관련 일전에 아측이 제기한 질의 사항에 대한 미측 답변을 가능한 조속히 아측에 통보바람.

Hendrickison 참사관 : 동 질의에 대한 답변을 작9.28(금) 국무부로 부터 접수하였으나 답변이 충분치 않아 다시 주한미군 당국을 접촉, 군채널을 통해 미 국방부 및 사우디 주둔 미군 사령부에게 동 질의 사항에 대해 알아보도록 협조를 구해 놓았음.
이와관련 한국정부가 직접 사우디 정부와 접촉하는 방안을 어떻게 생각하는지 ?

0235

미 주 국 장 : 현단계에서 동 문제를 가지고 사우디와 직접 접촉할 계획은 없음.

Hendrickison 참사관 : 주변국가에 대한 경제지원과 관련, 해당 국가와 접촉을 하고 하고 있는지 ?

미 주 국 장 : 아직 접촉을 개시하지 않았음. 아국 정부로서는 다국적군 활동 지원분중 미국에 대한 현금 지원은 추후 미측과 직접 교섭을 통하여 지원 방법등을 결정할 것이나 주변국에 대한 경제 지원이나 기타 군수물자, 구호물자 지원등은 해당국과 직접 고섭을 통하여 집행할 방침임.
이러한 아국 정부의 방침에 대해서도 미측의 좋은 의견이 있으면 알려주기 바람.

Hendrickison 참사관 : 지금 통보해 주신 한국 정부의 세부집행 계획에 대한 미국 정부의 의견은 2-3일내에 알려드릴 수 있을 것으로 봄.

미 주 국 장 : 현재로서는 너무도 많은 부분이 불확실하고 시간적으로도 촉박한 바, 아측이 제의한 여러 질의사항에 대해 미국 정부내에서 가장 확실한 답변을 할 수 있는 부서나 담당관을 아측에 통보해주면 주미 한국대사관을 통해 협의를 효과적으로 할 수 있을 것으로 봄.

Hendrickison 참사관 : 잘 알겠음. 가능한 조속히 미국 정부의 입장이 귀측에 통보 될 수 있도록 조치 하겠음.

0236

공 란

공 란

Seoul, Korea

September 29, 1990

The Honorable Byong-Hyon Kwon
Coordinator, Iraq-Kuwait Task Force
Ministry of Foreign Affairs
Seoul, Korea

Dear Ambassador Kwon:

I was glad to have our chance discussion at the Ministry on the 25th. I believe it is important to continue working out ways to cooperate on a response to the Gulf crisis. As you know, the U.S. government has expressed its appreciation for Korea's willingness to make a noteworthy contribution to the international effort to oppose Iraqi aggression. I know that Washington is particularly looking forward to Korea's decision on sending a medical team to Saudi Arabia.

After our discussion about U.S. support in the recent flood, I have learned more about the assistance Americans have provided. As I mentioned, helicopter crews from the U.S. Air Force and the U.S. Army flew rescue missions, often under hazardous conditions, and rescued a total of fifty Koreans who might otherwise have died. American units at Osan and from Camp Eagle near Wonju engaged in emergency engineering projects during the height of the rains, building or repairing dikes and clearing storm drains. Also, donations for flood victims from U.S. Forces families total to date more than $23,000 in cash, as well as food, clothing and blankets.

Since you asked about the possibility of assistance from the American Red Cross (ARC), we contacted the Field Office director at Yongsan. From him we learned that soon after the flooding began, the National Headquarters of the American Red Cross contacted the Korean Red Cross to ask if assistance was needed. The Korean Red Cross responded that it did not need help. The field director explained that in any disaster, the national Red Cross, in this case Korea's, makes its own determination whether outside help is needed. If so, it would usually appeal to the League of Red Cross Societies, which would then seek assistance from various national Red Cross societies.

0239

As you know, we do not see much of a connection between assistance to flood victims and the international response to Iraq's invasion of Kuwait. Although both have made unexpected claims on your national treasury, the two are very different issues. We know that you and your colleagues have worked hard, and with great success, to give the Korean people a broader perspective on what is at stake for all of us in the Gulf crisis. I look forward to working with you further; please feel free to contact me or Mr. O'Neill at any time.

Sincerely,

E. Mason Hendrickson
Minister-Counselor
for Political Affairs

POL:AMO'Neill
9/29/90, Doc 11683

0240

외교문서 비밀해제: 걸프 사태 1
걸프 사태 한미 협조 1

초판인쇄 2024년 03월 15일
초판발행 2024년 03월 15일

지은이 한국학술정보(주)
펴낸이 채종준
펴낸곳 한국학술정보(주)
주 소 경기도 파주시 회동길 230(문발동)
전 화 031-908-3181(대표)
팩 스 031-908-3189
홈페이지 http://ebook.kstudy.com
E-mail 출판사업부 publish@kstudy.com
등 록 제일산-115호(2000. 6. 19)

ISBN 979-11-6983-961-7 94340
979-11-6983-960-0 94340 (set)

책에 대한 더 나은 생각, 끊임없는 고민, 독자를 생각하는 마음으로 보다 좋은 책을 만들어갑니다.